L'Empereur pourpre

L'auteur

Dès son plus jeune âge, **Herbie Brennan** se passionne pour la psychologie, le paranormal et la physique quantique. À vingt-quatre ans, il devient le plus jeune rédacteur en chef d'Irlande. À trente ans, il décide de se consacrer exclusivement à l'écriture. Plus de soixante romans suivront, ainsi que des pièces radiophoniques, des livres interactifs à succès et des jeux vidéo. Auteur de best-sellers internationaux, Herbie Brennan vit aujourd'hui dans un ancien presbytère, en compagnie de son épouse, adepte comme lui de sciences ésotériques... et d'écriture.

Du même auteur :

La Guerre des fées
(Tome I)

Herbie Brennan

L'Empereur pourpre

Traduit de l'anglais par Bertrand Ferrier

Titre original :
The Purple Emperor

Publié pour la première fois en 2004
par Bloomsbury Publishing Plc, Londres.

Loi n° 49 956 du 16 juillet 1949 sur les publications
destinées à la jeunesse : juin 2005.

THE PURPLE EMPEROR, copyright © Herbie Brennan, 2004.
© 2005, éditions Pocket Jeunesse, département d'Univers Poche,
pour la présente édition et la traduction française.

ISBN 2-266-15198-3

Celui-ci est pour Steve.
Avec mon affection et mes remerciements.

Note :

Les termes féeriques suivis d'un astérisque sont définis dans un glossaire placé à la fin du roman.

Depuis que Henry a rencontré Pyrgus, Prince des Fées de la Lumière, et sa sœur Holly Bleu, sa vie a basculé. Il doit empêcher les Fées de la Nuit de détruire le Royaume, et permettre à Pyrgus d'être couronné Empereur pourpre...

PERSONNAGES PRINCIPAUX

FDF : *Fée★ de la Forêt*
FDL : *Fée★ de la Lumière*
FDN : *Fée★ de la Nuit*
HMN : *humain (homme ou femme)*

Apatura Iris★, FDL : Empereur pourpre★ pendant plus de vingt ans. Père du Prince Pyrgus, du Prince Comma et de la Princesse Holly Bleu. Mort assassiné.

Atherton, Alicia, HMN : sœur de Henry. Plus pénible qu'elle, tu meurs.

Atherton, Henry, HMN : jeune habitant des comtés d'Angleterre. A découvert le Royaume★ des Fées en portant secours à Pyrgus Malvae, attaqué par un chat. Possède un portail★ portatif fabriqué par son vieil ami (qui est vraiment vieux), M. Fogarty, grâce auquel il peut se rendre au Royaume à sa guise.

Atherton, Martha, HMN : directrice d'une école de filles dans le sud de l'Angleterre. Grande lectrice de *Psycho Mag*. Femme de Tim Atherton. Mère de Henry et d'Alicia. Amante d'Anaïs Ward.

Atherton, Tim, HMN : cadre dynamique. Mari de Martha Atherton. Père de Henry et d'Alicia.

Beleth : Prince de Hael★.

Blafardos, Jasper, FDN : ex-propriétaire d'une usine de colle, en partenariat avec Silas Sulfurique. Espion volontiers utilisé par Lord Black Noctifer. Emprisonné à Asloght★ depuis sa tentative d'enlèvement de Holly Bleu.

Cardui, Cynthia, dite « Madame Cynthia » et « La Femme peinte » : vieille dame svelte à forte poitrine (implants). Résolument excentrique. Son réseau personnel d'informateurs en a fait un contact privilégié de Holly Bleu.

Cléopâtre, FDF : Reine des Fées de la Forêt.

Comma, FDN et FDL : Fée de la Nuit par sa mère, Quercusia, Fée de la Lumière par son père, Apatura Iris. Demi-frère du Prince Pyrgus et de la Princesse Holly Bleu.

Cossus Cossus, FDN : Gardien* de la Maison Noctifer.

Dingy, Harold, FDN : garde du corps dévoué, homme de main et âme damnée de Lord Black Noctifer.

Flipflop : endolg* que Henry Atherton a rencontré dans les geôles du Royaume, peu après l'assassinat de l'Empereur pourpre.

Fogarty, Alan, HMN : physicien paranoïaque. Ex-braqueur de banques. Supérieurement doué pour inventer des gadgets. Nommé Gardien de la Maison d'Iris en reconnaissance de l'aide apportée au Prince Pyrgus, même si son chat a préalablement failli ingurgiter l'héritier de l'Empereur pourpre.

Fouillichic : Trinian* orange embauché par Jasper Balafardos dans sa cellule d'Asloght pour s'occuper des quatre B : balayage, bouffe, baratin et ballot de linge.

Gnoma, Pheosia, FDN : nécromancier free-lance, spécialisé dans les processus de résurrection.

Gonepterix, FDF : époux de Cléopâtre.

Graminis, FDN : frère de la veuve Mormo. Aime lire le journal.

Hodge : gros matou de M. Fogarty.

Holly Bleu, dite « Bleu », FDL : sœur cadette du Prince Pyrgus Malvae. Demi-sœur du Prince Comma. Fille de l'Empereur pourpre Apatura Iris. Dispose d'un réseau personnel d'informateurs. Possède une araignée psychotronique*, ce qui est illégal mais bien utile pour certaines missions d'espionnage difficiles.

Kitterick : Trinian orange au service de Mme Cardui. Doté d'une calotte crânienne amovible. Sait siffler très fort. Ne jamais le traiter de « petite personne de couleur » (danger de mort atrocement douloureuse).

Malvae, Prince Pyrgus, FDL : jeune homme devenu Empereur héritier à la mort de son père, l'Empereur pourpre Apatura Iris. Préfère sauver les animaux en danger (du phénix doré aux chatons), au péril de sa vie, plutôt que de manipuler ses interlocuteurs afin d'assurer la pérennité de sa Maison. A quitté le Palais pourpre à une époque, à la suite de désaccords de fond avec son père.

Mormo, Veuve Maura, FDN : logeuse temporaire de Silas Sulfurique, elle deviendra sa femme (encore plus temporaire).

Noctifer, Lord Black, FDN : noble à la tête de la Maison Noctifer. Chef des Fées de la Nuit. Propriétaire d'un nouveau domaine dans la Forêt, directement connecté à l'Enfer.

Peacock, FDL : Ingénieur en chef du portail de translation de la Maison d'Iris.

Polidarius, FDL : haut dignitaire de l'Église de la Lumière ayant rang d'archimandrake★. C'est à lui que revient l'honneur de couronner l'Empereur héritier.

Quercusia, FDL : mère de Comma et seconde femme d'Apatura Iris. Très belle et complètement folle.

Severs, Charlotte, dite « Charlie », HMN : meilleure amie de Henry dans le Monde analogue★.

Soie, maîtresses de la, FDL : membres (exclusivement féminins) de la Guilde. La soie, les cocons – notamment les cocons géants, produits par des vers énormes –, la haute couture et le close-combat n'ont pas de secret pour elles. Leurs créations vestimentaires sont les plus recherchées du Royaume. Les maîtresses ont aussi des notions de guérison.

Sulfurique, Silas, FDN : ex-propriétaire d'une usine de colle, en partenariat avec Jasper Blafardos. Spécialiste de l'invocation des démons★. Antiquité vivante.

Ward, Anaïs, HMN : ancienne secrétaire de Tim Atherton. Amante de Martha Atherton.

1

La maison de M. Fogarty se cachait au fond d'un petit cul-de-sac. Les fenêtres étaient en partie condamnées, si bien qu'on aurait dit que la bâtisse était vide, voire à l'abandon. Mais Henry savait que M. Fogarty avait condamné ces fenêtres alors qu'il y vivait encore. Objectif : que les voisins ignorent tout de ses allées et venues. Même si aucun être sensé ne se serait risqué dans la maison. Le dernier visiteur indélicat en était reparti avec un bras cassé par un coup de batte.

Henry avait un gros trousseau de clefs, mais il évitait d'utiliser la porte d'entrée. Il préférait passer par la porte de derrière.

L'endroit était sombre. Normal : M. Fogarty avait érigé une palissade, solide et très haute, pour décourager les curieux. Pourtant, il n'y avait pas grand-chose à voir. Juste une pelouse grise, pelée et moussue, ainsi qu'une cabane de jardin, flanquée d'un buisson de buddleia [1]. C'est là que Henry avait rencontré Pyrgus Malvae pour la première fois.

Le garçon marcha vers le buisson autour duquel le gros matou du vieil homme avait l'habitude de rôder.

– Hodge ! appela-t-il. Viens, Hodgie ! C'est l'heure de dîner !

Hodge devait traîner dans le coin, car il émergea aussitôt, la queue dressée, et vint se frotter contre la cheville de Henry.

– Salut, Hodge ! murmura celui-ci avec tendresse.

Il aimait bien le félin, bien qu'il transformât le jardin en cimetière pour rats, souris, oiseaux et lapins.

Henry se dirigea vers la porte de derrière – lentement : Hodge faisait des huit autour de ses pieds. Lorsqu'il ouvrit la porte, le chat fila dans la maison, pressé de s'attaquer au festin qu'il lui avait apporté. M. Fogarty le nourrissait d'une espèce de magma puant – on aurait dit du vomi – qui ne coûtait même pas vingt-

---

1. Le buddleia est un grand buisson de lilas de Chine. (N.d.T.)

cinq pence la boîte. Hodge l'avalait faute de mieux. Mais il préférait de loin les mets de luxe que lui offrait le garçon.

Henry ouvrit le placard et en tira la petite écuelle de Hodge.

– Tu ne gâtes plus ce chat, tu le pourris ! grogna quelqu'un dans l'ombre.

Le garçon sursauta, lâchant l'assiette qui vola en éclats. Hodge couina en signe de protestation et bondit vers la porte.

2

– Poule mouillée ! lança Son Altesse Sérénissime la Princesse Holly Bleu.

– Je *ne* suis *pas* une poule mouillée ! soutint Pyrgus. Je veux juste savoir exactement ce qu'il compte me faire.

Il feuilletait avec attention le livre de motifs. Des sortilèges d'animation donnaient l'impression que les ailes des papillons se déployaient et tremblaient.

– Tu sais exactement ce qu'il compte te faire, rétorqua Bleu. Ce sont des motifs traditionnels. Ils n'ont pas changé depuis des années. Et tu les as vus assez souvent sur Papa quand...

Ses yeux s'embuèrent.

– ... quand il était encore en vie, acheva-t-elle.

– Oui, je sais, je sais, reconnut Pyrgus en tournant la page.

– Alors, qu'est-ce que tu attends ?

Pyrgus murmura dans sa barbe.

– Quoi ? demanda Bleu.

– J'aime pas les aiguilles, répéta le garçon un peu plus fort.

Le frère et la sœur se trouvaient dans les appartements privés de l'Empereur – c'est-à-dire les appartements privés de Pyrgus –, situés au cœur du Palais pourpre. Le Tatoueur royal patientait devant la porte depuis près d'une heure.

– Je suis au courant que tu n'aimes pas les aiguilles, déclara Bleu. Mais tu n'y couperas pas. Et il faut que tu y passes maintenant. Sans quoi, ça te démangera encore le jour du Couronnement. Tu imagines si le nouvel Empereur pourpre se gratte pendant toute la cérémonie ? Les gens croiront que tu as des puces.

– J'aurai qu'à utiliser un sortilège de guérison, grommela Pyrgus.

– Non, secoue-toi ! le semonna sa sœur. Tu as déjà renvoyé ce pauvre homme deux fois. Serre les dents, et décide-toi !

– Bon, d'accord, d'accord, lâcha Pyrgus de mauvaise grâce.

Il fit un signe au soldat qui gardait la porte, aussi immobile qu'une statue :

– Qu'il entre !

Le garde ouvrit le battant d'un coup et annonça d'une voix de stentor :

– Sir Archibald Buff-Arches, Tatoueur royal.

Un homme entra. Il avait quelque chose du vieil ennemi de Bleu, Jasper Blafardos[1] : il était trop gros et avait une prédilection pour les vêtements extravagants – il portait ce jour-là une robe de soie parée de sortilèges qui laissaient entrevoir des nymphes ondulant dans les plis de la tunique. Mais la ressemblance s'arrêtait là. On voyait dans ses yeux qu'il n'était pas une Fée de la Nuit.

Il s'approcha d'un pas décidé. Deux assistants musculeux poussaient devant eux un chariot plein de pots multicolores, de fioles diverses et d'un plateau sur lequel étaient étalées des aiguilles impressionnantes.

Le Tatoueur se prosterna bien bas devant Pyrgus.

– Mes respects, Votre Majesté impériale, proféra-t-il.

Puis il se tourna vers Bleu et s'inclina un peu moins :

– Mes hommages, Votre Altesse Sérénissime.

Celle-ci remarqua qu'il avait des mains très délicates, pour ainsi dire magnifiques.

– Mon frère est à votre disposition, déclara-t-elle avant que Pyrgus eût le temps de changer d'avis.

L'Empereur la fusilla du regard. Cependant, à l'évidence, il s'était résolu à en finir. Il fixa Buff-Arches et annonça avec une solennité excessive :

– Tatoueur, je me remets entre vos mains. Que la cérémonie commence !

Les deux assistants du nouveau venu s'affairèrent. Ils ouvrirent des fioles et des récipients divers, et sortirent une armée d'instruments brillants qu'ils posèrent près des aiguilles. Bleu vit blêmir Pyrgus. Le chariot semblait prêt pour une importante opération chirurgicale.

– Je suppose que Votre Majesté aimerait connaître les différentes possibilités dont elle dispose ! lança Buff-Arches d'un ton presque guilleret.

---

1. Lire, du même auteur, *La Guerre des fées*, t. I. (*N.d.T.*)

Pyrgus le regarda avec acuité. Bleu devina que si son grand frère décidait de se défiler, il le ferait maintenant ou ne le ferait jamais. Or, tout ce que l'Empereur répondit fut :

– Les différentes possibilités ? Oui, j'aimerais les connaître.

Il parlait lentement, comme s'il avait voulu retarder le moment fatidique.

– La tradition, expliqua le Tatoueur, veut que les tatouages soient exécutés sans anesthésie et sans intervention magique d'aucune sorte. Seule est prévue une petite transfusion au cas où le patient perdrait plus de deux pintes de sang royal par heure.

– QUOUAH ? aboya Pyrgus. Perdre du sang ? Deux pintes par heure ?

– Oh, c'est très rare qu'on en arrive là, s'empressa de préciser Buff-Arches. Il faudrait qu'une artère soit touchée pendant le Prélèvement Royal.

– C'est-à-dire ? souffla l'Empereur d'une voix faible.

Bleu s'approcha de lui l'air de rien, au cas où il s'évanouirait.

– Il s'agit du prélèvement d'un échantillon épidermique que nous effectuons pour tester les teintures. Simple précaution pour éviter les réactions allergiques. Je tatoue une abeille sur cet échantillon. Après quoi, en l'absence de réaction, nous entreprenons l'illustration convenue sur le corps de Votre Majesté.

– Et l'échantillon, vous le prélevez où ?

– En général sur le postérieur royal, Votre Majesté.

Bleu s'attendait à voir Pyrgus protester. Personnellement, elle ne s'en serait pas privée. Un « prélèvement » à un endroit aussi stratégique signifiait l'impossibilité de s'asseoir pendant une semaine. Une fois de plus, Pyrgus la surprit.

– Et vous tatouez une abeille ? voulut-il vérifier.

– Oui.

– Toujours ?

Buff-Arches opina.

– Pourquoi ? s'enquit l'Empereur.

– Pas la moindre idée, avoua le Tatoueur. C'est le motif qu'exige la tradition, vous comprenez ?

Le Tatoueur observa Pyrgus un moment, comme s'il s'était attendu à une question supplémentaire. Faute de quoi, il reprit soudain :

– Mais je vous parlais des différentes possibilités. La tradition exige qu'on ne recoure ni à l'anesthésie, ni à la magie.

Néanmoins, l'un de vos illustres prédécesseurs, l'Empereur Sco-litandes le Chétif, a décrété que, dorénavant, tous les Empereurs pourpres pourraient choisir de bénéficier d'une anesthésie locale ou générale, grâce à ces simples-ci...

L'homme désigna des fioles sur le chariot et poursuivit :

– Depuis, l'Empereur est aussi habilité à recourir à un cône de sortilège, qui le rendra temporairement insensible à la douleur.

Il attendit quelques instants, puis conclut :

– Votre Majesté impériale souhaite-t-elle m'informer de l'option qui est la sienne ?

Les yeux de Pyrgus s'étaient posés sur le chariot et ne le quittaient plus.

– À quoi servent ces instruments ? demanda-t-il. Pour le « prélèvement royal » ?

– Oh, non, Sire ! Votre Majesté se souvient sans doute que mon autre tâche est d'effectuer la tonsure royale. Ces outils ont quelque chose d'inquiétant, je le reconnais. Mais cette partie-ci de la procédure n'est guère douloureuse, elle, je puis vous l'assu-rer. À moins que Votre Majesté ne fasse un faux mouvement au mauvais moment, bien sûr.

L'Empereur grimaça :

– Euh, la tonsure, là... C'est obligatoire ?

Il en était un peu content, Pyrgus, de ses cheveux !

Hélas, Buff-Arches acquiesça.

– Impossible d'y couper, si j'ose dire, confirma-t-il. Votre Majesté est la tête de l'Église de la Lumière. Ce qui rend la tonsure totalement indiquée. Cependant, si Votre Majesté le souhaite, je peux recueillir ses cheveux et lui en faire une petite perruque, qu'elle portera en dehors des cérémonies officielles.

– Oui, approuva très vite l'Empereur. Faites-le.

– Et pour le tatouage, quel est le choix de Votre Majesté ? Anesthésie, cône de sortil...

– Quelle option a prise mon père ?

Pour la première fois depuis que l'homme était entré dans la pièce, son visage s'adoucit :

– Votre père, Sire, a opté pour l'approche traditionnelle.

– Donc, pas de sortilège ?

– Ni d'anesthésie. Il a même exigé de se retenir seul, sans l'intervention de mes assistants.

Bleu sentit que Pyrgus se raidissait. Cela faisait à peine quelques semaines que leur père avait été assassiné – assassiné de façon atroce par une arme du Monde analogue, qui lui avait déchiqueté le visage. Pyrgus et son père ne s'entendaient pas bien. Mais alors, pas bien du tout. Au point que Pyrgus avait quitté le palais pour aller vivre en ville, malgré son sang royal, comme un vulgaire vagabond. Aujourd'hui, entendait-il mettre ses pas dans ceux de feu l'Empereur ?

– Si mon père a agi ainsi, déclara-t-il, solennel, j'agirai de même.

Et il commença de se déboutonner.

Pudique, Bleu sortit de la pièce. Elle était fière de son frère. Ravie de son choix. Cependant, elle n'avait pas le moins du monde l'intention d'être près de lui quand son courage lui coûterait la peau des fesses.

3

Sulfurique baissa les yeux sur le bol ébréché qu'on venait de lui apporter.

Du gruau. Encore !

Il sentit ses lèvres s'assécher. La bouillie avait la consistance d'une eau de vaisselle. C'était un liquide pâle et grisâtre. Dedans tremblotaient des espèces de grumeaux blanchâtres. Le magma puait encore plus que la fosse d'aisances sur laquelle donnait sa chambre.

Sulfurique leva les yeux vers le vieil épouvantail édenté – la veuve Mormo – qui le fixait.

– C'est bon pour la santé ! caqueta-t-elle. Ça conserve ! Mon dernier mari n'jurait qu'par ça !

Elle posa une cuillère crasseuse près du bol et jeta un quignon de pain marronnasse sur la table branlante. Un cafard traversa le plateau à toutes pattes pour se jeter dessus. Sulfurique écrasa l'immonde insecte avec son pouce.

– M'étonne pas qu'il ait crevé, grommela-t-il, mauvais.

– Hé, vous êtes bien difficile, dites ! protesta la vieille. J'suis une pauv' femme, moi, et j'fais mon possible malgré qu'vous m'payez une misère !

Sulfurique payait quand même sept ducats par jour ! Une misère, certes ; mais les repas étaient comptés en plus. Et la bouillie de gruau lui donnait la diarrhée. Pas glorieux pour celui qui avait été à deux doigts de devenir le maître de l'Empire, avant de devoir fuir comme un malpropre, sans presque rien emporter...

Il avait prévu de rester au moins six mois dans ce logis miteux. Mais il n'en pouvait plus. Il se demandait s'il serait simplement capable de tenir encore une semaine. À côté du gruau de Mormo, même la menace d'une mort atroce perpétrée par Beleth – un redoutable prince des démons – en personne semblait dérisoire.

La vieille marmottait dans son coin.

– Quoi ? gronda Sulfurique. Qu'est-ce que vous dites ?

Sans sortilège de renforcement, son ouïe n'était plus ce qu'elle avait été. Or, le sortilège dont il aurait eu besoin, il l'avait laissé derrière lui. Et il n'osait pas aller en racheter un autre, pour le moment. Un magasin de magie ? Il ne fallait pas y songer. C'est là que Beleth commencerait par le rechercher. Sûr que le démon avait activé les antennes dont il disposait. Un prince, ça a des moyens énormes !

Donc Sulfurique devenait dur de la feuille. Cependant, le problème était plus grave que ça. Il avait quatre-vingt-dix-huit ans. Faute de charme adéquat, sa santé allait se dégrader. Et vite. Déjà, quand il était sous sortilège, il savait qu'il faisait son âge. Alors, sans...

– J'disais qu'y a peut-être un moyen d'améliorer votre ordinaire, répéta docilement la veuve. Votre nourriture, par exemple.

– Je peux pas payer davantage, affirma aussitôt Sulfurique.

Le loyer n'était pas cher, mais un commissionnaire indélicat lui avait dérobé beaucoup d'or ; et le restant de ses avoirs était hors de portée. Bien que Sulfurique eût emporté pas mal d'or avec lui, il restait prudent. Comment savoir combien de temps sa maigre fortune devrait durer ? Les démons ont bonne mémoire. Peut-être Sulfurique serait-il contraint de se cacher pendant des années !

La vieille prit une chaise et s'assit près de lui. Sulfurique fronça le nez. Derrière son parfum – en fait, une infection suffocante –, il sentait la vraie odeur : la veuve empestait l'urine.

Le vieillard se recula :

– Veuve Mormo...

– Maura, le coupa la logeuse. Appelle-moi Maura. Et moi, je t'appellerai Silas.

– Pas question !

Typique du peuple : dès qu'on était un peu à sec, il oubliait les convenances.

– Je me disais, Silas, continua la veuve sans se troubler, que toi et moi, on pourrait trouver un petit... arrangement ?

– Un arrangement ? De quel genre ?

Silas réfléchissait très vite, à présent. Il était prêt à tout pour obtenir *gratuitement* une meilleure nourriture. Enfin, gratuitement au sens de : « sans payer », mais en échange de quelque chose, à l'évidence. Les gens de basse condition étaient tous les mêmes. La vieille allait sans doute lui réclamer son aide pour concocter une potion illégale. Il ne lui avait rien dit sur son passé ; néanmoins, il avait conscience de sentir le soufre, et la veuve était aussi perspicace qu'elle était affreuse. À coup sûr, elle avait deviné le sorcier en lui à peine avait-il passé son seuil. Elle allait solliciter un sortilège interdit. Quelle importance ? Sulfurique avait invoqué des démons depuis sa tendre enfance. Son dernier contrat avec Beleth mettait en jeu un sacrifice humain. Ce qu'exigerait ce sac d'os ne serait que du pipi de chat, à côté !

— Quand mon Stanley est mort, j'suis dev'nue veuve, Silas, reprit Mormo d'un coassement doux. Et j'le suis restée.

— Et alors ? cracha Sulfurique. Quel rapport avec moi ?

— J'pensais que... qu'on aurait pu s'marier, quoi...

Sulfurique regarda la vieille chouette, sidéré. Même jeune, elle avait dû être la femme la plus horrible de la contrée. Depuis, elle ne s'était pas améliorée... Elle était âgée, édentée, chauve, ridée, fripée, puante, couverte de verrues ; elle avait les yeux chassieux, elle fuyait de partout et elle lâchait des pets à tout-va. « Son squelette serait plus excitant », songea Sulfurique.

— Vous... vous voulez que... que je vous épouse ? bégaya-t-il.

— Histoire d'vous tirer d'ici, oui, confirma la veuve en reniflant. J'ai un endroit à moi, dans les bois. Une cabane en rondins avec des cônes magiques modernes, un plein cabinet de sortilèges et un bon p'tit lit pour deux personnes. J'garde mon argent sous mon mat'las. Personne n'y va jamais. Personne ne connaît ce repaire...

Elle lui décocha un sourire gourmand et séducteur en diable. Un sourire qui se voulait sexy – et qui donna à Sulfurique une furieuse envie de vomir.

— On pourrait y aller pour fêter notre lune de miel ! suggéra Mormo.

Sulfurique hésita. Une cabane isolée au fond des bois ? C'était exactement ce dont il avait besoin. Sans parler de l'argent de la vieille, de ses cônes magiques et de son cabinet de sortilèges.

Il pensa que, une fois sur place, il n'aurait qu'à lui trancher la gorge ; et, à son tour, il sourit.

— Quelle bonne idée ! s'écria-t-il avec fougue.

4

Holly Bleu était préoccupée. Il lui restait au bas mot un bon million de choses à préparer avant le Couronnement, dont :

- ❖ les feuilles dorées pour la Cathédrale ;
- ❖ les bougies magiques pour la Nef ;
- ❖ les cadeaux pour la Congrégation ;
- ❖ les musiciens ;
- ❖ les jeux pour les festivités ;
- ❖ les lapins pour la Distribution officielle ;
- ❖ la Garde d'Honneur ;
- ❖ les pots-de-vin pour l'Église ;
- ❖ la Barge d'État ;
- ❖ les sept troupes de conjuration ;
- ❖ le Chœur d'Endolgs ;
- ❖ le Compagnon (Pyrgus voulait Henry, et Bleu n'était pas sûre que Fogarty, le nouveau Gardien, l'eût déjà contacté) ;
- ❖ la Compagne (ce serait Bleu... mais il lui restait à essayer son costume) ;
- ❖ le Salut solennel ;
- ❖ la nouvelle statue du Grand Square ;
- ❖ le menu de la réception qui suivrait la cérémonie...

... et la liste était loin d'être close !

Tout cela reposait sur les épaules de Bleu, car Pyrgus ne s'y intéressait pas sérieusement.

La Princesse s'empressa de gagner ses appartements, où se trouvait l'impressionnante liste de TRUCS À FAIRE. En la relisant, elle décida d'expédier l'essayage de sa robe. *A priori*, c'était le plus simple à régler.

Elle descendit la volée de marches abruptes qui conduisait aux logements des domestiques. Elle ne se promenait pas souvent dans ce coin du palais. Quand la Princesse royale avait besoin de quelque chose, c'étaient les domestiques qui se déplaçaient. Cependant, la coutume exigeait que la tenue par la

Compagne fût exécutée dans la soie la plus fine, et *sans sortilège de renforcement*, ce qui rendait son transport impossible. Ridicule, mais on appelait cela la tradition.

Or, il est de notoriété publique qu'il n'existe pas de substance plus fragile que la soie tissée. Une fois achevé, le costume serait plus solide. Problème : il fallait l'essayer avant. Et, pour cela, la plus grande délicatesse s'imposait. Surtout quand on n'avait pas le droit de se servir d'un sortilège de renforcement. Si on avait de la chance, le tissu ne se déchirait pas, et on avait alors le privilège de porter le plus beau vêtement de l'Empire ; dans le cas contraire, les Maîtresses de la Soie en étaient quittes pour tailler un autre costume (pour un surcoût astronomique). Et tout était à recommencer.

La plupart des clients, même ceux qui étaient nobles, rendaient visite aux Maîtresses dans leurs échoppes, où se trouvaient leurs métiers à tisser. Seule la Princesse royale avait été autorisée à essayer sa tenue de cérémonie dans le palais.

Bleu aurait aimé donner un appartement d'honneur aux Maîtresses ; mais celles-ci avaient insisté pour établir leurs quartiers chez les domestiques. La jeune fille comprit pourquoi en pénétrant dans la pièce que les tisseuses avaient investie.

– P... pourquoi fait-il aussi froid ici ? demanda-t-elle en claquant des dents.

Son souffle dessina de la buée devant sa bouche.

L'une des Maîtresses de la Soie leva les yeux vers elle. Si la soudaine apparition de la Princesse royale – la propre sœur et Compagne de l'Empereur – l'impressionna, elle n'en laissa rien paraître.

– On ne peut pas travailler la soie s'il fait plus chaud, expliqua-t-elle.

Bleu frissonna et serra ses bras contre elle.

– Je suis venue pour la robe, dit-elle sans ambages. Tout est-il prêt ?

La Maîtresse se leva et s'avança vers la Princesse. C'était une grande matrone élégante, dotée d'une longue chevelure qui lui arrivait à la taille. Sa robe était divine. Telle était la magie de la soie tissée : elle rendait n'importe quelle femme magnifique. Enfin, n'importe quelle femme qui pouvait se l'offrir.

– Oui, Sérénité, tout est prêt, répondit la Maîtresse. Si vous voulez bien me suivre...

Bleu se laissa guider dans l'atelier. Les Maîtresses avaient déménagé l'ensemble de leur production dans le palais, à en juger par la variété des robes sur lesquelles elles travaillaient. Bleu espéra qu'elles n'avaient pas apporté aussi les cocons avec elles. Les araignées, ça ne la dérangeait pas. Au contraire. Elle en avait une elle-même, d'un genre particulier : c'était une araignée psychotronique. Mais les araignées à soie avaient la taille de hérissons. Trop gros. Même quand on aimait ces bestioles.

La Maîtresse ouvrit une porte qui donnait sur une seconde pièce, plus petite que la première. Là, il n'y avait pas de métier à tisser. Juste le pourpre vif et l'or étincelant du vêtement de cérémonie, drapé sur un mannequin de bois et éclairé par une ampoule qui diffusait une lumière douce. Le tissu scintillait comme si un charme l'avait rendu vivant.

Bien qu'elle se fût attendue à découvrir une splendeur, Bleu était sous le choc.

– C'est... c'est... stupéfiant ! balbutia-t-elle.

La femme eut un petit sourire :

– En effet, Sérénité.

– Comment vous appelez-vous, Maîtresse de la Soie ? demanda Bleu spontanément.

– Pêche Bénie, Sérénité.

– Je n'ai jamais rien vu d'aussi beau, Pêche !

La Princesse était sincère. Elle avança d'un pas vers la robe. Il ne faisait pas beaucoup plus chaud dans cette pièce-ci. À peine un ou deux degrés de plus que dans la précédente. L'haleine de la jeune fille était toujours visible.

– Dois-je me déshabiller pour l'essayer ? s'enquit-elle.

– Oui, Sérénité. La robe vous ira, il n'y a aucun doute, mais la chaleur de votre corps imprimera la forme au tissu, maintenant et à jamais... Espérons que vous ne le déchirerez pas en le passant.

– Je serai prudente, promit Bleu.

Elle caressa le tissu. Le vêtement paraissait... inconsistant. Pas glissant, non. Plutôt lointain. Évanescent. Comme s'il avait appartenu à une autre dimension. Bleu mourait d'envie de l'enfiler d'un coup – elle avait si froid qu'elle tremblait –, mais elle força ses doigts engourdis à progresser avec une lenteur délibérée.

La soie effleura son visage et épousa son corps, exhalant une odeur discrète d'huile parfumée. Aussitôt, la Princesse eut moins froid, et elle sentit que le processus de stabilisation commençait.

– Bravo, Sérénité ! s'exclama Pêche. Vous pouvez bouger, à présent. Le danger est écarté...

Bleu exécuta quelques mouvements. Son costume accompagna ses gestes avec grâce. Soudain, la jeune fille eut l'impression d'être pleine d'énergie – on aurait dit que quelqu'un avait allumé un cône d'euphorie à son intention.

– Vous êtes splendide, Votre Altesse ! déclara Pêche. Suivez-moi, je vous prie : les autres Maîtresses sont impatientes de vous admirer...

Bleu ne s'était jamais vraiment souciée de son apparence. Jusqu'à cet instant précis, du moins. Elle devinait qu'elle était sublime. Magnifique. Élégante. Aussi élégante que la Maîtresse elle-même. Elle ne marchait pas : elle dansait. Les Maîtresses avaient de bonnes raisons d'exiger des prix exorbitants pour leurs prouesses : le seul fait de porter leurs chefs-d'œuvre procurait des émotions extraordinaires.

Une salve d'applaudissements accueillit l'apparition de la Princesse dans l'atelier. Plusieurs Maîtresses de la Soie se levèrent même, un sourire fasciné aux lèvres. Bleu leur sourit à son tour pour les remercier. C'est alors qu'une pensée étrange lui passa par la tête : « Vivement que Henry me voie dans cette robe ! »

5

L'homme qui émergea de l'ombre était grand, svelte et âgé. Il portait une toge indigo qui lui descendait aux chevilles. Des éclairs et des planètes étaient brodés sur le tissu. Il fixait Henry d'un œil torve :

– Tu sais qu'ils mettent de la drogue dans ce truc, hein ? De la drogue pour chats. Les gentils petits minets en deviennent dépendants et refusent de toucher aux autres marques. C'est pour ça que ces boîtes de luxe coûtent aussi cher. À cause de la drogue.

Le garçon regarda la boîte qu'il s'apprêtait à ouvrir. Puis ses yeux se tournèrent de nouveau vers la silhouette qui venait d'apparaître devant lui.

– Monsieur Fogarty ! s'écria-t-il enfin. Qu'est-ce que vous fabriquez ici ?

– C'est là où j'habite, lui signala l'homme.

– Pas vraiment, rétorqua Henry. En tout cas, pas ce dernier mois !

Il se sentit soudain très excité.

– Comment va Pyrgus ? demanda-t-il. Et le Royaume ? Et...

Il essaya de prendre une voix nonchalante :

– Et, euh, la Princesse Holly Bleu ?

M. Fogarty s'accroupit devant le placard sous l'évier. Il en sortit une boîte de conserve et chercha un ouvre-boîte dans le tiroir de la table de la cuisine (c'était une conserve si vieille qu'elle n'était même pas munie d'un anneau qui permet de soulever le couvercle en tirant dessus !).

– Pyrgus est dans un drôle d'état, répondit-il. Normal : comment veux-tu qu'un gamin qui ne connaît rien au monde et qui vient de perdre son père dirige un Empire ? D'ailleurs, je dois te parler de ça...

Il s'aperçut que Henry le regardait fixement.

– Oui, bon, ta petite copine va bien, elle, ajouta-t-il.

— Holly Bleu *n'est pas* ma petite copine, protesta le garçon en rougissant.

Fogarty l'ignora. Faute d'ouvre-boîte, il avait déniché un couteau avec lequel il avait troué la boîte de conserve, avant de la renverser dans l'écuelle en métal de Hodge. Des grumeaux verdâtres et nauséabonds s'y répandirent. Remis de sa frayeur, le matou était revenu à la cuisine et observait le magma avec un intérêt mêlé de dégoût.

— En apparence, tout roule, là-bas, reprit le vieil homme. Dans l'ensemble, les Fées de la Nuit se tiennent à carreau depuis que leur grand chef Noctifer s'est calmé. On raconte que le Royaume de Hael s'est effondré. Personnellement, je n'y crois pas. Mais les portails sont fermés, c'est incontestable. On parle beaucoup de mains tendues en signe de réconciliation, d'amitié, de colombes de la paix, toutes ces conneries. Sauf qu'il n'est pire eau que l'eau qui dort, n'est-ce pas ? Au fond, rien n'a changé.

M. Fogarty posa l'écuelle par terre et attendit. Hodge s'approcha, flaira son repas et s'éloigna aussi sec pour se rasseoir quelques pas plus loin.

— Tiens, qu'est-ce que je t'avais dit ! s'exclama le vieil homme d'un ton triomphant. Cet animal est drogué. Il a perdu le goût de la nourriture normale. Il veut sa dose.

— Non, il n'a jamais aimé ce que vous lui donnez, rectifia Henry. C'est une infection, sans compter que ça ressemble à du vom...

— Avant, il la mangeait, l'interrompit M. Fogarty, agacé. Surtout quand il avait faim.

Il regarda le garçon avec insistance.

— Donne-lui sa dose, puisqu'on en est là, lâcha-t-il. Si tu l'as déjà transformé en *junkie*, c'est trop tard...

Henry résolut de ne pas s'emporter pour si peu. Il jeta le vomi verdâtre, rinça l'écuelle et y vida le contenu de sa boîte. La queue du chat se redressa, et il se mit aussitôt en devoir de nettoyer son assiette.

Le vieil homme tira une chaise vers lui et s'assit à la table.

— Deux-trois choses à te dire, grogna-t-il. D'abord, avant que j'oublie : Pyrgus veut que tu te translates pour son Couronnement.

Henry battit des paupières. « Translater, translater... Voyons... Je l'ai su, pourtant, je l'ai su ! » Puis son cerveau tilta. Même si l'arrivée de M. Fogarty l'avait troublé, comment avait-il pu oublier quelque chose d'aussi extraordinaire ? La translation, c'était l'opération qui consistait à passer de ce monde (appelé par les Fées le Monde analogue) à celui des Fées, où vivait Pyrgus.

– Pas de couronnement sans Compagnon, continua M. Fogarty.

– Un Compagnon ?

– Oui, l'équivalent d'un témoin à un mariage, si tu veux. Pyrgus souhaite que tu sois son Compagnon. Ce qui suppose que tu t'habilles comme un abruti.

Le garçon examina les habits de son interlocuteur sans faire de commentaires. Un grand sourire illuminait son visage. Il n'avait plus qu'à trouver une excuse pour retourner au Royaume des Fées – à strictement parler, le Royaume était un Empire, mais l'usage voulait qu'on l'appelât Royaume. L'endroit était génialissime. En plus, Henry était une espèce de héros, là-bas. Ses exploits lui avaient valu d'être nommé Chevalier de la Dague grise, la plus haute distinction locale. Ce qui n'était que justice : après tout, au terme d'aventures ébouriffantes, il avait sauvé Pyrgus, le Prince héritier.

Henry serait ravi de revoir son ami... et Bleu, aussi. D'accord, surtout Bleu. Il ne la surprendrait sûrement pas à sa sortie de bain, comme la dernière fois. Mais bon. Ce serait quand même extra. S'il fallait être Compagnon pour retourner dans le Royaume, Compagnon il serait. Et tant pis s'il devait s'habiller « comme un abruti ». Dans la bouche de M. Fogarty, ce pouvait être un heureux présage : Henry revêtirait sûrement un costume éclatant, orné de couleurs vives. Autant dire, un vêtement plus seyant que celui qu'il portait lorsqu'il avait rencontré Bleu la dernière fois.

– Quand aura lieu le Couronnement ?

– Dans deux semaines. Ce sera un samedi, là-bas. Les festivités dureront trois jours. Toi, il te faudra être présent dès le jeudi, pour les répétitions.

L'excitation de Henry éclata telle une bulle de savon. Passer une nuit à l'extérieur, c'était envisageable. Il s'arrangerait avec sa copine Charlie. Il lui demanderait de prétendre qu'il dormait chez elle. Elle accepterait de rentrer dans son jeu. Mais quatre jours ? Exclu.

– Je ne peux pas m'absenter quatre jours, murmura-t-il, mortifié.

– Tu as d'autres projets, ou tu t'inquiètes juste à cause de tes parents ?

– Non, non, je n'ai aucun projet. Et puis, si j'avais quelque chose de prévu, j'annulerais. C'est juste mes parents. Enfin, surtout maman. Papa, je le vois presque pas.

Il se rendit compte que M. Fogarty n'était pas au courant de ce qui lui était arrivé depuis leur dernière rencontre.

– Je vis rien qu'avec maman, expliqua-t-il. Papa habite ailleurs. Et maman se poserait des questions si je disparaissais pendant quatre jours.

– Ne te bile pas, on craquera un L.

– Un quoi ?

– Un Léthé. Ça vient de la déesse grecque Léthé, qui symbolisait l'Oubli. Et ça sert à... ben, à oublier. Si tu veux disparaître sans qu'on le remarque, tu casses un cône d'oubli sous le nez de ta mère, et elle ne se souviendra même pas qu'elle a un fils... jusqu'à ton retour. Quelqu'un d'autre chez toi ?

– Ma petite sœur, Alicia, dit Henry, les yeux écarquillés.

Il avait vu des sortilèges à l'œuvre au Royaume des Fées. Cependant, il n'avait jamais pensé que, un jour, il se servirait de l'un d'eux lui-même !

– Je te donnerai une boîte de Léthés, promit M. Fogarty. On sait jamais quand ces petites choses peuvent être utiles. Faudra utiliser un cône pour ta mère et un autre pour ta sœur.

– Merci...

Henry était ravi à l'idée de jouer un bon tour à Alicia.

– Donc, je peux annoncer à Pyrgus que tu viens ? s'enquit M. Fogarty.

– Oui ! lança le garçon avec enthousiasme.

– Entendu. Deuxième chose : j'ai décidé de m'installer définitivement.

– Où ça ? Ici ?

La nouvelle lui procurait des sentiments mélangés ; mais le soulagement prédominait. Depuis que Pyrgus avait choisi M. Fogarty pour Gardien du Royaume des Fées – difficile de croire que quelques semaines seulement s'étaient écoulées ! –, le vieil homme avait partagé sa vie entre le Palais pourpre et son ancien domicile. Pendant ses absences, Henry jetait un œil sur la maison et prenait soin de Hodge – c'est-à-dire qu'il le caressait et lui donnait à manger. Or, au fur et à mesure, M. Fogarty était resté de plus en plus longtemps dans le Royaume. Le garçon se demandait comment il réussirait à venir voir Hodge quand il reprendrait les cours, en septembre. Déjà que sa mère n'appréciait pas du tout l'idée qu'il aidât un repris de justice...

Le vieil homme secoua la tête :

– Non, je vais m'établir dans l'Empire. Je t'ai dit mon sentiment : en apparence, pas de problème là-bas ; mais, au fond, rien n'a changé. Noctifer n'a pas abandonné ses desseins, même s'il parle sans arrêt de « bâtir des ponts ». Pyrgus est nul en politique. Ça ne l'intéresse pas. Et, en plus, il est naïf. Il croit ce que lui racontent les gens. Il s'imagine que la vérité sort toujours de la bouche de ses interlocuteurs. S'il veut survivre à sa tâche d'Empereur, il a besoin de moi pour le conseiller. M'est avis que ça va m'occuper à plein temps.

– Je vois, approuva Henry.

M. Fogarty avait probablement raison. En dehors de toute autre considération, Pyrgus était très jeune pour être Empereur. Il avait à peu près le même âge que Henry. Un homme d'expérience lui serait sans doute utile.

– Mais il y a autre chose, n'est-ce pas ? ajouta le garçon en fixant le vieil homme.

Celui-ci souffla :

– Tu es moins bête que tu en as l'air, hein ? Oui, il y a autre chose. Je... je ne suis plus si jeune. J'ai largement dépassé ma date de péremption. Mes articulations sont rouillées. Si un flic me coursait, je me ferais coffrer à tous les coups. J'ai bien calculé : je peux durer comme ça cinq ans, peut-être dix si j'ai de la chance. Or, je me suis aperçu qu'ils avaient inventé des traitements, au Royaume des Fées. Leurs remèdes pourraient me donner trente ans d'espérance de vie, *et* me libérer de cette saleté d'arthrite. Le problème, c'est que ces traitements n'auront aucun effet tant que je continuerai de passer d'un monde à l'autre. Une histoire d'environnement qui n'est pas le même dans les deux mondes, je crois. En plus, quand on commence à les suivre, on tolère moins le Monde analogue. Et je les ai commencés. Plus je m'attarde ici, plus je suis en danger. Alors... Alors quand je repartirai dans l'Empire, ce sera pour ne plus revenir.

– Et la maison, monsieur ? demanda Henry. Et Hodge ? Qu'est-ce que vous allez en faire ?

Une grimace maligne étira les lèvres du vieil homme :

– C'est pour régler ces affaires que je suis rentré...

6

Bizarrement, la robe en soie aida Bleu à relativiser ses soucis. À présent, elle avait ôté cette splendeur pour remettre son chemisier et ses pantalons ; cependant, l'effet persistait. La Princesse n'était plus aussi paniquée par les préparatifs de la cérémonie du Couronnement.

Bien sûr, il restait des tas de détails à préciser ; mais Holly avait encore deux semaines devant elle. Et elle avait exagéré en disant que Pyrgus s'en fichait. Il était juste agacé par tout le décorum. Il n'avait jamais voulu devenir empereur – et il ne le voulait pas davantage. Donc il préférait ne pas y penser. Peut-être cela valait-il mieux. Pyrgus était capable de faire capoter n'importe quoi. C'était plus prudent qu'elle s'occupât de l'organisation seule. Elle n'était pas mauvaise en organisation, surtout qu'elle pouvait compter sur l'aide nécessaire. Par exemple sur celle de...

Elle tourna le coin du couloir, et rentra dans Comma, son demi-frère. Il avait mangé quelque chose qui avait rendu ses lèvres écarlates. Il avait beaucoup forci depuis la mort de leur père.

– Désolé, murmura-t-il.

Il jeta un coup d'œil derrière lui comme s'il avait eu peur d'être suivi. Puis il esquissa un étrange sourire et souffla :

– Tu as l'air pressée, Sœur Chérie...

Elle détestait qu'il l'appelât « Sœur Chérie » – et son ton devint tranchant sous l'effet de l'agacement.

– J'ai beaucoup à faire, lâcha-t-elle.

Comma n'avait été d'aucun secours pour préparer la cérémonie ; et, alors qu'elle était prête à pardonner Pyrgus de ses torts, son demi-frère avait réussi à la mettre en fureur.

– Quelqu'un t'attend dans ta chambre, lui signala son demi-frère.

Bleu battit des paupières.

– Comment tu le sais ? cracha-t-elle.

Ce qui voulait dire : « Que fichais-tu dans ma chambre ? »

Comma haussa les épaules, vexé, et s'éloigna.

– Qui c'est ? lui demanda quand même Bleu.

Il lui adressa un geste sans la regarder :

– Sans doute un de tes espions si malins...

– Qu'est-ce que tu as mangé ? Et que fabriquais-tu dans ma ch...

Trop tard. Comma avait déjà disparu au bout du couloir.

Rageuse, Bleu fila vers ses appartements... et n'y trouva personne, à part la femme de chambre. Elle s'apprêtait à partir, jurant de se venger de Comma (comment osait-il lui faire perdre son temps, à un moment pareil !), quand une impression bizarre la retint. Un détail clochait. Un détail qu'elle n'arrivait pas à cerner. Juste la sensation que quelque chose n'était pas à sa place.

Elle balaya la pièce du regard. Ses affaires n'avaient pas été dérangées. Sa boîte à bijoux n'était pas visible – c'était normal : elle l'avait cachée dans un tiroir de sa coiffeuse, en prévision du passage de sa chambrière. Toute Princesse royale qu'elle était, elle n'avait pas le droit de posséder une araignée psychotronique. Ces chefs-d'œuvre miniaturisés étaient illégaux et très, très dangereux. Au contact du sang de leur propriétaire, elles reculaient à l'infini les limites des perceptions. Si on se laissait griser par leur pouvoir, on ne réintégrait jamais son corps, et on devenait un légume pour le restant de ses jours.

Mais la coiffeuse paraissait intacte. Bleu examina les murs. Les tableaux. Le portrait de son père. Un voile de tristesse brouilla sa vue lorsqu'elle croisa les traits peints. Personne n'y avait touché. En fait, personne n'avait touché à rien.

Et pourtant, quelque chose n'était pas à sa place, elle en aurait mis sa main au feu...

Soudain, elle comprit ce qui manquait. Le vieux fauteuil près de son lit avait disparu. Bleu réfléchit un instant, puis dit d'une voix calme à la domestique :

– J'aimerais que vous terminiez plus tard, Anna.

– Bien, Votre Altesse Royale, répondit la jeune fille, qui s'inclina avant de s'éclipser.

Bleu s'approcha avec précaution de sa coiffeuse. Dans l'un des tiroirs, il y avait une dague. Elle n'avait guère l'occasion de l'utiliser. Des gardes se tenaient toujours à proximité, en cas d'ennui. Proches ou pas, ils mettraient toutefois un certain temps avant d'arriver, et il était toujours bon de pouvoir assurer soi-même sa sécurité.

– Montrez-vous, à présent ! lança-t-elle, l'arme à portée de main.

Un frémissement près du lit, et le fauteuil de Bleu réapparut. Une femme hors du commun était assise dedans.

– Madame Cynthia ! s'exclama Bleu.

– Pardonnez mon comportement, ma chèèère, susurra la visiteuse. C'est si indélicat de ma part ! Mais j'ai préféré rester discrète tant que la domestique était là...

La jeune fille opina.

Cynthia Cardui était connue au Royaume sous le surnom de « la Femme peinte ». C'était l'un des contacts les plus importants du réseau d'espions que s'était constitué Bleu. Cependant, la voir ici, au palais, avait quelque chose de stupéfiant. Mme Cynthia était assez âgée. Elle avait pris sa retraite depuis longtemps, et ne quittait guère son appartement du quartier de Bon-Marché.

– Kitterick n'est pas là ? demanda la Princesse.

Elle éprouvait une profonde affection pour le bras droit de Mme Cynthia, un nain orange et plein de ressources qui l'avait tirée de *très* mauvais pas lors de ses aventures.

– Non. Il est parti rendre visite à des parents. Sans cela, je l'aurais chargé de cette mission. Il revient demain, mais je ne voulais pas attendre, et j'ai décidé de venir. L'affaire est urgente.

– Vraiment ?

Bleu s'en doutait. Mme Cynthia ne se serait pas déplacée pour une broutille. Mais entendre ses craintes se confirmer la fit frissonner.

– Soyez forte, ma chèèère, lui dit la Femme peinte. J'ai eu vent d'un nouveau complot.

Bleu s'avança et s'assit sur le bord de son lit. Elle avait une confiance absolue en Mme Cynthia. D'accord, la Femme peinte avait un côté vieille folle excentrique et snob. N'empêche, elle disposait d'un réseau d'informateurs dont la réputation n'était plus à faire ; et sa loyauté aux Fées de la Lumière était sans faille. Si elle affirmait qu'on complotait, on complotait, Bleu n'en doutait pas un instant.

– Une conspiration brutale est en cours, ma chèèère, reprit la Femme peinte. Oh, *a priori*, Lord Hairstreak est en déroute.

Ses sbires sont mal en point : Sulfurique a fui, et Blafardos est derrière les barreaux. On aurait pu imaginer qu'il n'y avait plus de sujets de préoccupation.

Elle poussa un soupir mélodramatique :

– Hélas, si ! D'après mes informations, des gens ont fomenté un plan pour tuer un membre de la Maison royale.

La panique de Mme Cynthia paniquait Bleu. Néanmoins, elle demanda d'une voix aussi assurée que possible :

– Qui, précisément ?

La Femme peinte eut un regard de détresse :

– C'est tout le problème, j'en ai peur. Nous l'ignorons.

7

Le Grand Donjon d'Asloght était impressionnant. Il s'élevait au milieu du vide désolé et aride formé par la Lande* de Nikure ; mais l'essentiel du monument était souterrain. On l'avait construit dix-huit siècles plus tôt, en prévoyant un dédale de cavités souterraines destinées à stocker la nourriture. Depuis plus de trois siècles, sa vocation avait changé : Asloght était la plus terrible prison du Royaume. C'est là qu'on envoyait moisir les criminels récidivistes et les dissidents politiques.

Et c'est là que Harold Dingy avait quelques problèmes avec le Gouverneur du Donjon.

— Je ne vous dis pas que ces papiers sont faux, affirmait l'officier. Pas du tout. Je dis juste que le sceau en cire est rouge.

— Et alors ? gronda Dingy.

L'interlocuteur du Gouverneur était grand et costaud. Il n'avait pas l'habitude qu'on s'oppose à ses désirs.

— Eh bien, dans mon souvenir, il devrait être rose, expliqua l'officier.

— Rouge... rose ? Quelle différence ?

— C'est une nuance, mais elle peut faire toute la « différence », pour reprendre votre mot.

Il leva les yeux et sourit machinalement.

Dingy ne lui rendit pas son sourire :

— Vous connaissez le prisonnier dont parlent ces papiers ?

Le Gouverneur y jeta un œil.

— Oh, oui ! lâcha-t-il. Oh que oui !

— Sale engeance, pas vrai ?

— La plus sale.

— Qui mérite la peine prévue sur ces papiers ?

— Les peines, ce n'est pas mon domaine.

— Ah bon ?

— Je m'occupe exclusivement d'emprisonner – et, quand nécessaire, de torturer un peu – les gens qu'on me confie. Cependant, pour répondre à votre question, je crois que ce prisonnier mérite, et largement, la peine qui est inscrite ici. Je la trouve même trop douce, si vous voulez mon avis. Mais ce n'est que mon avis, bien sûr.

– Trop *douce* ? répéta Dingy en fronçant les sourcils. Comment cette peine pourrait-elle être plus dure que la peine capitale ? Difficile de faire pire qu'une condamnation à mort...

– Tout dépend à quelle mort. Telle est la vraie question.

– Et quelle mort souhaiteriez-vous, pour ce prisonnier ?

Le Gouverneur se recula au fond de son fauteuil, fit craquer les articulations de sa main et leva les yeux au ciel – enfin, *vers* le ciel : le plafond lui barrait la vue.

– Eh bien, dit-il, nous pourrions l'affamer progressivement... Ou alors lui briser les pieds et l'installer sur un tapis roulant ; le saigner ; l'écraser jusqu'à le réduire en bouillie ; le nourrir avec un poison à effet retard ; lui ôter ses organes vitaux l'un après l'autre ; placer son cerveau dans le corps d'un rat ; introduire dans ses oreilles des aiguilles chauffées à blanc ; couler ses pieds dans du béton de sorte qu'il ne puisse pas atteindre sa nourriture (c'est un peu comme le faire mourir de faim, d'accord, mais avec plus de classe) ; le cuire dans un four à thermostat minimal ; le laisser seul face à une horde d'éléphants au galop ; l'obliger à manger un endolg ; lui coudre la bouche et le nez pour l'empêcher de respirer ; le noyer dans une fosse d'aisances ; lui brûler la peau jusqu'à ce qu'elle tombe en lambeaux ; lui écraser la tête à coups d'enclume ; l'écarteler ; le donner à manger aux chiens ; l'électrocuter avec des anguilles ; le jeter du haut d'une tour ; lui injecter de la mousse de savon dans les veines ; le placer dans une cage remplie de moustiques ; lui donner à briser du granit avec un couteau halek*[1] ; le transformer en souris et le présenter à un chat ; l'enterrer dans la neige jusqu'au printemps ; l'envoyer travailler dans les mines ; percer des trous dans son crâne et y verser de l'acide...

Le Gouverneur agita la main :

– Et cette requête exige seulement qu'on le pende !

Dingy relut ses ordres et dut reconnaître qu'ils n'étaient pas très imaginatifs.

---

1. Lorsque la lame d'un couteau halek se brise, elle tue celui qui tient le manche. Lire, du même auteur, *La Guerre des fées*, t. I. (*N.d.T.*)

– Ça vous dirait que je le mette un peu en condition, avant ?
demanda-t-il.

– J'en serais ravi.

– Bon, alors, ce sceau...

L'officier haussa les épaules :

– Rouge, rose... Quelle importance ?

Il se leva.

– Remettez votre capuche. Quelqu'un va vous conduire à *sa*
cellule.

8

Enfin, Bleu trouva Pyrgus ! Il était dans la salle du trône.

– Mais où étais-tu passé ? siffla-t-elle.

Il admirait la Couronne impériale – un chef-d'œuvre doré orné d'améthystes qui projetaient autour d'elle un feu pourpre, bien qu'elle fût encore placée dans sa cage de protection. Dans deux semaines, il devrait affronter les énergies dont le bijou irradiait. Celles-ci transformeraient l'Empereur choisi en Empereur tout court.

Avant qu'il eût le temps de répondre, Bleu enchaînait déjà :

– Aucune importance, il faut que je te parle.

Pyrgus se retourna comme un somnambule et posa sur sa sœur un regard vide.

– En privé, ajouta-t-elle.

Pyrgus plissa lentement les yeux :

– Il n'y a personne, ici...

Ses pensées étaient à mille lieues d'ici.

– Oh, Pyrgus ! s'emporta Bleu. Arrête tes bêtises !

La salle du trône était conçue pour les réceptions publiques. Des galeries acoustiques répercutaient le plus petit chuchotis le long de couloirs ouverts à tous les vents.

Le futur Empereur parut sortir un peu de son rêve.

– Bien, Bleu, dit-il d'une voix douce. Nous n'avons qu'à utiliser les appartements de notre père.

Ces appartements étaient les siens, à présent qu'il était l'Empereur héritier. Que lui arrivait-il ? Que fichait-il, ici, dans la salle du trône, au milieu de la nuit ? Heureusement qu'elle était raisonnable pour deux ! Les quartiers de l'Empereur étaient placés sous sortilège de protection en permanence.

Ils s'y rendirent en silence, prenant tout juste la peine de saluer les gardes. Bleu sentit l'effroi habituel qui la saisissait quand elle approchait de la suite impériale. Elle avait l'impression de pouvoir encore sentir l'odeur écœurante du sang de son père. Mais, sur son visage, rien ne laissait deviner qu'elle revivait cette terrible scène comme si elle l'avait vécue la veille.

Elle repoussa ces souvenirs tandis que Pyrgus fermait la porte.

— Alors ? demanda-t-il.

— Le Gardien a disparu.

— C'est tout ? s'étonna Pyrgus, le regard de nouveau vague. M. Fogarty est rentré chez lui, dans le Monde analogue. Il reviendra demain.

— Ce n'est pas tout ! s'écria Bleu en colère.

Puis la curiosité la frappa :

— Qu'est-il allé faire dans le Monde analogue ?

— Je lui ai demandé d'inviter Henry à mon Couronnement, expliqua Pyrgus. Je voudrais qu'il soit mon Compagnon. Tu as oublié ?

— Et pourquoi il n'est pas revenu ?

— Henry ?

— Non, M. Fogarty !

— Il avait des affaires personnelles à régler.

— Quel genre d'affaires personnelles ?

— Ben, ça le regarde, non, puisque c'est *personnel* !

La Princesse ferma les yeux pour ne pas exploser. Pyrgus se moquait de tout. Même de ce que fabriquait un officier aussi important que le Gardien à un moment aussi critique.

— Bon, Bleu, je suis fatigué ; alors, si tu as terminé ce que tu avais à me dire, je pense que je vais aller me...

— J'ai pas fini ! Quelqu'un a décidé de te tuer.

Pyrgus ne réagit pas davantage. Ou à peine.

— Qui ça ? grommela-t-il.

— J'en sais rien. Sinon, je t'aurais dit : « Lord Noctifer veut ta mort », ou « le duc de Burgonde a placé un contrat sur ta tête », non ? En fait, je ne suis même pas sûre que c'est toi qui es en danger. Mais c'est le plus probable.

— Attends, intervint l'Empereur héritier, qui semblait être redevenu lui-même. Qu'est-ce que tu as entendu exactement ? Et qui te l'a dit ?

— Oh, Pyrgus ! s'exclama Bleu en lui prenant le bras. J'espérais que ces histoires auraient pris fin avec la défaite des Fées de la Nuit... Et rien n'a changé, sauf que, maintenant, nous n'avons même plus Papa pour s'occuper de nous.

Une expression étrange passa sur le visage de Pyrgus. Il dégagea son bras et le passa autour de sa sœur.

– Non, Bleu, c'est vrai, rien n'a changé. Je ne crois pas que cela s'arrêtera un jour ; mais j'espère que la situation s'améliorera – ça, oui. Allons, raconte ce que tu as appris.

– Un complot se trame pour tuer un membre de la famille royale. J'imagine que c'est toi. Je ne vois pas qui d'autre...

– Toi, par exemple, suggéra Pyrgus. Ou Comma.

– Tu es l'Empereur héritier.

Pyrgus acquiesça et s'éloigna de sa sœur pour aller s'asseoir dans le vieux fauteuil de cuir que son père aimait tant. Il bâilla :

– Désolé, Bleu, mais la journée a été longue...

Il hocha la tête, pensif :

– Bon, tu as raison, il y a de fortes chances pour que ce soit moi qu'on vise.

Il leva les yeux vers sa sœur.

– Pas d'autres informations sur qui est derrière cette histoire ? s'enquit-il.

– Non. Pas encore.

– On dirait du Lord Noctifer...

L'Empereur héritier n'avait pas seulement l'air fatigué, pensa sa sœur. Il avait l'air *vieux*. Là, dans son fauteuil, avec sa grosse tignasse rousse bouclée, il ressemblait très fort à feu l'Empereur.

– C'est assez probable, reconnut Bleu.

Pyrgus redressa la tête – encore un tic de son père.

– Ton informateur est-il fiable ?

– Cela vient de Mme Cardui.

D'ordinaire, la Princesse ne révélait pas ses sources ; mais elle n'avait pas de secret pour son frère.

– La Femme peinte ? dit l'Empereur héritier. J'ai confiance en elle.

– Moi aussi.

– Elle va creuser l'affaire, n'est-ce pas ?

– Elle est en train.

– Alors...

Pyrgus se leva non sans mal.

– On ne peut pas faire grand-chose de plus pour le moment, remarqua-t-il. Je vais demander de renforcer la garde, et rehausser le niveau de vigilance. Puis j'irai dormir. Nous en reparlerons avec le Gardien quand il reviendra. À demain, Bleu. Et... merci.

La Princesse sourit :

– À demain, Pyrgus. Et... de rien !

9

Chaque cellule d'Asloght mesurait en moyenne quatre pieds cubes. Une rigole pour évacuer l'eau courait le long des murs de pierre. Pour tout ameublement, on trouvait quelques brins de paille dans un coin, et un seau. Pas de rideaux – car il *n*'y avait *pas* de fenêtres. On fournissait aux prisonniers une petite bougie par semaine.

Cependant, la cellule de Jasper Blafardos était plus luxueuse. Cela lui avait coûté une petite fortune en pots-de-vin, mais il disposait ainsi de plus d'espace, d'une moquette rose au sol, d'un vrai lit, de globes lumineux au plafond, d'un fauteuil de repos, d'une chaise pour manger, d'une bibliothèque, d'une table et d'un mini-réfrigérateur plein d'en-cas et de boissons. Blafardos était sans doute le mieux logé d'Asloght, personnel compris.

Ce qui ne l'empêchait pas de se lamenter auprès du vieux qu'il avait payé des millions pour qu'il acceptât d'être son valet :

– Mes chers sortilèges me manquent tant... La magie est totalement interdite ici, savez-vous ?

C'était un chouia exagéré. Chaque semaine, un sortilège d'absorption se chargeait d'éliminer l'humidité. Reste que, sur le fond, Blafardos disait vrai : pas de débauche de magie dans le donjon.

Le vieux, un Trinian patient qui s'appelait Fouillichic, faisait un brin de ménage pendant que Blafardos se morfondait, prostré sur son lit.

– Une partie de belote, ça vous dirait ? proposa-t-il. On pourrait jouer pour des bonbons. Je suis prêt à n'importe quoi afin d'oublier ce terrible *ennui*[1]...

Cabotin, il plaça une main sur son front pour en rajouter dans le côté dramatique, même s'il se doutait de la réponse avant d'avoir posé la question.

---

1. En français dans le texte. (*N.d.T.*)

– Désolé, m'sieur, mais j'connais pas c'jeu-là, lança l'autre, jovial. En plus, m'sieur, sauf votre respect, m'sieur, jouer, c'est pas dans mon contrat. Je dois juste faire les quatre B : balayage, bouffe, baratin et ballot de linge. Les quatre B, m'sieur. Belote, ça f'rait cinq, m'sieur !

Sur ce, il entreprit d'installer les couverts pour le prochain repas de Blafardos. Celui-ci grogna :

– Et si je...

Il s'interrompit.

– Que se passe-t-il ? chuchota-t-il.

Le Trinian avait bondi vers la porte. Pressé contre le mur, il reniflait furieusement.

– Danger, m'sieur. Ça arrive à grands pas.

– Co... comment le savez-vous ? demanda Blafardos en s'asseyant sur le lit.

– J'le sens. On m'a appris.

Le prisonnier se mit debout. C'était un gros personnage, adepte des vêtements flamboyants. Ses possibilités avaient beau être plus limitées en prison, il dénicha une tunique verte et des mocassins sertis de bijoux.

– Vous allez me protéger ? demanda-t-il, curieux.

Puis il anticipa :

– Non, non, je sais : la baston n'est pas dans le contrat... Tant pis, un danger, je suis tout excité ! Enfin, il va y avoir de l'action !

– C'est une façon de dire les choses, m'sieur. Mais si vous n'avez plus besoin de moi, je préfère vous laisser en profiter seul.

– Allez donc, mon brave, allez donc. Merci.

Blafardos avait les yeux fixés sur la porte. Il s'humecta les lèvres. Peu importait ce qui l'attendait. Tout – ou presque – vaudrait mieux que la perpétuelle répétition qui caractérisait les journées en prison.

Le vieux Trinian trifouilla la serrure et ouvrit la porte. Une haute silhouette apparut. Et l'excitation de Blafardos disparut en un instant. La créature était vêtue d'une robe noire. Un capuchon couvrait son visage, dont on n'apercevait que deux yeux sombres qui scintillaient. Il portait la grande faux et le sablier de cérémonie en bois de chêne – les attributs du Bourreau d'État.

– Mon Dieu ! s'exclama Blafardos, soudain paniqué. On... on vous envoie me tuer !

10

Le jour de son mariage, Sulfurique se leva tôt. Il tira les rideaux de sa chambre avec force. Sa situation s'améliorait. Adieu, la rue minuscule ; fini, le cloaque à ciel ouvert ! Bonjour, parterres de fleurs ; salut, pelouse parfaitement tondue ! La veuve Mormo était superstitieuse. Elle pensait que les futurs mariés ne devaient pas dormir ensemble la veille de leur nuit de noces. « Cela porte malheur », avait-elle expliqué. « Tant mieux », avait pensé le vieillard, tandis que la veuve l'emmenait chez Graminis, son frère. Celui-ci disposait d'un établissement autrement confortable que le taudis où Sulfurique avait vécu quelques semaines.

Le futur marié s'étira avec volupté. Bientôt, il habiterait une coquette cabane dans la forêt. Idéal pour se cacher de Beleth quelques mois...

Il se rendit à la salle de bains, se lava les dents et les glissa dans sa bouche. Le résidu de magie fixa son dentier avec un « scouiiic » sonore.

Quand il sortit de la salle de bains, un serviteur silencieux s'était glissé dans la pièce principale et y avait déposé son costume de cérémonie. Sulfurique le passa, s'admira puis, sifflotant une mélodie entraînante, il sortit déjeuner.

★

Dans la salle à manger, Graminis était déjà à table.

— Bonjour ! lança joyeusement Sulfurique.

— Y a des œufs, grogna l'homme. Pochés, frits ou brouillés.

Il avait le même regard las que sa sœur – mais ses yeux étaient moins horripilants.

— Des œufs pochés, ce serait parfait ! dit Sulfurique.

« Surtout comparé à la bouillie de gruau », songea-t-il.

– J'en voudrais deux, si ce n'est pas trop demander, continua-t-il. Un dur, et un pas trop cuit.

Graminis fit un signe à l'une des servantes transparentes qui errait dans la pénombre et disparut avec la commande de Sulfurique.

– Les journaux, ça vous intéresse ? lâcha le frère de la veuve en tendant des périodiques à son invité. Histoire de voir ce qu'il se passe d'autre, dans le monde, ce matin...

Une table déjà dressée, des gens pour vous servir, des œufs prêts à vous tomber tout cuits dans la bouche : c'était la belle vie.

Sulfurique se renversa dans son fauteuil et ouvrit le journal que lui tendait son futur beau-frère. Le quotidien faisait ses choux gras de la cérémonie du Couronnement. Plus que deux semaines, *grosso modo*. Des vacances spéciales avaient été décrétées ; on repeignait la route sur le chemin qu'emprunterait le cortège ; de nombreuses invitations avaient été lancées. Un article s'intéressait en détail à la robe qu'avait choisie la Compagne – le Prince avait désigné sa sœur pour lui servir de témoin, et cette petite garce avait opté pour un habit en soie tissé par les Maîtresses. Bien sûr, elle aurait eu tort de se gêner : c'était l'État qui payait, non ?

Quant au Compagnon, c'était un certain Henry, « Lame Illustre, Chevalier de la Lame grise »... Ben voyons. Sans doute un blanc-bec au menton fuyant. Quelle pitié ! L'Empereur héritier, pour sa part, avait affirmé : « J'ai hâte de me mettre au service de l'ensemble des sujets du Royaume, sans distinction de classe ou de race. » Le genre de bon sentiment tellement mièvre qu'il donnait à Sulfurique une violente nausée.

Il allait passer à la section « Fées de la Nuit » quand un paragraphe sur le Couronnement attira son attention :

« Le nouvel Empereur souhaitant rester le plus proche du peuple, les mesures de sécurité ont été réduites au strict minimum. Une mesure exceptionnelle, rendue possible par la fermeture persistante de tous les portails du Royaume de Hael. »

« La fermeture persistante de tous les portails du Royaume de Hael... »

Sulfurique fronça les sourcils :

– Les portails de Hael sont fermés ?

– Vous l'saviez pas ? Ça fait un bail. Ils marchent pas depuis... hum, des semaines, maintenant !

– Impossible d'invoquer des démons ? risqua le vieillard.

Il avait vu dans les yeux de Graminis qu'il était une Fée de la Nuit. Les Fées de la Nuit – qu'on appelait parfois les Nocturnes, par opposition aux Fées de la Lumière, surnommées les Diurnes – avaient des yeux de chats, ultrasensibles à la lumière. Ils laissaient donc leurs domaines dans la semi-obscurité, et portaient la plupart du temps des vêtements sombres. Leur goût du noir leur donnait en outre une affinité avec les démons que les Diurnes n'auraient jamais : les démons aussi aimaient l'ombre.

– Pas de démons, répondit Graminis. Pas même un petit diablotin de rien du tout. Dur, pour nous, hein ? Sans démons, c'est l'enfer !

Soudain, il se mit à glousser.

– Pas mal, hein ? reprit-il. « Sans démons, c'est l'enfer » !

– Ha, ha. Très drôle, en effet. Comment les Diurnes s'y sont-ils pris pour fermer les portails ?

– Ils y sont pour rien, autant que je sache. C'est arrivé comme ça. On dit que Hael s'est effondré.

– Effondré ? Tout Hael ?

– C'est c'qui s'raconte. Paraît que le Prince des Ténèbres s'est fabriqué une bombe d'apocalypse... et qu'elle lui a pété au visage.

Sulfurique sentit l'excitation le saisir. Si les portails de Hael étaient fermés, il était libre. Sans portails, Beleth ne pouvait rien contre lui... sauf en empruntant un long détour et en venant par vimana*. Ce qui lui prendrait des années. Et si Graminis disait vrai, Beleth pourrait même être mort. Incroyable !

– Tous les portails sont fermés, vous êtes sûr ? demanda-t-il.

– Un peu, qu'j'suis sûr ! Il y a eu une déclaration officielle juste après. Des tas de sorciers ont essayé de les rouvrir mais... quand quelqu'un y parviendra, faites-moi confiance, on en causera. On causera même que de ça !

« En effet », songea Sulfurique. Ce serait un événement de première importance. Au moins. Mais, pour le moment, une seule chose comptait : il était hors de danger. Il pouvait sortir de sa cachette, et aller où bon lui chantait. Beleth était hors service. Sulfurique n'avait plus qu'à surveiller les journaux, pour apprendre quand les portails seraient rouverts. Le cas échéant, il retournerait se cacher le temps de vérifier si Beleth était bel et bien mort. En attendant... tout redeviendrait comme avant. Libre à lui d'annuler le mariage. De retourner à son usine de colle. De reprendre contact avec cet imbécile de Blafardos. De retrouver sa chère maison de la voie Bouillonnante*, ses grimoires magiques, son or et...

Une idée parasite lui passa par la tête. Elle lui fit l'effet d'une douche glacée. Il avait essayé de sacrifier à Beleth le jeune Empereur héritier, Pyrgus. Le garnement avait survécu, et il n'avait probablement pas oublié l'incident. À présent qu'il était sur le point d'être couronné Empereur, il voudrait sans doute s'offrir une petite vengeance.

Finalement, peut-être que, dans l'immédiat, était-il préférable de ne pas recontacter Blafardos, d'éviter l'usine de colle et de garder profil bas avant de repasser à l'action... Oui, peut-être avait-il intérêt à laisser se dérouler le mariage, à tuer la veuve Mormo comme il l'avait prévu, et à transformer la cabane de la vieille en base secrète. Ce serait parfait...

Graminis leva les yeux vers son invité, qui arborait un large sourire.

– Vous avez l'air drôlement content pour un homme qui va se passer la corde au cou, grogna-t-il d'un ton morne.

11

Au matin, le Gardien n'était pas de retour.

Bleu trouva Pyrgus qui faisait les cent pas, furieux, devant sa loge.

— Tu sais où il est ? demanda aussitôt l'Empereur héritier.

— Comment je le saurais ? rétorqua sa sœur. C'est à toi qu'il a parlé avant de partir. Quand était-il censé être de retour ?

— À l'aube. Depuis des heures, donc...

Ses yeux étaient cernés, comme s'il avait veillé toute la nuit. « Bizarre, pensa Bleu. Il n'est pas allé se coucher si tard que ça ! »

— Peut-être que son valet ou son intendant est au courant, suggéra la Princesse.

— Il n'a pas de valet. Ni d'intendant. Il ne veut personne chez lui. Pas confiance. Tu le connais. Et je ne peux même pas pénétrer chez lui avec mon Passe impérial : il a trifouillé ses serrures pour m'en empêcher.

Le logement du Gardien était constitué d'un ensemble de petites tourelles surmontées de flèches, à un jet de pierre du Palais pourpre, et cependant séparé de lui. Il se dressait sur l'île, à l'orée de la forêt, là où Apatura Iris, le dernier Empereur pourpre, avait aimé chasser le sanglier.

Songeur, Pyrgus scrutait la forêt, à présent.

— Ses « affaires personnelles » ont dû prendre plus longtemps qu'il ne l'avait imaginé, suggéra Bleu.

— Mme Cardui...

— Oui ?

— Qu'est-ce qu'elle t'a dit, exactement ?

— Qu'un membre de la famille royale était en danger.

— De la *famille* ou de la *maison* royale ?

— De... de la Maison royale.

— Tu es sûre ?

– Oui. Tu as raison, elle a dit de la *maison* royale. J'en suis certaine. Pourquoi ?

Pyrgus posa son regard sur elle :

– Parce que la famille royale, c'est toi, c'est Comma, c'est moi – les options sont limitées. Mais s'il s'agit de la *maison* royale, cela inclut les familles des nobles à notre service, ainsi que les hauts dignitaires.

– Dont M. Fogarty...

– Exactement.

– Tu ne crois quand même pas que...

La jeune fille s'interrompit. Un prêtre arrivait du palais en courant. Mauvais signe. Un prêtre qui court annonce forcément une mauvaise nouvelle. Bleu était bien placée pour le savoir.

Du coin de l'œil, elle perçut des mouvements dans les buissons proches. Pas de doute, les mesures de sécurité avaient été renforcées ; mais les gardes cachés avaient dû reconnaître le prêtre : ils restèrent à l'abri des regards.

À son tour, Bleu reconnut l'homme : c'était Épine, membre de la Dentaria – le plus ancien Ordre funéraire du Royaume. C'est lui qui était chargé de veiller sur le corps de l'Empereur et de prier pour lui jusqu'à ce que Pyrgus fût couronné.

À bout de souffle, il s'écroula à genoux devant Pyrgus. Il n'était plus tout jeune, et il lui fallut un moment avant qu'il ne reprît son souffle. Alors, il réussit à articuler :

– Majesté... Votre Sérénité... L'Empereur... Votre père a... Oh, Majesté, son corps a disparu !

12

Le Bourreau semblait pressé. Entraînant Blafardos derrière lui, il filait à travers les couloirs du Grand Donjon comme un courant d'air.

— Moins vite ! supplia le prisonnier.

À ce rythme, il serait mort suffoqué avant d'être pendu.

Le Gouverneur les attendait à la porte principale.

— Où l'emmenez-vous ? demanda-t-il au Bourreau.

— Ça ne vous regarde pas, lui répondit carrément l'homme. Disons que je l'emmène là où personne ne verra ce que je compte lui infliger.

— Bravo ! s'exclama le Gouverneur.

Il fit un signe aux gardiens, et le portail pivota sur ses gonds.

De l'autre côté, attendaient un fiacre noir et ses quatre chevaux noirs. Devant, un cocher vêtu d'un manteau noir dont la capuche était rabattue sur son visage et surmontée d'un tricorne noir. Et, à la surprise de Blafardos, pas de barreaux aux fenêtres.

Le Bourreau le poussa à l'intérieur... et monta à sa suite. Blafardos n'en revenait pas.

Dès que la portière claqua, le fiacre démarra d'un coup sec. Blafardos jeta un œil par la fenêtre. Il évaluait ses chances de s'enfuir en sautant par là quand le Bourreau ôta sa capuche. Une face lunaire apparut. Elle était curieusement familière au condamné.

— Harold Dingy ! s'écria Blafardos. C'est Lord Noctifer qui vous a envoyé me sortir de prison !

« Et je ne comprends pas pourquoi », manqua d'ajouter l'ex-prisonnier. Il avait espionné pour Lord Noctifer pendant des années. Mais il connaissait les règles du jeu : celui qui était pris la main dans le sac n'avait plus qu'à se débrouiller. Black Noctifer affirmerait ne jamais l'avoir connu. Et c'est ce qui s'était passé quand les ennuis judiciaires de Blafardos avaient commencé.

– Mais... l'ordre d'exécution ? demanda-t-il.

– Un faux, bien sûr.

Dingy vit sa mine décontenancée et sourit :

– T'inquiète pas. *Il* a un boulot pour toi.

– Ah...

Tout s'expliquait.

– Et vous savez quel genre de boulot ? s'enquit Blafardos, déjà un peu moins inquiet.

– Évidemment, répondit le sbire de Noctifer – et son sourire s'élargit. Il veut que tu empêches Pyrgus Malvae de devenir l'Empereur pourpre.

13

Lorsque l'Empereur pourpre mourait, la tradition exigeait que son corps fût paré du costume d'apparat, puis placé sous un sortilège de conservation. Sa dépouille était alors présentée à la Cathédrale jusqu'au couronnement de son successeur. Quatre membres de la Garde impériale, en grand uniforme, étaient postés aux coins du cercueil, tandis que les sujets loyaux du Royaume défilaient en larmes pour rendre un dernier hommage au défunt.

Mais le dernier Empereur pourpre, Apatura Iris, avait perdu l'essentiel de son visage dans l'attentat qui lui avait coûté la vie ; et aucun sortilège de remodelage d'aucune sorte n'avait été capable de le reconstituer. Dès lors, il était hors de question de montrer le cadavre. On l'avait donc placé sous sortilège dans une crypte du palais. Les prêtres mortuaires en prière étaient chargés de le veiller.

Et ils avaient failli à leur mission.

– C'était comme ça quand je suis arrivé, murmura Épine, misérable.

Tous les regards étaient posés sur le cercueil. Vide. Nulle trace de vandalisme. Nulle trace d'effraction. Nulle trace du corps, non plus. Simplement, la dépouille de l'Empereur n'était plus là.

– Qui a célébré la dernière cérémonie de prières ? s'enquit Bleu. Celle qui s'est déroulée avant la tienne ?

Thorn hésita :

– Frère Sinapis, je crois... Mais j'ai parlé avec lui. Tout était en ordre quand il est parti.

– Les gardes ?

Ils étaient postés à l'entrée de la crypte, en tenue officielle, et non devant le cercueil. Ils auraient remarqué toute tentative d'intrusion !

– Ils n'ont rien vu, Sérénité.

– Je veux parler à Frère Sinapis moi-même, dit Bleu d'une voix glaçante. Et à chacun des gardes. Fais-les venir dans mes quartiers, je te prie. Je veux voir Sinapis en premier. Que les prêtres soient tenus à l'écart les uns des autres d'ici là. J'exige qu'ils n'aient aucun moyen de communiquer entre eux tant qu'ils ne m'auront pas raconté chacun leur version de l'affaire. Et je souhaite également que...

– Un instant, Bleu, l'interrompit Pyrgus.

Il n'avait rien dit depuis qu'Épine avait accouru devant le logement du Gardien. Mais le ton autoritaire dans sa voix surprit la Princesse. Ainsi que l'expression grave et impénétrable qu'affichait le visage de son frère.

– Nous devons discuter de cela... et d'autres sujets avec M. Fogarty, poursuivit Pyrgus.

– Il n'est pas là, lui rappela Bleu.

– Je préfère ne faire confiance à aucun serviteur, murmura son frère un ton plus bas, comme si cela avait suffi à empêcher Épine de l'entendre. J'aimerais que tu te translates.

– Moi ?

– Oui. Va chercher M. Fogarty dans le Monde analogue. Ses affaires personnelles attendront. Je me charge d'interroger Sinapis et les gardes.

Il se tourna, et sa voix redevint tranchante :

– Toi, Épine, organise personnellement les fouilles et les recherches au sein de cette crypte. Annonce au Capitaine chargé de la Surveillance que je t'ai donné les pleins pouvoirs. Fouille cette zone de fond en comble. Traque les moindres indices, si minuscules soient-ils. Ne recule devant rien. S'il te faut retourner cette crypte pour récolter un échantillon, retourne-la sans hésiter.

Bleu était sidérée. Ce Pyrgus décidé, sûr de lui – en un mot : impérial –, elle ne le connaissait pas. Soudain, il pivota et la fixa, la mine étonnée :

– Tu es encore là, toi ? Qu'est-ce que tu attends pour te translater ? La situation est grave, Bleu ! Dépêche-toi !

– J'y vais, chef, murmura-t-elle. J'y vais de ce pas.

14

Lord Noctifer avait deux résidences principales dans le Royaume. La première était située à la lisière de la capitale – c'est là qu'il avait gardé son cher phénix doré avant que Pyrgus Malvae ne le lui dérobe. L'autre, plus récente et plus imposante, était entourée par une forêt de trois mille acres au cœur de Yammet Cretch⋆. Les bois étaient truffés d'espèces tueuses – principalement des haniels⋆ et des sliths⋆. Ainsi, les visiteurs indésirables ne pouvaient parcourir un demi-mile sans être dévorés ou empoisonnés.

Accroupi sur une branche, un haniel au bec crochu et aux serres d'acier surveillait la pelouse impeccable. Ses ailes étaient soulevées, comme s'il s'était apprêté à décoller pour fondre sur les arrivants. Blafardos coula un regard craintif dans sa direction.

– T'inquiète, grogna Harold Dingy. Ils s'approchent pas de la maison.

Les deux hommes attendirent au bas d'un large escalier de pierre qu'un homme en gants blancs, perruque et bottes à talonnette vînt les chercher.

– Sa Seigneurie sera heureuse de vous recevoir immédiatement, annonça-t-il en regardant juste au-dessus de leurs têtes.

Il tendit à Dingy une carte du labyrinthe, qui ressemblait à une pièce verte et lumineuse ; puis il s'écarta.

– Allez, allez ! dit-il d'une voix impatiente. Vous savez que Sa Seigneurie déteste qu'on la fasse attendre !

Il observa Blafardos de côté et sourit.

Dingy lui décocha un regard agacé. Ensuite, il jeta la pièce-labyrinthe, qui resta un moment suspendue dans les airs avant de voleter plus loin. Les visiteurs se dépêchèrent de la suivre.

Les lourdes portes de chêne s'ouvrirent devant eux. Ils venaient de pénétrer dans le hall quand ils entendirent un cri de surprise. Ils se retournèrent. Les portes s'étaient presque refermées ; mais ils eurent le temps d'apercevoir le haniel emporter le laquais dans ses serres.

Blafardos jeta un coup d'œil à Dingy, qui fronça les sourcils.

– Jamais vu ça, marmonna l'homme de main.

Ils pressèrent le pas. La pièce-labyrinthe poursuivait son voyage. Elle les entraîna dans un dédale étourdissant de couloirs jusqu'à une antichambre couverte de tentures de soie. Là, elle tomba par terre avec un bruit étouffé.

Blafardos jugea l'endroit vulgaire. Les draperies indigo étaient ornées de motifs écarlates. Un sort d'illusion les animait, laissant imaginer une danse de démons. Incroyable que des gens se servent des démons pour faire de l'art ! Des créatures aussi laides et effrayantes... Lui, si on lui avait donné cette salle à redécorer, il l'aurait semée de chérubins – oui ! de jolis petits anges tout nus, tout roses et tout potelés !

– Voilà un moment que je n'ai pas vu Sa Seigneurie, lança Blafardos pour rompre le silence.

– Il a pas changé des masses, grommela Dingy.

« Cossus Cossus non plus », pensa Blafardos en voyant arriver le Gardien de Noctifer. L'homme était affublé d'une tête trop petite par rapport à son corps et d'une démarche guindée (on aurait dit qu'il avait un piquet dans le dos).

– Bonjour, Jasper, lâcha l'homme avant de s'incliner légèrement devant Blafardos.

– Bonjour, Cossus, répondit celui-ci.

À son tour, il opina en guise de salut.

– J'espère que tu vas bien, reprit le Gardien.

– Je ne peux pas me plaindre..., affirma Blafardos.

Il renifla un coup et ajouta :

– ... malgré la nourriture de la prison.

– Le changement a dû être rude, reconnut Cossus avec un semblant de sympathie.

Il fit un geste vers Dingy :

– Tu peux disposer, Harold, à présent. Ton petit rôle est terminé.

L'homme de main de Noctifer darda sur lui des yeux qui auraient fait flétrir une pelouse. Ce qui ne l'empêcha pas de s'éloigner en marmonnant, vaincu.

Cossus prit le bras de Blafardos d'un geste amical inhabituel chez lui.

– Suis-moi, Jasper. Sa Seigneurie veut te voir *en privé* dans sa salle de conférences.

15

Peacock, l'Ingénieur en chef du portail, était penché sur une bassine dans le narthex de la chapelle. Il s'y nettoyait les mains avec une brosse rugueuse.

– Je peux vous être utile, Sérénité ? demanda-t-il.

Bleu acquiesça, les lèvres sèches :

– Le portail fonctionne ?

– Oui, bien sûr, Sérénité !

– Non, je veux dire : est-ce qu'il fonctionne correctement ? Vous l'avez réparé depuis la tentative de sabotage dont mon frère a été victime ?

« C'était plus qu'une tentative, pensa la Princesse. C'était une *réussite* de sabotage, signée Lord Noctifer même si on n'a jamais réussi à le prouver... »

– Voilà longtemps que nous avons remédié à ce, euh... problème, Sérénité ! affirma l'Ingénieur.

– Et il fonctionne, à présent ? Pas de bizarreries ? Pas de soucis ? Pas de...

– Non, Sérénité.

– Combien de temps vous faut-il pour le mettre en place ?

– Vous voulez dire pour l'orienter dans la direction où vous souhaitez aller ?

– Oui.

– Pas longtemps. Une fois que j'ai les coordonnées, l'affaire est réglée en dix, quinze secondes. Ou moins. Moins, probablement. Vous avez besoin d'utiliser le portail, Sérénité ?

Et voilà. *La* question que Bleu redoutait.

– Oui, répondit-elle dans un souffle.

– Alors, suivez-moi !

Ils marchèrent ensemble jusqu'à la chapelle principale. La pièce était pleine de gardes en uniforme, munis de matraques d'arrêt. Une barrière de protection entourait le portail. Deux souvenirs inquiétants du sabotage qui avait failli coûter la vie à Pyrgus.

Le portail lui-même avait été renforcé. De lourds contreforts de métal avaient été placés au pied des piliers. Quant aux instruments de contrôle, ils avaient été enveloppés d'obsidienne imperméable.

Toute la chapelle baignait dans une atmosphère sombre. Elle avait l'apparence d'un camp militaire. Les flammes bleues entre les piliers n'arrangeaient rien : elles donnaient une idée de ce que devait être l'enfer.

– Il est en marche ? s'étonna Bleu.

– Il l'est en permanence, désormais, expliqua l'Ingénieur en chef. Ordres de feu votre père après... après ce qui est arrivé au Prince Pyrgus. Cela facilitera la détection d'une éventuelle interférence.

L'homme s'empressa d'ajouter :

– Mais il ne peut plus y en avoir, dorénavant !

– Je vois, murmura Holly en s'humectant les lèvres. Et combien de temps cela prendrait-il de me translater dans le Monde analogue, chez le Gardien Fogarty ?

– Nous en connaissons les coordonnées, donc nous serons prêts quand vous le souhaiterez, Sérénité.

– J'aimerais partir maintenant, Peacock.

L'Ingénieur regarda autour d'elle, puis risqua une question :

– Vous ne partez quand même pas seule ?

– Eh bien, euh... si.

Elle n'avait pas le choix. Quand elle verrait M. Fogarty, elle devrait lui raconter ce qui se passait dans le Royaume. Et il était hors de question de parler devant les domestiques. Elle devait trouver seule le Gardien, lui résumer la situation, le ramener avec elle et ne rien révéler à ceux qui ignoraient encore la disparition du corps de l'Empereur.

– C'est la première fois que vous comptez vous translater dans le Monde analogue, n'est-ce pas, Sérénité ? demanda Peacock.

– Oui.

– Voulez-vous que je vous accompagne ?

– Non, merci, ce ne sera pas nécessaire.

Elle s'avança vers la barrière de protection. L'un des gardes se hâta de l'écarter pour céder le passage à la Princesse.

– Je n'ai qu'à marcher entre les piliers ? s'enquit Holly Bleu.

– Oui, dès que j'aurai rentré les coordonnées, Sérénité, dit l'Ingénieur, qui s'était dépêché de la suivre et s'était placé devant les commandes. Je vous donnerai le top départ.

Bleu attendit, à un pas derrière le brasier bleu. Son cœur battait la chamade, mais elle tâchait de garder un visage impassible. Inutile de montrer aux serviteurs qu'une princesse de la Maison d'Iris était terrifiée à l'idée qu'elle allait se translater – c'était si simple, une translation ! Si sûr ! Tout le monde le savait. Pourtant, elle avait peur de ce feu qui ne dégageait aucune chaleur (dans les livres d'école, on appelait cela le phénomène des « flammes froides »).

– Le portail est prêt, Sérénité, annonça l'Ingénieur en chef.

Une sueur glacée courut sur le visage de Holly Bleu. Néanmoins, elle n'hésita pas une seconde avant de s'engager entre les piliers.

16

La salle de conférences de Lord Noctifer était en fait un bureau tapissé de livres. Sur sept étagères, des sortilèges de discrétion brûlaient en permanence, donnant à la pièce une odeur de vieux cuir. Blafardos n'était venu ici que deux fois auparavant. La première quand Lord Noctifer l'avait pris à son service ; la seconde quand le maître des lieux lui avait ordonné de kidnapper Holly Bleu, la Princesse royale.

Cossus l'accompagna jusqu'au seuil.

— Ce qui va se dire, ce sera pour tes oreilles seulement, murmura-t-il en souriant.

Puis il ajouta, de manière inattendue :

— Bonne chance !

Lord Noctifer était déjà là. Il regardait par la fenêtre mais se retourna dès l'arrivée de Blafardos.

— Assieds-toi, lâcha-t-il.

C'était un homme svelte de taille modeste. Pour ne pas changer, il était habillé de velours noir.

Blafardos prit place, mal à l'aise. Bien sûr, dans le monde, il prétendait qu'ils étaient copains comme cochons. Pourtant, il devait reconnaître que Black Noctifer le terrifiait. L'homme était tout-puissant. Il exsudait le mépris par tous les pores. Blafardos serra les mains sur ses genoux et attendit. Derrière son interlocuteur, il voyait par la fenêtre ce que Noctifer avait regardé avant son arrivée : le haniel en train de dévorer le laquais.

— Tu m'as trahi, Jasper, dit Noctifer d'une voix calme. Tu t'es laissé ridiculiser par une petite gourde.

Un frisson parcourut Blafardos. Un frisson de peur et de haine contre la Princesse Bleu. Il l'avait tenue entre ses mains... un instant. Puis les Forces spéciales de l'Empire étaient intervenues. Avaient détruit sa belle maison. Et l'avaient arrêté.

Il ouvrit la bouche pour s'excuser de son échec, puis se ravisa. Mieux valait laisser parler Noctifer.

– J'aurais pu te laisser croupir en prison, espèce de nullité crasse, siffla le maître des lieux, furieux. Ton sauvetage m'a coûté très cher...

Grâce à un énorme effort de volonté, Blafardos tenta de réprimer ses tremblements. Noctifer l'avait peut-être amené ici pour le torturer à mort ; cependant, il était enclin à croire ce que Dingy lui avait dit : Black avait un autre travail à lui confier. Ou n'était-ce qu'une illusion à laquelle il tentait de s'accrocher ? Noctifer allait-il lui donner une autre mission alors qu'il avait échoué à accomplir la précédente ?

Dehors, le haniel s'éleva au-dessus de la pelouse, emportant les restes du cadavre du laquais. Alors que le rapace volait à cinq mètres au-dessus du sol, la tête tomba et roula sous un buisson de roses.

D'un coup, l'attitude de Noctifer changea. Il se redressa et scruta ses étagères. Blafardos suivit son regard. L'homme semblait regarder les vingt-sept volumes du grand œuvre de Maculinia, *Rêves d'Empire*.

– J'ai décidé de te donner une chance de te racheter, déclara Black.

– Merci, Votre Seigneurie.

– Non, ne me remercie pas encore. Cette mission-ci est dangereuse.

– Bien, Votre Seigneurie.

– Très dangereuse.

– Bien, Votre Seigneurie.

– Si tu échoues, tu mourras.

– Bien, Votre Seigneurie.

– Mais tu n'échoueras pas, n'est-ce pas, Jasper ?

– Non, Votre Seigneurie.

– Tant mieux, Jasper, tant mieux... As-tu une idée de ce que j'attends de toi ?

Blafardos s'humecta les lèvres et se creusa en vain la tête pour retrouver le titre officiel de Dingy :

– Votre... votre, euh, homme de main m'a laissé entendre que vous ne souhaiteriez pas, euh... que Pyrgus Malvae fût couronné Empereur pourpre.

Noctifer fixa Blafardos, les yeux étincelants :

– Je souhaite que Pyrgus Malvae meure, voilà ce que je souhaite ! Je souhaite qu'il soit assassiné. Je souhaite qu'il devienne un exemple pour tous mes ennemis, Blafardos. Un exemple mémorable ! Je souhaite qu'il soit tué en public, et le plus salement possible ! Je souhaite qu'il souffre et que cela arrive au moment où il croira triompher, c'est-à-dire juste avant son couronnement par l'Archimandrake. Je souhaite que le monde entier sache ce qui arrive à ceux qui osent s'élever contre Lord Noctifer... et lui voler ses oiseaux les plus précieux. Voilà ce que je souhaite, Blafardos. Mais je me pose une question : es-tu l'homme de la situation ?

Noctifer voulait tuer Pyrgus *en plein milieu de la cérémonie du Couronnement* ? C'était du suicide ! Tuer le futur empereur dans la Cathédrale, quand il serait entouré de ses gardes et de dix mille spectateurs ? On pouvait sans doute y arriver. En réchapper, par contre, non. Aucune chance. Le tueur aurait une dizaine d'épées dans le corps avant d'avoir fait trois pas. Garanti sur facture.

« Pas question ! » hurla Blafardos intérieurement.

Pourtant, hypnotisé par les yeux scintillants qui le clouaient sur place, il répondit :

– Oui, Votre Seigneurie, je suis votre homme.

17

Bleu ferma les yeux. La lumière était éblouissante. Elle mit un moment avant de s'y habituer.

Apparemment, elle avait débarqué dans un petit espace clos – un jardin minuscule, à première vue. Vite, elle toucha ses omoplates. Elle n'avait pas d'ailes. Ouf ! Cette fois, le filtre avait fonctionné. Quand il tombait en panne pendant la translation, on rétrécissait et on se retrouvait avec des ailes dans le dos. C'est ce qui était arrivé à Pyrgus lorsque le portail de la Maison d'Iris avait été saboté.

Pour l'instant, Bleu avait du mal à savoir si elle avait rétréci ou pas. Tous les textes insistaient là-dessus : lorsqu'on arrive dans un nouvel environnement, il faut rester prudent sur sa taille réelle, car les échelles sont relatives. Mais, au moins, Bleu était certaine qu'elle n'avait pas d'excroissances ridicules dans le dos. Ça faisait toujours une catastrophe d'évitée !

Elle jeta un coup d'œil derrière elle. Elle ne vit pas de piliers ; seul un brasier discret brûlait. Suffisant pour la rassurer : le portail était resté ouvert. Elle n'avait pas envie de penser que, bientôt, elle devrait repasser par cet enfer bleu. Cependant, elle se sentait soulagée à l'idée que le chemin de retour restait accessible.

Elle pouvait passer à de nouveaux sujets d'inquiétude. Était-elle arrivée au bon endroit ? En général, les portails ne réservaient pas de surprise. On entrait les coordonnées du Monde analogue, et hop ! on se retrouvait à l'endroit désiré. Sauf si quelqu'un avait saboté l'appareil. Ou si l'Ingénieur s'était trompé. Le sabotage était improbable. Les mesures de sécurité étaient draconiennes. Mais l'erreur est humaine. Bref, Bleu était-elle vraiment arrivée chez M. Fogarty ?

La maigre pelouse qui entourait la maison n'avait rien à voir avec les vertes étendues bordant le Palais pourpre. Et la maison elle-même était peu engageante. Le bas des fenêtres était recouvert de papier kraft. Bizarre, donc bon signe : Pyrgus et son père avaient souvent évoqué la manière curieuse dont vivait M. Fogarty, dans le Monde analogue.

Soudain, Bleu sursauta. Quelque chose de chaud et de poilu venait de se frotter contre ses chevilles. Elle fit un bond en arrière... et aperçut un matou presque obèse qui l'observait avec de grands yeux lumineux.

La Princesse se détendit. À coup sûr, elle était à la bonne adresse : ce gros chat devait être le fameux Hodge !

– Salut, toi ! chuchota-t-elle.

Elle se pencha pour le caresser. L'animal ronronna.

– Tu veux bien me montrer où se cache ton maître ? lui susurra-t-elle.

L'animal parut comprendre ce que Bleu lui demandait. Il trotta vers l'arrière de la maison. La jeune fille le suivit, un petit sourire sur le visage.

– Wouh-ouh, monsieur Fogarty ! lança-t-elle en poussant le battant. Vous êtes là ?

L'instant d'après, Bleu se figea. Il y avait quelqu'un dans la maison.

Mais ce n'était pas M. Fogarty.

18

– **O**n pourrait pas se dépêcher ? souffla Sulfurique à Graminis.

Il ne voulait pas arriver en retard. Mais son futur beau-frère l'avait fait monter dans un antique ouklo* qui devait être plus vieux que Dieu en personne. C'était une sorte de carriole volante, noire comme un corbillard et sentant aussi bon qu'un corps en putréfaction. Graminis devait être trop rat pour louer une calèche digne d'un mariage.

En plus, le sortilège de grâce avait presque disparu. Si bien que, au lieu de flotter à une hauteur respectable, l'équipage perdait régulièrement de l'altitude jusqu'à racler contre le sol. Là, un soubresaut le secouait – on aurait dit un lapin effrayé –, et il fusait de nouveau dans les airs... avant d'entamer une énième descente. Ce mouvement de manège donnait une sérieuse envie de vomir à Sulfurique.

Cependant, les apparences étaient sauves. Comme l'exigeait la coutume, une énorme pancarte avait été apposée à l'arrière du véhicule.

Cet homme se marie.
Priez pour lui.

Graminis se mit à glousser :

– Vous inquiétez pas, Silas. Maura vous attendra. Elle a attendu ses cinq premiers maris, vous savez...

Sulfurique battit des paupières. Cinq maris ? Il savait que sa promise n'était pas de première main, mais qu'elle eût épousé *cinq* types avant lui... c'était extravagant ! Elle en faisait quoi ? Elle les mangeait après qu'ils avaient copulé, comme certaines araignées ? Ou elle les tuait pour toucher leur assurance-vie ? Il allait devoir être prudent. Surveiller ce qu'elle lui donnerait à boire ou à manger. À tous les coups, elle avait empoisonné ses précédents époux. Il en était certain.

L'ouklo racla le sol et rebondit à travers les rues étroites. Un clocher apparut. Peu après, le véhicule s'arrêta. On n'était qu'au début de la rue de l'Église. Sulfurique se tourna vers Graminis, étonné.

– Va falloir marcher, annonça celui-ci. Désolé, mais ce truc est prévu pour les enterrements.

★

L'église était minuscule. Sachant qu'une cérémonie de mariage était facturée au mètre carré utilisé, Sulfurique s'y attendait. Comme beaucoup d'autres, le bâtiment était construit selon le principe de la quadrature du cercle : des gradins disposés en carré encadraient l'autel rond. Un tapis moisi et usé jusqu'à la trame y menait.

Sur les bancs, quelques silhouettes. Sans doute des témoins professionnels qui espéraient un contrat.

Le feu central était déjà allumé. Autour, une douzaine de nymphes anémiques se mirent à danser sans grâce lorsque Graminis et Sulfurique entrèrent.

Le prêtre émergea du sous-sol par une trappe, vêtu des robes jaunes de circonstance. La mascarade n'allait pas traîner. L'officier était une solide Fée de la Nuit aux allures de gros crapaud. Il offrit une grimace en signe de bienvenue ; Sulfurique la lui rendit.

– Voici la mariée ! s'exclama Graminis.

Sulfurique pivota vers l'allée principale où s'avançait sa future. Un cactus à la main, la vieille semblait fière de sa tenue d'apparat – une mini-robe moulante, fendue sur le côté. Ses jambes nues évoquaient à Sulfurique des cure-pipes d'occasion.

19

– **H**enry ! s'exclama Bleu.

Le garçon sursauta. Il était plongé dans la contemplation d'un drôle d'engin noir plein de boutons, qu'il tenait à la main. À présent, il regardait la jeune fille avec stupéfaction. Et, sembla-t-il à l'intéressée, délectation.

– Bleu ! Qu'est-ce que... Qu'est-ce que tu fabriques ici ?

– Je cherche le Gardien.

Henry fixa de nouveau le drôle d'objet dans sa main.

– Ils... ils l'ont coffré, bredouilla-t-il.

– Qui ça, « ils » ? De quoi tu parles ?

– La police. Il était parti pour régler le problème de sa maison... et ils l'ont mis en prison.

– C'est impossible. Il est Gardien du Royaume.

– Pas ici, rectifia le garçon. Ici, c'est un vieux type accusé d'avoir braqué une banque. Ils ont parfaitement le droit de l'emprisonner. Il est dans la cellule du commissariat de Nutgrove.

– Je n'ai pas de temps à perdre avec ces âneries, trancha Bleu. Viens, on va le chercher !

20

– Qu'est-ce... Qu'est-ce que c'est, Votre Seigneurie ? demanda Blafardos d'une voix hésitante en fixant l'objet que brandissait Noctifer.

On aurait dit une pipe à bulles*. Mais ça n'était sûrement pas le cas. Black Noctifer était un homme sérieux. Pas le genre à s'amuser avec des joujoux de bébé.

– Voici l'arme que tu vas utiliser pour tuer le Prince Pyrgus, répondit Noctifer. On appelle ça une sarbacane. Je l'ai envoyée chercher spécialement dans le Monde analogue. Elle ressemble comme deux gouttes d'eau à une pipe à bulles, pas vrai ?

– En ef... fet, Votre Seigneurie, bégaya Blafardos, qui prit l'engin avec précaution.

En apparence, c'était un simple tube en bois, décoré de motifs basiques sur sa surface. Cependant, Blafardos restait prudent. Il n'avait pas l'habitude de la magie du Monde analogue, et il ne voulait pas que le coup partît par accident.

– La discrétion : tout est là ! tonna Noctifer. Nous avons besoin d'une arme d'apparence inoffensive pour passer les barrages de sécurité, à la Cathédrale. Et on aura du mal à trouver plus inoffensif qu'une espèce de pipe à bulles... C'est l'idéal pour lancer des sphères d'étincelles quand le nouvel Empereur sera officiellement couronné. J'imagine que pas mal de membres de la congrégation en auront apporté.

Blafardos gardait les yeux rivés sur l'objet.

– En réalité, ce n'est pas une pipe à bulles, supposa-t-il.

– Non.

– C'est une arme.

– Oui.

« Mais quel genre d'arme ? » se demandait le futur assassin. Elle était très courte. Et elle ne dégageait aucune onde magique.

– Comment réussirai-je à m'approcher assez de l'Empereur élu pour lui en porter un coup, Votre Seigneurie ?

Pour la première fois, Noctifer sourit :

– Ah, Blafardos... Mon fidèle Blafardos... Tu crois que je t'envoie à une mort certaine ? Tu penses que je t'ai choisi pour un attentat-suicide ? Allons, parle franchement : est-ce ce que tu redoutes ?

– N... non, Seigneur, b... bien sûr que non ! bredouilla le petit homme boudiné. Rien n'aurait pu être plus éloigné de ce que... à aucun moment je n'ai soupçonné que... Sa Seigneurie peut être certaine que...

Le sourire de Black s'accentua.

– Tu es un agent efficace et un maître espion, dit-il. Bientôt, tu seras mon plus brillant assassin. J'apprécie les services que tu m'as rendus par le passé. Pourquoi diable perdrais-je une ressource aussi précieuse ?

Il se tourna vers la fenêtre. Le haniel avait disparu. Quelques domestiques nettoyaient les restes du laquais. L'un d'eux saisit la tête et la fourra dans un gros sac en papier.

– Veux-tu que je t'explique comment je vais te tirer de là ? demanda Noctifer.

– Oh, oui, Seigneur ! lança Blafardos qui, malgré sa peur, sentit une minuscule étincelle d'espoir s'allumer en lui. Cela m'intéresserait beaucoup !

– Alors, écoute mon plan...

21

– **B**on, alors, c'est où ? demanda Bleu.

– Par là, peut-être murmura Henry en observant les alentours.

Ils étaient rue Nutgrove. Logiquement, le commissariat de Nutgrove ne devait pas être très loin.

– Dépêche, Henry ! s'impatienta la Princesse. Il faut que je trouve M. Fogarty, puis que je le ramène au Royaume. Et vite, en plus !

Le garçon grinça des dents. Il était au courant, merci. Par contre, il ignorait ce qu'ils feraient quand ils auraient trouvé le poste de police. Entrer et réclamer la libération de leur ami ? Pas sûr que cela suffirait...

– Prenons cette rue, suggéra-t-il en désignant une contre-allée.

– Tu es certain qu'on n'est pas déjà passés dans le coin ? s'inquiéta Bleu.

Non, Henry n'en était pas certain. Mais si le commissariat de Nutgrove n'était pas rue Nutgrove, il devait être dans les environs. Restait à mieux chercher.

– Qu'est-il arrivé, Bleu ? s'enquit le garçon pour changer de sujet.

– Il se trame quelque chose. La dépouille de mon père a disparu. C'est bizarre. Et je suis convaincue que quelqu'un prépare l'assassinat de Pyrgus. Mon frère m'a donc envoyée chercher M. Fogarty. Nous avons besoin de lui.

Elle hésita avant d'ajouter :

– Ce serait bien si tu pouvais venir, toi aussi.

Henry rougit de la base du cou jusqu'à la pointe des oreilles.

– J'vais voir c'que j'peux faire, murmura-t-il, pas convaincu qu'il réussirait à se libérer.

C'est alors qu'il aperçut le commissariat.

– Hé ! s'écria-t-il. Regarde, le poste de police est là !

« Et je ne vois pas ce que ça change... », pensa le garçon.

– Henry, qu'est-ce que c'est, exactement, un poste de police ? demanda Holly Bleu.

Évidemment, ce genre d'édifice n'existait pas, dans le Royaume !

– C'est... c'est comme un lieu de rendez-vous pour les gens qui surveillent ce qui se passe, expliqua le garçon. Une sorte de Quartier général pour les policiers du coin...

– Ils vivent là ?

– Euh, non, non. Ici, ils ont juste leur bureau, en quelque sorte.

– Et, s'ils arrêtent un contrevenant, ils le châtient comme chez nous ? Ils le flagellent en place publique ou lui coupent une main s'il est convaincu de vol ? En supposant qu'il ne soit pas noble, bien sûr...

– Non, je ne crois pas, dit prudemment Henry.

– Ah bon ? Pourtant, je trouve ça plutôt malin, non ?

Henry se rendit compte qu'il était resté figé sur place alors que la Princesse s'avançait déjà vers le commissariat. Il courut après elle et la retint par le coude.

– Que comptes-tu faire ? s'enquit-il. Tu ne peux pas entrer et réclamer la libération de M. Fogarty !

Il surprit le regard furieux de son amie et s'arrêta à temps : il allait lui rappeler que, ici, elle n'était pas Princesse royale.

– Ce n'était pas mon intention ! siffla-t-elle. Je ne suis pas complètement débile !

Elle le fixa droit dans les yeux... puis lui adressa un petit sourire :

– Ne t'inquiète pas, Henry. J'ai apporté des cônes avec moi.

– Des... des cônes ? répéta-t-il.

Il pensait aux glaces avec des pépites de chocolat et le bout du cornet croquant. Mais quelque chose lui suggérait qu'il ne s'agissait pas de ça.

– Des cônes de sortilège*, précisa Holly Bleu.

– Tu ne vas pas... Tu ne vas quand même pas...

– Me servir de la magie ? Ben si !

– Non ! Tu ne peux pas !

– Et pourquoi pas ?

Henry fulminait. Pourquoi pas ? Pourquoi pas ? Parce que... Il chercha une raison. N'en trouva pas. À part peut-être que l'utilisation de la magie contre les forces de l'ordre devait être interdite. Et l'était d'autant plus, si les policiers y croyaient.

Dans le Royaume des Fées, c'était normal. La magie était partout. Chacun s'en servait. En permanence. Mais ici... Dans un commissariat ! C'était... Qui aurait eu l'idée de...

– Quelle sorte de magie ? demanda le garçon d'une petite voix.

22

Hamearis Lucina, duc de Burgonde, était un grand homme qui aimait à amplifier sa carrure impressionnante en portant une armure rembourrée et, en hiver, des fourrures bouffantes. En général, il n'avait pas d'épée mais une hache de guerre pourvue d'une hampe en argent. Le genre d'arme qu'un homme moins costaud aurait été incapable de porter.

Les passeurs lui jetaient sans cesse des coups d'œil furtifs et intrigués. Le duc était connu dans tout le Royaume. Sa renommée avait largement dépassé Yammeth Cretch. Mais au-delà de cette aura, il avait une *présence* et un charisme qui, ajoutés à sa musculature et à ses relations, avaient fait de lui l'un des plus proches alliés de Black Noctifer. Eût-il été inconnu, il n'en aurait pas moins attiré l'attention sur lui.

Indifférent aux regards, il sauta à terre lorsque la barque accosta sur l'Île impériale. Par réflexe, l'un des marins s'était approché pour l'aider à descendre. Il recula aussitôt.

L'équipage du bateau se demandait pourquoi un homme aussi puissant se déplaçait sans escorte. En réalité, il le faisait à dessein – précisément parce qu'un seigneur de moindre importance aurait eu besoin d'une cour de domestiques pour impressionner. Pas lui. Seul l'accompagnait un homme vêtu d'un manteau ample et engoncé dans un capuchon. Le duc savait que ce qu'il avait à dire aurait encore plus d'impact sans la pompe qu'affectionnaient les nobles ordinaires.

Il ne vit pas de gardiens sur le sentier bordé de torches enflammées qui conduisait au Palais pourpre. Il ne s'attendait pas à en voir. À quoi bon ? À deux reprises, sur la berge, on l'avait interrogé et fouillé au corps avant de lui permettre d'emprunter la navette fluviale. Sa hache lui avait été laissée, car c'était autant un signe de son rang qu'une arme ; mais on l'avait attachée et scellée à sa ceinture de manière qu'il ne pût la dégainer facilement.

Cependant, il éprouvait une certaine satisfaction à l'idée que les fouilleurs avaient manqué par deux fois la dague d'assassin qu'il dissimulait au niveau de sa jambe gauche. Cela ne relevait pas du miracle. Juste d'un sortilège haut de gamme dit « de déroutage ». Le même qui avait permis à son compagnon encapuchonné d'échapper à l'inspection. Non qu'il envisageât d'assassiner quelqu'un dans l'immédiat, du reste ; n'empêche, c'était toujours un plaisir de constater qu'on pouvait berner la sécurité rapprochée de l'Empereur.

Le sentier qu'empruntait le duc s'incurva, et le visiteur franchit un rideau d'arbres ornementaux destinés à masquer aux regards indiscrets le Palais pourpre. Le bâtiment était illuminé depuis le sol par d'énormes globes de lumière à moitié enterrés. Un monument formidable, marqué par son style typique du vieux cyclopéen. À l'évidence, les architectes avaient privilégié sa destinée de « forteresse » à l'élégance d'une simple résidence de charme. La pierre, jadis pourpre, avait méchamment noirci, même si l'on affirmait que, sous certaines lumières, il lui arrivait de retrouver son éclat d'origine.

En l'état, l'édifice évoquait plutôt un gros monstre accroupi sur une petite colline située au milieu de l'île. Hamearis jugeait maligne cette option. Un tel palais visait à inspirer de la terreur à ses ennemis ; et le duc savait reconnaître les fins psychologues militaires de quelque camp qu'ils fussent. Il veillait à ne pas sous-estimer son adversaire, jugeant que c'était une des clefs de la victoire.

Lorsqu'il parvint près du portail d'entrée, devant les parterres royaux, des gardes surgirent. Pas étonnant. C'était leur rôle d'être méfiants et vigilants, surtout après le crépuscule. Le capitaine en faction reconnut le visiteur – qui ne l'aurait pas reconnu ? – sans pour autant lui accorder un régime de faveur. L'interrogatoire classique commença donc :

– Quel est l'objet de votre visite ?
– Rencontrer l'Empereur héritier.
– Pour quel motif ?
– Je suis porteur d'un message du Seigneur Noctifer.
– Sous quelle forme : écrite ou verbale ?
– Verbale.
– Puis-je transmettre ce message de votre part ?
– Je ne dois le confier qu'aux oreilles du Prince Pyrgus.

73

Le capitaine haussa les épaules, comme si ces questions-réponses n'avaient été qu'un rituel couru d'avance.

– Êtes-vous armé, Votre Grâce ? poursuivit-il.

– Comme vous voyez, rétorqua Hamearis en désignant sa hache entravée.

Le capitaine se pencha pour inspecter le sceau. Puis il tira une petite boîte de sa poche et ajouta un deuxième sceau au premier.

– Veuillez ôter votre ceinture et passer sous le portillon de gauche, Votre Grâce.

Ôter sa ceinture, c'était ôter son arme et le signe de sa puissance. Lucina n'était pas disposé à l'accepter.

– Je suis le duc de Burgonde, rappela-t-il d'un ton cérémonieux. Je ne me séparerai pas de ma hache sans raison valable.

– Je vous la rendrai dès que vous serez entré, promit l'homme sans sourciller.

Les yeux lançant des éclairs, Hamearis se demanda ce qui se tramait. Mais ce n'était pas le moment de faire un scandale. Il était en mission. Il enleva sa ceinture et tendit sa hache scellée au capitaine.

– Vous n'avez pas d'autres armes sur vous, Votre Grâce ? reprit le soldat.

– Non, aucune.

– Passez, je vous prie.

Lucina franchit le portillon.

Aussitôt, une sirène puissante se déclencha, et des soldats l'entourèrent, l'épée au clair. Un faux mouvement, et le plus précieux allié de Lord Noctifer était massacré, tout duc de Burgonde qu'il fût.

23

Henry se sentait tout drôle. Comme s'il venait de tomber malade. Autour de lui, les murs semblaient onduler. À chaque pas, il avait l'impression d'avancer dans la mélasse.

– Je ne suis pas très bien, murmura-t-il.

Et sa voix résonna dans sa tête comme un gong dans le vide.

– Tu vas t'habituer, affirma Bleu d'un ton sans réplique. Contente-toi de me suivre.

Elle s'avança vers la porte du commissariat, appuya sur la poignée et poussa. Le battant ne s'ouvrit pas.

– C'est fermé, signala-t-elle, une pointe d'agacement dans la voix.

Henry se demandait ce qu'il avait mangé en dernier. Il avait peur de le voir réapparaître d'ici peu.

– Ils font ça, maintenant, lâcha-t-il. À cause du terrorisme et du vandalisme, je crois. On n'entre plus dans un commissariat comme dans un moulin. Faut sonner et parler à travers cet Interphone.

– Mais si je parle là, ils vont savoir qu'il y a quelqu'un !

– C'est le but, souffla-t-il, pas certain qu'il réussirait à rester debout une minute de plus. Grâce à ça, ils savent à qui ils ont affaire.

– Je ne veux pas qu'ils sachent que je suis là ! protesta la jeune fille.

Henry n'en pouvait plus. Son cerveau, désormais à l'état liquide, dérivait lentement dans son crâne.

– Alors co... comment comptes-tu entrer ? parvint-il à grogner.

Un grésillement résonna, puis la porte s'ouvrit. Un homme sortit du bâtiment. Il passa devant Holly Bleu et son ami sans leur accorder un coup d'œil. La Princesse avança le pied pour bloquer le battant.

– Viens ! ordonna-t-elle en se faufilant à l'intérieur.

Le garçon l'observa un moment sans comprendre. Puis il se glissa à sa suite. Derrière lui, un claquement se fit entendre. La porte s'était refermée.

24

Noctifer vrilla son regard noir de nuit sur Blafardos :

— D'abord, la sarbacane. Ce n'est ni une baguette magique féerique, ni une baguette magique du Monde analogue. En fait, ce n'est pas une baguette magique. Pour tout dire, elle n'a rien de magique. Rien de rien. Ce n'est même pas une arme. Juste un jouet inoffensif. Du moins, tant qu'on ne s'en sert pas avec ceci...

L'homme tira une boîte de sa poche et la tendit à Blafardos. Celui-ci s'en saisit, jeta un coup d'œil interrogateur à Noctifer, puis l'ouvrit. Dedans, cinq minuscules fléchettes pourvues de plumes étaient disposées sur un lit de velours.

— Ne touche pas les bouts ! l'avertit Black. On les a trempés dans du venin d'araignée. Si tu en effleures un, tu meurs.

Blafardos referma la boîte d'un coup sec. Noctifer se mit à rire :

— Oh, ce serait une fin intéressante, tu sais ? Horriblement douloureuse mais intéressante. Ça commence par une bonne paralysie progressive. Puis ta peau devient bleue. C'est alors que tu sens la souffrance t'envahir, et tu te mets à hurler jusqu'à en crever. Il te faut quatre bonnes minutes pour expirer. J'ai essayé le produit sur un domestique. Très étonnant à observer. Son visage a fini par exploser...

L'homme redevint grave et fixa son assassin de confiance.

— Donc, tu apportes la sarbacane dans la Cathédrale sans te cacher, continua-t-il, puisque ce n'est qu'une inoffensive pipe à bulles. Les fléchettes, tu les portes comme des ornements à ton chapeau. Ensuite, c'est là que le plan est malin... Quand tu voudras tuer l'Empereur élu, tu n'auras plus qu'à prendre une fléchette à ton chapeau. Tu seras entouré par mes hommes, si bien que personne ne remarquera quoi que ce soit. Tu prends ta fléchette, tu l'introduis dans ta sarbacane, et tu souffles.

— Je... souffle ?

– Oui, Jasper, tu souffles. C'est la force de ton souffle qui propulsera la fléchette vers la personne que tu viseras !

Ses yeux scintillèrent de joie. Le regard de Blafardos alla de la sarbacane à la boîte de fléchettes... puis revint vers Noctifer.

– C'est délicieusement *élémentaire*, reconnut-il en frissonnant.

– Élémentaire mais radical, insista Noctifer. Notre jeune ami Pyrgus remarquera à peine la blessure. Il s'imaginera sans doute qu'un insecte l'a piqué. Il faut quatre minutes avant le début de la paralysie. À ce moment, tu seras loin...

Blafardos réfléchissait à toute vitesse. Même s'il n'oserait jamais l'admettre ouvertement, Noctifer était un salaud de premier ordre. Cependant, Jasper ne voyait pas le piège qui lui était tendu. Ni la faille du dispositif.

Ah, si ! Il y en avait une. Et de taille.

– Votre Seigneurie, j'ai l'impression qu'il reste un petit problème...

– Ah bon ? Et lequel ?

– Eh bien, vous vous en doutez, je ne suis plus tout à fait ce qu'on pourrait appeler un agent secret. Enlever la Princesse royale était une idée excellentissime. Néanmoins, elle a révélé au grand jour que j'étais votre, euh, maître espion, pour reprendre votre expression.

« Et cela m'a valu de me retrouver dans une cellule sale et puante », ajouta-t-il en silence. Ce n'était pas le moment d'en parler. Vraiment pas.

– Et alors ? s'impatienta Noctifer.

– Mon visage est connu, Seigneur. J'ai une certaine... notoriété, que mon évasion va sans doute renforcer. Je crains que les agents de sécurité de l'Empereur ne m'arrêtent avant que j'aie posé un demi-orteil sur le parvis de la Cathédrale !

– Ha... Ha, ha...

Un rictus malicieux déforma le visage de Noctifer.

– Tu crois que je n'ai pas pensé à ça ? demanda-t-il. Tu crois que je n'ai pas envisagé une évidence aussi *évidente* ?

– Non, Votre Seigneurie, ce n'est pas du tout ce que j'ai voulu suggér...

– Vois-tu, mon plan est réellement génial, continua Noctifer sans l'écouter. Il faut que tu saches, mon cher Jasper, que je n'ai pas l'intention d'assister au Couronnement.

– Vous ne... Mais vous devez être invité !

– Bien sûr que je suis invité, crétin ! Je suis incontournable, dans ce Royaume. Et pourtant, je n'ai pas l'intention d'y aller. Voilà pourquoi j'ai ordonné qu'on me confectionne juste pour l'occasion un sortilège d'illusion. Tu vas aller au Couronnement à ma place... avec mon apparence.

Derechef, un grand sourire illumina son visage :

– Je t'ai dit que tu serais entouré par mes hommes, non ? Ce seront mes gardes du corps... enfin, les tiens.

25

– On n'a plus qu'à trouver M. Fogarty ! s'exclama la Princesse.

Ils avaient débarqué dans une salle d'attente au sol en lino. D'un côté, une rangée de chaises ; de l'autre un guichet, derrière lequel se tenait un policier en uniforme de sergent. Trois chaises étaient occupées : deux par un couple d'un certain âge, une par un quinquagénaire qui essayait de ressembler à Elvis Presley – il était loin du compte. Personne ne leva la tête à l'arrivée des nouveaux venus.

– On demande au sergent ? proposa Henry, qui n'avait plus que trois rêves : sortir d'ici, rentrer chez lui et, si possible, mourir pour ne plus avoir la tête qui tourne.

À travers le brouillard de son esprit, il s'aperçut que Bleu dardait sur lui des yeux furibonds :

– Tu te crois drôle ?

– N... non, bégaya le garçon en secouant la tête. Pourquoi ?

Il se recula et s'accrocha au dossier d'une chaise. Secouer la tête avait été une idée stupide.

– À quoi bon être invisible, si c'est pour aller se renseigner à un *bureau* ? s'indigna Bleu.

– On... on n'est pas invisibles ! protesta Henry.

– Et le cône que j'ai brisé, il servait à faire joli, peut-être ?

– Mais je te vois parfaitement !

« Parfaitement » était très exagéré. N'empêche, il la voyait. Sans aucun doute.

– Bien sûr que tu me vois ! confirma la Princesse avec lenteur, comme si elle s'était adressée à un demeuré. Moi aussi, je te vois ; et toi, tu vois tes mains ; et moi, je vois mes pieds, parce que nous sommes invisibles tous les deux. Et essaie de ne pas parler FORT : le sortilège étouffe les sons, il ne les annule pas. Si tu es trop bruyant, on va nous repérer. Et évite d'émettre des gaz nauséabonds, s'il te plaît.

– C'est pas moi ! cria Henry.

Puis il se corrigea et susurra dans un souffle :

– C'est pas moi...

– Hum, quelqu'un en a émis un, signala Bleu. Bon, où peuvent-ils emprisonner M. Fogarty ?

– J'en sais rien, grommela le garçon.

La dernière fois qu'il était venu ici, ç'avait été pour signaler qu'on avait volé un phare à son vélo. Le sergent lui avait ri au nez. Alors...

– Deux possibilités, estima Bleu. Ou bien derrière cette porte-ci, derrière le guichet. Ou bien à gauche. À moins qu'ils n'aient un bâtiment séparé pour les cellules.

– J'EN-SAIS-RIEN ! répéta Henry, un ton au-dessus.

Dans leur dos, la porte se rouvrit, et deux agents entrèrent, encadrant un jeune homme qui portait une vieille veste en cuir. Sans un mot, le sergent se leva pour leur ouvrir la porte qui menait au-delà des guichets.

– Génial ! s'extasia la Princesse. Ils viennent d'interpeller quelqu'un. Je suis sûre qu'ils vont le jeter dans une cellule... et nous montrer le chemin !

– Et alors ? demanda le garçon.

L'invisibilité, c'était bien, mais insuffisant. Le sergent avait refermé la porte de son guichet ; et les agents avaient aussi fermé une deuxième porte derrière eux. Impossible de les rouvrir sans que personne s'en aperçoive. Henry allait s'énerver... quand son estomac protesta. Il n'était pas en état de piquer une colère.

– Alors, viens ! conclut la jeune fille.

Elle bondit en avant au-dessus du guichet et atterrit près du sergent. En silence. Puis elle se tourna vers son ami, impatiente :

– Allez ! Qu'est-ce que tu attends ?

Le cœur de Henry se serra. Il n'avait jamais été un athlète. Ni un gymnaste. Le cheval d'arçons ne faisait pas du tout partie de ses spécialités. S'il tentait ce que Bleu venait de réussir, il était sûr de s'étaler lamentablement. Et bruyamment.

– Henry...

Le garçon s'avança vers le comptoir, le rouge aux joues. Pas question de bondir. Mais pas question non plus de laisser Bleu voler seule à la rescousse de M. Fogarty. Les yeux baissés, il s'agrippa au comptoir, tira sur les bras et s'assit sur le guichet. Le plus dur restait à faire : passer les jambes de l'autre côté.

Il savait ce qui allait arriver. Dans un instant, il renverserait le mug de thé que le sergent venait de se servir. Il serait attrapé. Il aurait gâché la mission. Et Bleu comprendrait qu'il était trop nul. Qu'il n'avait rien à voir avec les beaux gosses musclés et intelligents qui, au palais, devaient rôder autour d'elle.

En même temps, il n'avait pas le choix. Donc il se lança. Juste à cet instant, le sergent tendit la main vers son thé. À un centimètre de Henry. Qui s'aplatit contre la paroi et pria. Sous le poids de ses fesses invisibles, la surface du comptoir commençait à se creuser. Mais la sonnerie du téléphone retentit au moment opportun. Le sergent renonça à son thé pour décrocher et dire d'une voix traînante :

– Commissariat de Nutgrove, j'écoute !

Henry sauta par terre, et atterrit près de Bleu, qui l'observait avec étonnement. À quelques pas de là, une secrétaire tapait à deux doigts sur son ordinateur. Si Henry parlait, l'employée l'entendrait-elle ? Il décida de prendre le risque.

– Et maintenant ? souffla-t-il.

Pas de réaction de la policière.

– On profite de ce que tout le monde est occupé pour ouvrir la deuxième porte, annonça Bleu.

Sauf que les deux agents l'ouvrirent au même instant (et la fermèrent derrière eux).

– Café, les gars ? proposa la secrétaire.

– Non, non, te dérange pas !

– J'allais m'en faire un, tu sais...

– Ah, dans ce cas...

Du coin de l'œil, Henry vit Bleu s'avancer avec grâce vers la deuxième porte. À l'évidence, elle avait l'habitude d'être invisible. Pas Henry. Il se déplaçait avec l'élégance d'un rhinocéros, et chacun de ses mouvements lui donnait encore plus envie de vomir.

Soudain, le garçon se figea. Une porte qui donnait sur la salle d'attente s'ouvrit... et M. Fogarty apparut, accompagné d'un jeune policier.

– Merci pour votre coopération, monsieur, dit l'agent. Et désolé de vous avoir importuné.

M. Fogarty grommela et sortit du commissariat.

– Tu as vu ça ? murmura Bleu, aux anges. Ils l'ont libéré !

Le téléphone sonna derechef.

– Gare de Nutgrove, bonjour ! lâcha le sergent en éclatant de rire. Ça se passe bien, Tom ?

Une autre sonnerie, pour la secrétaire, cette fois, qui décrocha :

– Un instant, s'il vous plaît.

Elle se tourna vers le faux Elvis Presley :

– Monsieur Robson, vous pouvez venir ?

– Et nous ? glapit la vieille dame. Nous étions là avant !

– On arrive, mamie, on arrive, promit l'un des agents.

– Nous, on file, décida Bleu, qui bondit de nouveau par-dessus le comptoir avec l'agilité d'un ouistiti.

Henry s'approcha pour la suivre. Sa nausée était plus forte que jamais. Il s'appuya contre un bureau pour prendre son souffle. L'instant d'après, le sergent hurlait :

– Héééé !

Il lâcha le combiné et regarda autour de lui :

– Mais d'où ça vient, ce truc ?

Les agents l'observaient, entre dégoût, stupeur et amusement. Henry avait vomi sur le sergent. Le résultat était visible : le pantalon de l'officier de police était mouillé, puant et chaud.

26

Les soldats de l'Empereur n'étaient pas des plaisantins. Quand ils menaçaient quelqu'un, ils étaient prêts à l'exécuter sans hésitation.

Hamearis leva les mains et recula, le sourire aux lèvres. Il devinait ce qui s'était passé. Ces gens-là étaient très forts. Aucun magicien de sa connaissance n'était capable de détecter une arme de cette façon.

– Peut-être Votre Grâce a-t-elle oublié une arme sur elle ? suggéra le capitaine d'une voix polie.

Le duc s'inclina, obligé de se montrer beau joueur. Car il avait vu juste : un sortilège posé sur le portillon avait repéré sa dague cachée... qu'il dégagea du fourreau et remit.

– Merci, dit le chef des soldats. Nous vous la rendrons quand vous repartirez. Votre serviteur, à présent, je vous prie...

L'homme encapuchonné franchit le portail sans déclencher l'alarme. Hamearis se dirigea vers le palais. Il soupçonnait l'arche enchantée d'avoir été installée par le nouveau Gardien du jeune Malvae, ce sorcier du Monde analogue appelé Fogarty. Auquel cas, cette invention suffisait à prouver la valeur de l'homme. Un sortilège capable de détecter les armes était un progrès incroyable et une invention d'une valeur inestimable.

Peut-être Hamearis aurait-il intérêt à ne pas en parler à son ami Noctifer. Il aurait une chance de s'approprier cette technologie pour lui seul lorsque les Fées de la Nuit occuperaient le Palais pourpre. Et s'il réussissait à convaincre Fogarty de travailler pour la Maison des Lucina, alors là...

27

Henry avait l'impression que M. Fogarty parlait à son oreille gauche, faute de pouvoir localiser ses interlocuteurs invisibles.

– Erreur d'identité, grognait-il. Une banque a été attaquée, et un employé a cru me reconnaître quand on lui a présenté un fichier d'anciens braqueurs.

Bleu réapparut aux yeux du Gardien alors qu'ils arrivaient chez lui.

– Pourquoi Henry n'est pas bien ? demanda-t-elle.

– À cause de ses vêtements.

– Qu'est-ce qu'ils ont, mes vêtements ? s'enquit l'intéressé, qui commençait à aller un peu mieux.

– Sûr que ta chemise est en fibres synthétiques... Ces fibres entrent en conflit avec l'énergie libérée par le cône de sortilège. Elles créent une sorte de résonance qui donne la nausée.

– Donc s'il change de chemise...

– Il ira mieux. Tiens, on peut essayer. Enlève ta chemise, Henry, et brisons un nouveau cône pour vérifier.

– Euh... un instant ! objecta le garçon.

Il n'y avait pas que sa chemise. Son pantalon aussi était en synthétique. À la rigueur, il pouvait l'enlever. Mais son caleçon n'était pas en laine non plus...

Par chance, Bleu lui épargna d'entrer dans les détails :

– On verra plus tard, Gardien. Il faut que nous rentrions de toute urgence au Royaume, vous et moi.

– Qu'est-il arrivé ?

– La dépouille de mon père a disparu. Et un complot se trame pour assassiner Pyrgus.

– Pfff... C'est r'parti...

Il inspira un coup et expira à fond.

– Bon, tu as raison, lâcha-t-il. Faut y aller. Tu viens avec nous, Henry ?

– Ben, je dois d'abord passer à la maison, récupérer de la nourriture pour Hodge. Et inventer une excuse pour justifier mon absence.

– Alors, file, conclut le Gardien, et rejoins-nous là-bas avec le transporteur que je t'ai laissé.

Il se dirigea vers la porte de sa maison, accompagné de Bleu. Au dernier moment, il sortit une petite boîte de sa poche et la tendit à Henry.

– Pas d'habits synthétiques quand tu te serviras de ça, l'avertit-il.

– C'est quoi ?

Le vieil homme lui décocha un petit sourire – très rare, chez lui – et murmura :

– Un cadeau pour ta mère.

28

Pyrgus n'était pas dans son état normal. Il arpentait ses appartements lorsque Holly Bleu et M. Fogarty le trouvèrent. Il avait clairement connu des jours meilleurs.

– Ça va ? s'inquiéta le Gardien.

L'Empereur héritier leva sur lui des yeux cernés et grommela :

– Oui, ça va...

– Tu n'as pas l'air en forme, pourtant ! objecta le vieil homme.

– Pas l'air du tout, même, insista Bleu.

– Je n'ai pas beaucoup dormi, la nuit dernière, reconnut Pyrgus. Bon, si on parlait plutôt des choses importantes ?

– J'ai raconté ce qui se passait au Gardien, intervint sa sœur. Le complot et la disparition de la dépouille de mon père.

– Et Henry ? Qu'est-ce qu'il fabrique ? Pourquoi n'est-il pas avec vous ?

– Il arrive, répondit M. Fogarty. Du nouveau ?

Nerveux, Pyrgus s'humecta les lèvres :

– J'ai interrogé les gardes à propos de la disparition du cercueil. Ils n'ont rien vu. Rien de rien. Ils ont fait une inspection, le corps était là ; à l'inspection suivante, il n'y était plus. Point final.

– La faute à la magie ? suggéra le Gardien.

– Ça m'étonnerait, dit Bleu. Je ne connais aucun sortilège capable de déplacer un corps.

– Moi non plus, renchérit Pyrgus. Mais nous ne sommes pas des magiciens. Alors, qui sait ? Peut-être existe-t-il un cône que nous ignorons. Une invention récente. Je pense que nous devrions privilégier l'hypothèse d'une intervention magique de type inconnu. Et, puisque nous n'avons aucun moyen d'en apprendre davantage pour le moment, il est inutile de perdre

notre temps à enquêter. Tôt ou tard, le responsable va se manifester.

– Pour réclamer une rançon ? supposa sa sœur. C'est ça, ce
que tu as en tête ?

– Oui.

« Il ment », pensa M. Fogarty. Il en aurait mis sa tête à couper,
et pourtant il ignorait ce qui pouvait motiver Pyrgus.

– On va se concentrer sur cette histoire d'assassinat,
d'accord ? J'espère que tu ne m'en tiendras pas grief, Bleu :
j'ai demandé à Mme Cardui de voir ça directement avec notre
Gardien.

– Aucun problème, bien sûr ! s'exclama la Princesse. Elle est
là, ou veux-tu que je guide M. Fog...

– Elle est là. Je l'ai envoyée chercher dès que vous êtes reve-
nus. Elle patiente dans l'antichambre. Je vais l'appeler.

– Inutile ! lança une voix forte.

M. Fogarty se tourna vers la porte qui venait de s'ouvrir. Et
quelque chose le frappa en plein cœur – quelque chose d'aussi
violent qu'un éclair.

Ou qu'un coup de foudre.

29

Henry attendit d'être dans sa chambre pour ouvrir la boîte. Elle contenait six cônes de couleur posés sur un lit de coton.

Il les observa, pas très rassuré.

À l'intérieur du couvercle était collée une notice d'utilisation, écrite en alphabet féerique, qui rappelait l'écriture arabe à Henry. Mais un sortilège devait être inclus dans le coffret, car lorsque le garçon plissa les yeux, les mots lui devinrent soudain compréhensibles.

LES NOUVEAUX CÔNES BRUN-ROUX DE Léthé®
« Oubliez que vous avez lu ceci... »

Contenu

Six (6) cônes de Léthé® auto-inflammables à usage unique

Conseils d'utilisation

1. Visualisez l'effet désiré (c'est-à-dire la personne ou la chose à oublier).
2. Tenez le sortilège sous le nez de celui ou celle qui souhaite oublier, puis brisez le cône.

Précautions d'utilisation

Les nouveaux cônes brun-roux de Léthé® sont vendus exclusivement pour un usage personnel. Leur prescription est thérapeutique et a pour objectif de soulager d'urgence des souvenirs douloureux. En dehors de ce cas, le recours à ces nouveaux cônes brun-roux de Léthé® est passible de poursuites, notamment s'il vise une personne

---

n'ayant pas manifesté son consentement *par écrit*.

Mentions légales

Les fabricants déclinent toute responsabilité liée à la mauvaise utilisation de ces nouveaux cônes brun-roux de Léthé®. Ils ne sauraient être tenus pour responsables de toute blessure ou de tout dommage consécutif à un usage abusif. Léthé® est une marque déposée de Mémoire Magique PLC, membre de la Ligue éthique des fabricants de sortilèges. Ces cônes ne sont pas remboursables.

Le cœur de Henry s'emballa. M. Fogarty lui avait parlé de ces sortilèges capables d'effacer la mémoire des autres. Et il en tenait six entre ses mains !

Plus besoin d'inventer un prétexte idiot pour sa mère. Il n'avait qu'à briser un cône sous son nez et sous celui de sa petite sœur Alicia, et il pourrait disparaître aussi longtemps qu'il le souhaiterait ; elles ne s'inquiéteraient pas le moins du monde. Elles ne se rappelleraient rien jusqu'à son retour. Pendant ce temps, il rejoindrait Bleu au Royaume des Fées, sauverait peut-être Pyrgus une seconde fois, et, du coup, impressionnerait assez la Princesse pour que peut-être, peut-être, elle envisage de...

M. Fogarty était génial ! Ces cônes étaient ce dont Henry avait besoin.

À un détail près. Il était allergique à la magie.

Henry reposa la boîte avec précaution et se dirigea vers son armoire à linge. Des tas de vêtements lui tombèrent dessus dès qu'il ouvrit la porte. Il y farfouilla, à la recherche d'habits en fibres naturelles. Il découvrit un T-shirt en coton sur lequel était écrit :

ELLES SONT TOUTES FOLLES DE MOI !

Ridicule, non ? Pourtant, il ôta sa chemise et enfila le T-shirt. C'était un cadeau d'une de ses tantes. De mauvais goût, oui ; et pas trop le style de Henry. Mais avec deux qualités : il était en fibres naturelles *et* propre. Denrée rare, dans cette armoire.

Le garçon changea aussi son caleçon et son pantalon pour un slip en coton et une paire de jeans couleur treillis. Sa tante lui avait offert le pantalon avec le T-shirt. Il ne l'avait jamais porté, le jugeant trop moche. Sauf que la toile de jean devait avoir une origine vaguement naturelle. Et puis, après tout, il pourrait changer de costume après qu'il se serait occupé de sa mère et de sa sœur...

Il entendit des voix dans la cuisine. Il s'y rendit. Alicia et leur mère y buvaient un thé... et se turent au moment où Henry entra dans la pièce.

– T'as pas honte de porter ce T-shirt ? s'exclama sa petite sœur. C'est ridicule, mensonger et insultant pour les femmes. M'man, m'man, dis-lui de changer c'truc !

Henry plissa les yeux pour mieux se concentrer. S'approcha. Et craqua un cône sous le nez d'Alicia. Une volute de fumée grise sinua autour de la tête de la fillette. Elle se recula d'un coup, paniquée, le visage éberlué.

Mme Atherton regardait la scène avec effroi :

– C'est... c'est de la drogue ? bégaya-t-elle. On dirait du nitrite amylique ! Henry, qu'as-tu fait à ta sœur ?

– Juste ça, m'man, murmura le garçon. Désolé.

Et il brisa un second cône sous le nez de sa mère.

À son tour, Mme Atherton se pétrifia, la bouche légèrement ouverte – comme sa fille. Leurs poitrines s'étaient figées. Elles ne semblaient plus respirer. Des statues. Henry craignit de les avoir tuées ! C'était la première fois qu'il se servait de la magie. Peut-être n'avait-il pas pris toutes les précautions nécessaires.

Il voulut en avoir le cœur net et prit le bras de sa mère :

– Ça va, m'man ?

Mme Atherton ne réagit pas. Henry s'affola. Sa mère n'était pas morte. Impossible. M. Fogarty ne lui aurait pas donné une boîte de cônes destinés à tuer. Quoique... M. Fogarty n'était pas tout blanc, non plus. Il était allé en prison. Et pas seulement par erreur. Il avait braqué des banques. Il avait manié des pistolets. Il avait menacé des gens. Aurait-il transformé Henry en criminel ?

Non : sa mère et Alicia se remirent à parler sans prêter attention au garçon. Une histoire de Poney Club – le seul sujet de conversation qu'Alicia jugeât digne d'intérêt.

Henry recula discrètement et sortit de la pièce. Un sentiment étrange montait en lui. Il lui fallut un moment pour donner un nom à ce qu'il éprouvait : c'était de la joie. Il avait réussi. Il avait utilisé un sortilège avec succès ! On l'avait oublié ! Il était libre ! Libre de se rendre au Royaume ! Libre de revoir Bleu aussi longtemps qu'il le souhaiterait ! Libre d'aller la revoir *à l'instant même* !

Il grimpa quatre à quatre les marches qui menaient à sa chambre. Il avait placé dans une boîte à chaussures le portail portatif que lui avait donné M. Fogarty, avec la décoration que lui avait remise Pyrgus lors de son intronisation en Lame Illustre, Chevalier en chef de la Dague grise. La cachette était discrète *et* dissimulée en haut de son armoire à linge.

Il prit une chaise, tâtonna au-dessus de l'armoire, attrapa la boîte et l'ouvrit.

Le portail portatif n'y était pas.

30

M. Fogarty leva sa main droite devant lui, paume vers le bas et constata qu'elle tremblait. Quelle horreur ! Jusque-là, même quand il avait horriblement mal aux doigts à cause de son arthrite, il arrivait au moins à les tenir aussi immobiles qu'un roc. Désormais, il allait devoir faire une croix sur cette fierté. Ridicule de se mettre à sucrer les fraises maintenant. Surtout que la vieillesse n'y était pour rien.

Ce qui l'inquiétait, c'est qu'il ne savait pas pourquoi il tremblait.

Ou plutôt, il savait *pourquoi*, sans comprendre *comment*, à son âge, on pouvait retomber en adolescence.

Parce qu'il n'y avait pas que les tremblements, oh, non ! Les symptômes étaient nombreux et convergents : il avait envie de fredonner en permanence ; il avait l'impression de marcher sur un nuage ; il avait envie d'aller cueillir des fleurs et d'écrire des poèmes... Insensé : des poèmes ! Lui !

Peut-être était-ce le début de la démence sénile. Peut-être allait-il lentement régresser vers l'enfance. Ne plus reconnaître les gens. Répéter des phrases sans signification. Se faire pipi dessus. Et, avant d'atteindre l'enfance, pire : commencer sa régression en se comportant comme un ado.

Il rejeta cette idée. Il n'avait que quatre-vingt-sept ans. Beaucoup trop jeune pour devenir sénile.

Il se demanda si les sorciers guérisseurs avaient un médicament indiqué pour ce genre de cas.

Puis il rejeta aussi cette pensée-là. Car il ne voulait pas prendre de médicament. Il ne voulait pas guérir. Surtout pas. Même si ses mains tremblaient, il se sentait fort. Confiant. Plein d'énergie. S'il était allé au concert, il aurait brisé les sièges en HURLANT. Comme jadis.

Bizarre. À sa connaissance, ces sensations ne correspondaient absolument pas aux signes cliniques habituels de la démence.

Quand on devenait sénile, on ne crevait pas d'envie d'aller voir Led Zeppelin.

Or, M. Fogarty crevait d'envie d'aller voir Led Zep et de HURLER et de briser des sièges !

Donc ce n'était pas une démence sénile.

Donc ce devait être... NON ! Il secoua la tête. Pas ça. Pas ça non plus. Surtout pas.

Il quitta la Chambre de maître de son logement de fonction pour gagner la salle de bains, où se trouvait un miroir en pied. Son reflet ne lui ressemblait pas. Il avait l'air d'un grand-père. D'un vieux.

Pourtant, M. Fogarty ne se trouvait pas vieux. Il ne s'était jamais trouvé vieux. Même quand l'arthrite s'était attaquée aux articulations de sa main. Même quand il s'était aperçu qu'il ne pouvait plus courir longtemps sans avoir le cœur en feu et les poumons au bord de l'explosion. Mais bon, il ne s'était jamais trouvé vraiment jeune non plus. La plupart du temps, il estimait son âge réel à environ trente-cinq ans. Quarante à la rigueur, les mauvais jours. Aujourd'hui, il s'en donnait maximum dix-sept. Quelque chose avait changé.

Le plus étrange, c'était la manière dont tout avait changé.

Une minute avant ce bouleversement (il avait trente-cinq ans d'âge mental, à l'époque), il s'inquiétait pour Pyrgus, écoutait Bleu, essayait de comprendre ce qui se passait. Et puis la porte s'était ouverte, et une griffe s'était plantée dans les entrailles de M. Fogarty, et son pouls s'était accéléré, et son cerveau avait fondu, et il avait eu de nouveau dix-sept ans.

Tout ça parce que Mme Cardui était entrée.

★

Il avait entendu parler d'elle auparavant. Un peu. Elle servait d'agent de renseignement à Bleu... et il n'en savait guère plus à son sujet. Il ignorait qu'elle était grande, très grande, aussi grande que lui, en fait. Il ignorait qu'elle était aussi exotique, qu'elle portait des habits aussi flamboyants aux couleurs changeantes aussi vives, et que ses chaussures étaient rehaussées de talons endiamantés sur presque trente centimètres de haut.

Si, il savait qu'on la surnommait la Femme peinte. À présent, il comprenait pourquoi : elle était outrageusement maquillée.

Comme si elle avait été sur le point d'entrer en scène. Elle avait dû faire du théâtre, autrefois.

Un nain orange l'accompagnait. Il portait un gros chat persan translucide qui somnolait dans une cage dorée. Mais ce qui frappait le plus, chez Mme Cardui, c'étaient encore ses yeux. Noirs. Liquides. Pénétrants.

Elle les avait posés sur lui quand Bleu avait fait les présentations, et ils l'avaient transpercé tels des javelots. Mme Cardui avait tendu la main vers lui. M. Fogarty avait été frappé par les bagues qui sinuaient le long de ses doigts. La Femme peinte lui avait souri de ses dents écarlates ; puis, lui serrant la main d'une poigne ferme, elle avait susurré :

– Je suis siii heureuse de vous rencontrer, Gardien. Ma chèèère Princesse Bleu m'a tellement parlé de vous. Puis-je vous présenter Kitterick, mon serviteur ?

Elle avait désigné de la tête le nain orange.

Foudroyé sur place, M. Fogarty n'avait rien dit. Et il avait gardé ce même silence sidéré tandis que Mme Cardui lui avait répété ce qu'elle avait appris à sa chèèère Princesse – une sérieuse menace de mort pesait sur la Maison royale. En fait, la seule phrase qu'il avait réussi à prononcer – quel imbécile, non mais quel imbécile ! –, il l'avait lâchée à la fin de l'entrevue, au moment où la Femme peinte allait quitter la salle.

– Vous... vous avez un prénom, madame ? avait-il murmuré.

Elle l'avait fixé de ses yeux magnifiques, avant de répondre de sa voix magnifique :

– Oui, monsieur Fogarty. Je m'appelle Cynthia.

Puis Cynthia La Magnifique était partie, laissant son interlocuteur chancelant sous son charme.

31

« **A**licia ! » pensa Henry. C'était forcément Alicia la coupable ! Elle seule s'introduisait dans sa chambre pour fouiller – et voler. Quand quelque chose disparaissait dans les affaires du garçon, le crime était signé.

Sa mère ? Oh, elle était très capable de fouiller, elle aussi. Le sens du mot « privé » ou « personnel » lui était inconnu, sauf quand il s'agissait de ses affaires à elle, bien sûr. Mais elle n'aurait pas pris le boîtier de translation. À ses yeux, le portail portatif aurait ressemblé à n'importe quel accessoire d'ordinateur. De plus, si Mme Atherton avait été impliquée dans l'histoire, elle aurait aussi pris la dague pour « avoir une discussion sérieuse » avec Henry. Or, la lame était là. Pas de doute, Alicia avait encore frappé.

Henry fonça dans la cuisine. Elle était vide. Il ressortit en courant et percuta sa sœur qui émergeait des toilettes du rez-de-chaussée.

– Tu m'as volé mon boîtier ! cria-t-il, furieux.

Alicia battit des paupières et demanda d'une voix embrumée :

– Mais t'es qui, toi ?

32

« **E**ncore heureux que Bleu et Pyrgus n'aient rien remarqué ! » se répétait M. Fogarty.

Il n'en revenait pas de s'être comporté comme un idiot avec Mme Cardui. Il s'en voulait. C'était ridicule d'avoir ce genre de réaction à son âge. À n'importe quel âge, d'ailleurs. Bien qu'il ne se souvînt pas d'avoir éprouvé *ça* par le passé. Même quand il était un gamin pleurnichouillant à cause d'un amour de vacances « éternel »... dont il avait tout oublié aujourd'hui.

Et même quand, vers vingt ans, il avait rencontré Miriam, la femme qui était devenue la sienne, ce qu'il avait éprouvé n'avait pas été désagréable, loin de là, mais soyons sérieux : rien de comparable avec ce qu'il éprouvait en ce moment.

Il devait donc se poser une question : qu'allait-il faire de cette émotion ?

S'il avait eu dix-sept ans, l'âge qu'il avait l'impression d'avoir (tout en sachant qu'il en avait soixante-dix de plus), il n'aurait pas hésité une demi-seconde : il se serait jeté sur Mme Cardui comme la misère sur le quart-monde et il l'aurait poursuivie, rattrapée, embrassée jusqu'à ce que les oreilles lui en tombassent ; s'il s'était avéré qu'elle était avec quelqu'un – même son mari –, il aurait battu cet importun comme plâtre et n'en aurait laissé que de la menue poussière.

Hélas, il n'en était pas question. Évidemment. Il était Gardien, à présent. N'avait jamais eu un poste aussi respectable. Une responsabilité aussi considérable. Pas le moment de se disperser. Sans compter qu'il avait quatre-vingt-sept ans. Il était loin, le temps où il pouvait battre comme plâtre quiconque lui résistait. Sauf s'il se munissait d'une batte de cricket.

N'empêche, il espérait que Cynthia n'avait pas une histoire avec son nain.

33

Henry venait d'avoir une idée génialissime et extraordinaire. Si évidente qu'il se demandait comment il avait pu ne pas l'avoir avant. Puisqu'il ne pouvait pas savoir où Alicia avait caché son portail portatif, il n'avait qu'à aller voir si M. Fogarty n'en possédait pas un autre !

Il faisait nuit, à présent. Sa mère aurait piqué une colère noire en apprenant qu'il allait rendre visite à M. Fogarty. Qui plus est aussi tard. Depuis que sa sœur l'avait accusé d'avoir des relations sexuelles avec le vieil homme, les parents de Henry ne voulaient plus entendre parler de ce type.

Mais sa mère avait oublié l'existence du garçon. Sa sœur aussi. Rien ne l'empêchait d'agir comme bon lui semblait.

Il passa un imper – il avait commencé de pleuvioter – et prit le dernier bus. S'il ne trouvait pas un autre portail, il n'aurait qu'à rester dormir sur place et attraper le premier bus le lendemain matin. Les cônes de Léthé ne résolvaient pas tous les problèmes. N'empêche, ils avaient quelques avantages. Et Henry comptait bien en profiter. D'autant qu'il lui restait encore quatre sortilèges.

Cependant, le temps qu'il arrive chez M. Fogarty, une grosse partie de sa confiance s'était évanouie. Son problème avait un nom et un prénom : Holly Bleu. Il n'était pas à son côté alors qu'elle avait besoin de lui (et qu'il aurait bien aimé la rassurer par sa seule présence). Avec la chance qu'il avait, il n'y aurait pas de portail de rechange, et il lui faudrait des mois avant de parvenir au Royaume des Fées.

Il avait raison de craindre le pire. Il eut beau fouiller la maison de M. Fogarty du plancher au plafond, il ne dénicha pas la moindre trace d'un portail portatif. Il envisageait de creuser un trou avec sa tête dans le mur le plus proche... quand il eut une deuxième idée génialissime et extraordinaire.

Stupéfiant. Déjà, une idée, c'était rare. Mais deux idées, qui plus est génialissimes et extraordinaires, c'était carrément du jamais vu.

Vite, vite, il se précipita vers le bureau qu'il avait inspecté dans la chambre de M. Fogarty. Haletant, il ouvrit le tiroir... et sourit d'une oreille à l'autre : le carnet du vieil homme était toujours là. Il était sauvé !

34

Bleu sursauta. Quelqu'un la secouait dans son propre lit ! Elle mit sa main en visière pour voir qui se tenait derrière la torche.

– Pyrgus ! s'écria-t-elle. Qu'est-ce que tu fabriques ?

– Noctifer m'envoie un messager : le duc de Burgonde en personne, annonça l'Empereur héritier d'un ton pressant. Dis-moi ce que je dois faire !

35

M. Fogarty sortait de sa salle de bains quand on frappa à la porte de son logement de fonction.

Il se figea. Personne ne pouvait arriver ici sans alerter les systèmes de sécurité. Des gardes protégeaient le Gardien. Pyrgus l'avait exigé. Mais même si un intrus avait franchi ce premier barrage, les pièges que M. Fogarty avait disposés auraient dû l'alerter bien avant. Et pourtant, quelqu'un avait passé ces deux filtres... pour finir par frapper chez lui, au milieu de la nuit.

Le Gardien se rendit dans la salle vidéo qu'il avait installée dans son salon. L'écran connecté à la caméra fixant la périphérie de la villa ne montrait rien – sinon, çà et là, les ombres vert foncé et rassurantes des soldats en faction. Rien non plus sur l'écran scrutant le ras du sol : quelques renards et des lapins – ou, du moins, les animaux féeriques qui ressemblaient le plus aux renards et aux lapins. Rien d'inquiétant. Donc il ne s'agissait pas d'une invasion en nombre.

Restait la caméra vidéo fixée sur le porche d'entrée. Le troisième écran montrait une haute silhouette masquée par une capuche. Un poing fermé s'apprêtait à frapper derechef. Pas d'arme apparente, même si le manteau pouvait dissimuler tout un attirail. L'inconnu était seul. Tant mieux. Mais il avait réussi à passer à travers les mailles du filet de sécurité. Or, c'était impossible. Personne – au sens de : strictement personne – n'était censé parvenir jusque-là sans être annoncé.

M. Fogarty réfléchissait au plus vite. Les assassins avaient-ils lancé leur attaque ? D'après Bleu, leur cible était Pyrgus. Logique. Sauf que Mme Cardui parlait d'un membre de la *maison* royale. Ce qui incluait l'Empereur héritier, ainsi que la Princesse et une douzaine d'intendants, de conseillers et de dignitaires haut placés. Dont lui.

Le Gardien fronça les sourcils, sceptique. À sa connaissance, les tueurs n'attendaient pas qu'on leur ouvrît pour régler son

compte à leur victime. Ils se glissaient par une fenêtre entrou-
verte, une cheminée ou une porte préalablement forcée. Dans
le Royaume, ils pouvaient aussi se servir d'un sortilège de transformation pour déguiser leur apparence, prendre celle d'un ami
ou d'un quidam inoffensif. L'hurluberlu qui attendait à l'extérieur, lui, ressemblait à un assassin. La capuche lui dissimulait
le visage ; le manteau laissait présager de mauvaises surprises.

Deux possibilités, dès lors :

1) ou bien ce n'était pas un assassin ;

2) ou bien c'était un assassin supérieurement intelligent, qui
avait décidé de ressembler à un assassin parce que personne ne
penserait qu'un assassin ferait l'effort de ressembler à un assassin pour qu'on pense qu'il n'était pas un assassin.

« Trop compliqué », conclut M. Fogarty, qui s'empara de sa
batte de cricket.

Il aurait préféré prendre son fusil ; mais depuis qu'il s'en était
servi pour tuer l'Empereur pourpre, il jugeait préférable de ne
pas l'utiliser – il ne pourrait pas toujours expliquer qu'un démon
l'avait possédé et obligé à tirer. Une batte, au moins, ne tue
personne quand on sait la manier ; et elle peut servir à briser
les doigts de l'agresseur, pour délier sa langue une fois qu'il a
été maîtrisé.

L'interrogatoire était essentiel. Car l'agresseur avait des chances d'être envoyé par quelqu'un, et un bon interrogatoire permet
parfois de remonter jusqu'au commanditaire.

Son arme prête à l'emploi, le Gardien ouvrit la porte.

– Bonsoir, Alan ! lança Mme Cardui sur le seuil. Je crois que,
à notre âge, on peut se dispenser des politesses, non ?

Puis, entrant dans la maison et avisant la batte, elle
s'exclama :

– Oh, chic ! On fait un match ?

36

Jamais le vieil Empereur pourpre n'aurait reçu le duc de Burgonde dans la Salle du trône. Celle-ci n'avait qu'une fonction
d'apparat. Les négociations sérieuses se déroulaient en privé.
Pourtant, Hamearis Lucina n'était pas le moins du monde surpris. L'Empereur héritier était jeune et inexpérimenté. Il devait
s'imaginer qu'accorder une audience à un noble important exigeait un certain décorum. De plus, le pauvre enfant ignorait à
quel point il était *mal*.

Le duc n'était plus entré dans cette pièce depuis des années.
On l'avait alors aménagée pour l'occasion : un banquet impérial,
avec d'innombrables invités en grande tenue. Cette fois, la pièce
était presque vide. Et obscure. Comme si les globes de lumière
avaient sauté en même temps. Des serviteurs aux mines endor-
mies apportaient des chandeliers sur lesquels brûlaient des bougies. Leurs flammes vacillantes éclairaient à peine, projetant des
silhouettes inquiétantes, qui convenaient parfaitement aux mauvaises nouvelles dont le duc était porteur.

Hamearis lorgna d'un regard arrogant la forêt de piliers et,
tout là-haut, les galeries acoustiques. Ces constructions baroques
faisaient résonner le moindre murmure dans le grand hall
d'entrée et le long des couloirs. Une bonne chose, pour Hamearis. Plus les domestiques auraient vent de ce qui allait se passer,
plus grande serait leur panique.

À l'autre bout de la pièce se tenaient le Prince couronné Pyrgus et sa sœur, la Princesse royale Holly Bleu. Ils étaient assis
sur deux énormes trônes surélevés. Ils avaient cru malin de s'installer à ces places d'honneur, afin d'impressionner leur interlocuteur. En réalité, cela ne faisait que trahir plus clairement ce
qu'ils étaient : des gamins morts de peur.

Hamearis leur trouvait un air de famille. Pyrgus, surtout, avait quelque chose de son père. À l'évidence, il lui restait
beaucoup à apprendre ; et néanmoins, il respirait l'intelligence.

Encore quelques années, et il serait devenu un Empereur convenable. C'était presque dommage qu'il n'en eût pas l'occasion.

Le duc s'avança vers eux. Son compagnon le suivit, trois pas derrière lui, à la manière d'un fantôme. Ou d'un mort vivant.

37

Le carnet de M. Fogarty était fascinant. Henry y avait découvert des tas de notices techniques – y compris un projet de « Machine à exaucer les vœux » – couchées sur le papier de la petite écriture sage du vieil homme. Nombre d'entre elles étaient inachevées. Certaines étaient juste destinées à construire des morceaux de machines ou des circuits intégrés ; d'autres (pas mal d'autres, pour tout dire) n'avaient carrément aucun sens aux yeux du garçon, même s'il avait du mal à se l'avouer. Car s'il ne parvenait pas à décrypter les plans du vieil homme, il était mal. Et s'il ne mettait pas la main sur ceux qui l'intéressaient, il était fichu.

Mais il les trouva, griffonnés vers le premier tiers du carnet.

Le schéma n'était pas intitulé « portail temporel ». Juste : « Perturbateur de réalité psychotronique ». M. Fogarty avait rayé le mot « perturbateur » et l'avait remplacé par « Lisseur ». Cependant, c'est « psychotronique » qui mit la puce à l'oreille de Henry. Il se souvenait que M. Fogarty avait parlé d'interrupteur psychotronique qui fonctionnait à l'électricité. Le dessin ne mentionnait pas d'électricité. Tant pis, le « psychotronique » restait prometteur.

Et le schéma aussi.

L'extérieur du Lisseur de réalité psychotronique ressemblait furieusement au portail portatif dont Henry s'était servi pour se translater au Royaume des Fées. L'intérieur... Le garçon n'y comprenait rien. Le schéma prévoyait l'emplacement pour une pile – une de ces batteries à très longue espérance de vie, donc hors de prix, qu'on utilisait pour certaines montres digitales.

À partir de là, les indications étaient trop complexes pour Henry. Ce n'était pas un problème. Il n'avait pas besoin de comprendre *pourquoi* tel fil allait à tel endroit. Il n'avait qu'à saisir *comment* fabriquer cet engin. S'il parvenait à suivre à la lettre les instructions de M. Fogarty, il n'aurait plus qu'à presser l'interrupteur, et le portail s'ouvrirait.

S'il réussissait à construire cet engin.

Ça, par contre, c'était un sacré problème. Car Henry n'avait jamais fabriqué de circuit électronique jusqu'à ce jour. Il avait quelques notions. Au collège, il avait travaillé sur des diagrammes techniques et utilisé des composants spécialisés. Il avait même dû aller en sélectionner sur place – bon, d'accord, en *voler* – pour aider Pyrgus à rentrer chez lui. Mais assembler des composants électroniques entre eux, ça, non, il n'avait jamais essayé. Par contre, il avait construit des maquettes. Le Taj Mahal, par exemple. Ou un cochon qui vole grâce à un mécanisme très délicat à monter. Un circuit électronique ne présenterait sûrement pas de difficultés particulières !

Henry se mit au travail, rassuré de constater que, en définitive, l'opération était assez simple, même si elle se révélait plus longue qu'il ne l'avait imaginée. Par chance, M. Fogarty avait la bonne habitude de schématiser la moindre opération. Donc, même quand Henry ne savait pas à quoi correspondaient des expressions comme « insertion de la porte de transformation », il regardait le schéma qui s'y rapportait et n'avait plus qu'à chercher le composant qui ressemblait au dessin.

La plupart des éléments et des outils nécessaires étaient stockés dans le grand tiroir de la cuisine ; ceux qui manquaient étaient rangés dans la cabane du jardin. Henry reconnut des accessoires que Pyrgus et lui avaient « empruntés ». Il espéra qu'ils auraient le temps de les remettre avant la rentrée de septembre.

Mais, soudain, il s'aperçut qu'il manquait quelque chose.

Il eut beau farfouiller à droite à gauche, dessus dessous, il ne trouva pas ce que le carnet appelait un « biofiltre » – en apparence un fin disque de petite taille, fait de deux couches de métal qui en encadraient une troisième grâce à un fil minuscule. Henry s'acharna dans sa quête, lança une deuxième fouille de la maison... En vain. Rien. Quoi que fût un biofiltre, M. Fogarty n'en avait pas.

Henry feuilleta le carnet. Y avait-il des instructions pour en fabriquer un ? Non.

Alors, il essaya d'imaginer la fonction du biotruc. *A priori*, aucune. Il n'était même pas relié directement au reste du circuit. (Comme beaucoup d'autres schémas. Henry avait avisé dans le carnet un croquis aux allures de circuit, qui, en réalité, n'était pas un circuit. M. Fogarty l'avait appelé : « Passage psychotronique », et avait précisé en marge : « Mettre le côté supérieur en contact avec le transistor 8. » Pas très, très clair.)

Henry décida de laisser tomber le biodisque, conscient qu'il commettait peut-être une grave erreur. Mais il n'avait pas d'autre option !

Une fois tous les composants réunis (moins le biomachin, donc), il entreprit de les souder avec un chalumeau spécial qu'il avait déniché dans le grand tiroir. Une tâche minutieuse, éprouvante, qui exigeait une concentration de chaque instant et rappelait au garçon ses heures de modélisme.

Lorsqu'il releva la tête, la nuit était complète. Il avait une faim de loup. Il reposa son chalumeau. Il n'en était qu'à la moitié ; et encore, quand il observa son œuvre, il constata qu'elle était loin d'être aussi esthétique que les bricolages de M. Fogarty. Pas mal quand même, pour un premier essai.

Le garçon alla chercher de quoi se restaurer. Rien dans le frigo – il s'y attendait – à part l'habituelle bouteille de lait caillé. Par contre, une tarte surgelée l'attendait au congélateur. « Réchauffez-moi au micro-ondes, même surgelée ! » suppliait-elle dans une bulle, sur l'emballage.

– D'accord, lui répondit Henry.

Et il l'emporta vers le micro-ondes, qui était encore emballé. Quelqu'un avait offert l'appareil à M. Fogarty, qui l'avait poliment placé dans sa cuisine sans jamais l'utiliser, de peur de périr d'un cancer lié aux radiations qu'était censé dégager l'engin – c'était pour cette même raison que le Gardien fuyait les téléphones portables.

Henry brancha l'appareil, mit son plat à réchauffer et alluma la cuisinière pour cuire des haricots en boîte (M. Fogarty en avait toujours plein). Une dizaine de minutes plus tard, il était devant un bon gros repas comme il les aimait. Et il se sentait libre. Libre de mettre les pieds sur la table s'il en avait envie. Libre de manger sans subir le bavardage incessant et sans intérêt de sa sœur. De ne pas être pressé de questions par sa mère. De se coucher à l'heure qu'il voulait. De ne pas rentrer à la maison de sitôt. Libre, quoi.

Et c'était délicieux.

38

Holly Bleu regardait Hamearis avancer d'une démarche lente, presque insultante. L'homme semblait plutôt se promener qu'être reçu par la plus haute autorité du Royaume, l'Empereur héritier en personne. Mais la Princesse voyait clair dans son jeu. Ses informateurs l'avaient depuis longtemps convaincue : Hamearis Lucina était un diplomate hors pair et un roi de la manipulation psychologique. En face à face, l'homme pouvait se révéler encore plus redoutable que Lord Noctifer en personne.

Aussi, quand son frère l'avait réveillée, s'était-elle préparée à l'entrevue. Pas assez. Car les récits et les images du duc restaient très en deçà de la réalité. Son corps était puissamment musclé. Cependant, à son corps de guerrier, il ajoutait un physique de héros : son visage était doux, sensible, distingué ; et sa prestance contribuait pour beaucoup à la popularité considérable des Fées de la Nuit.

L'homme arriva devant les trônes et s'inclina :

– Je vous salue, ô Prince Pyrgus !

« *Prince*, nota aussitôt Bleu. Pas Empereur héritier. Les hostilités sont lancées... »

– Soyez remercié de m'accorder une audience à une heure aussi avancée de la nuit, poursuivit-il.

Puis il pivota et posa ses yeux jaunes de haniel sur Bleu :

– Mes hommages, Votre Altesse Sérénissime.

Bleu inclina la tête d'un millimètre. Son frère avait eu raison de l'inviter à assister à l'entrevue. Hamearis était très séduisant, mais il était aussi dangereux qu'une vipère et aussi sournois qu'un rat.

– Il est tard, en effet, déclara Pyrgus d'un ton glacial. Par conséquent, Votre Grâce, j'aimerais que vous en vinssiez sans détour à l'objet de votre visite.

— J'y viens, mon Prince, j'y viens. Mais auparavant, permettez-moi de vous présenter les compliments de mon ami Lord Noctifer, qui m'a expressément demandé de m'enquérir de votre santé et de celle de votre sœur.

— Ma santé est bonne, merci. Et celle de Bleu aussi.

« Il ne fera jamais un bon diplomate », conclut la Princesse, qui intervint :

— Vous remercierez Lord Noctifer de sa sollicitude, je vous prie, et vous lui exprimerez nos propres vœux de bonne santé.

— Et maintenant, venons-en au fait, enchaîna son frère.

Si Hamearis s'en offusqua, il n'en montra rien. Au contraire, un sourire éclaira son visage.

— Qu'il en soit donc ainsi, Prince ! lança-t-il.

Et Bleu sut qu'il préparait un coup terrible. Elle en était même si sûre qu'elle voulut lui crier d'arrêter tout, tout de suite, de ne plus prononcer un mot, de s'en retourner à l'instant. Mais sa panique était telle qu'elle lui clouait la langue.

— Prince Pyrgus, dit alors Hamearis, votre père, l'Empereur pourpre, a conclu un pacte avec Lord Noctifer, représentant des Fées de la Nuit. De ce pacte, il ressort que, afin de pallier les conséquences de sa maladie récente et persistante, les fonctions d'État doivent être assumées par son fils Comma, lequel sera, jusqu'à sa majorité, conseillé par Lord Noctifer qui exercera les fonctions de Régent royal.

Le duc de Burgonde sortit un rouleau de la poche de sa tunique et le tendit à Pyrgus en commentant :

— Je suis chargé, mon Prince, de vous présenter une copie de ce pacte, frappé du Sceau impérial et signé de la main de votre père, le dernier Empereur pourpre. Nous sommes certains que Votre Grandeur, ainsi que la famille et la Maison royales, apporterez l'assistance et l'aide nécessaires au Prince Comma et à Lord Noctifer dans l'exercice de leurs diverses fonctions.

L'Empereur héritier ne fit aucun geste pour s'emparer du rouleau, que Hamearis laissa donc choir à ses pieds.

— D... duc Hamearis, lâcha Bleu, il ne vous a pas échappé que notre père est décédé !

L'homme serait-il donc stupide en plus d'être méchant, cruel, chafouin et pervers ? Il s'humecta les lèvres et sourit comme s'il avait attendu ce moment depuis le début de l'entrevue.

– Votre Altesse Sérénissime, déclara-t-il, il est de mon devoir – et je m'en réjouis – de vous informer que votre illustre père est tout ce qu'il y a de vivant.

Il fit un geste derrière lui.

La silhouette engoncée dans son manteau avança de trois pas et rejeta son capuchon en arrière.

39

Le lendemain matin, Henry ne se sentait pas vraiment libre. Plutôt paniqué. Il avait rêvé de Pyrgus. Cauchemardé, en fait : son ami et lui tentaient d'échapper à une armée de morts vivants en putréfaction, qui les traquaient dans une ville en train de s'effondrer. Bleu aussi était là. Elle courait derrière les zombies, un balai et une pelle à la main pour nettoyer les morceaux. Pendant qu'elle s'activait, elle criait : « Qu'est-ce qui t'a retenu, Henry ? Pourquoi as-tu tant tardé ? »

Les morts vivants, il s'en moquait. Mais la phrase de Bleu, il était sûr que la Princesse devait la prononcer sans cesse *pour de bon*. Le Royaume était en danger. Elle avait demandé à son ami de l'aider. Et il avait promis de venir. Vite. Dès que possible. Ce qui signifiait sans doute une heure ou deux, pas plus.

Henry s'empara donc du chalumeau sans même prendre le temps de petit-déjeuner.

À midi, en revanche, il fit une pause-repas pour déguster des hamburgers découverts dans les profondeurs du congélateur. En s'asseyant à table, il observa son plan de travail. Des fils et des bouts de plastique partout. Un interrupteur disproportionné (il était énorme par rapport au reste). Indigne de M. Fogarty : son portail portatif était moins grand qu'un mobile, alors que celui de Henry aurait eu peine à rentrer dans une boîte à chaussures.

Comment l'emporterait-il ? Il pensa qu'il n'en aurait pas besoin. S'il réussissait à ouvrir un portail dans le Royaume, le Gardien trouverait un moyen de le renvoyer dans le Monde analogue. Sinon, il demanderait à Pyrgus : il y avait un portail dans le Palais pourpre.

Il finit son repas, observa le circuit électronique un moment, puis se décida à l'essayer. Pas à l'intérieur : il avait eu une expérience désagréable, et il en avait retenu une leçon. Il prit donc l'engin dans ses bras et l'emporta dans le jardin – dans le petit coin discret qui tenait du dépotoir et du terrain vague, près du

111

buisson de lilas de Chine. Puis, tâchant d'oublier ses doutes, il appuya sur l'énorme interrupteur.

Et rien ne se passa.

Sans doute le biochose. Il ne manquait que ça. Tout était raté. Il allait devoir retourner chez lui, attendre que la situation revienne à la normale et convaincre Alicia de lui restituer son portail. À cause de quoi ? D'un simple biobidule qu'il n'avait pas été capable de dénicher !

À moins qu'une pile...

Bien sûr ! Le bioschmilblick manquait, d'accord ; mais un circuit électronique n'avait aucune chance de fonctionner sans *aucune* source d'électricité ! Il retourna en courant dans la maison. Inspecta le tiroir. Ne trouva pas la pile au lithium dont il avait besoin. Dans la cabane non plus : il n'y avait carrément aucune pile. Et il entendait toujours la voix de Bleu lui répéter : « Qu'est-ce qui t'a retenu, Henry ? Pourquoi as-tu tant tardé ? »

Il aurait dû être là-bas depuis longtemps ! Un coup d'œil à sa montre. Treize heures vingt-huit. Bleu lui en voudr...

Une idée le frappa en plein désespoir. Une pile ? Il en avait une dans sa montre !

Vite, ôter l'objet. Choisir le bon tournevis. Sortir la pile. Parfait. Ne pas la perdre, maintenant. La placer au bon endroit... Voilà. Vérifier les connexions. Impeccable. Sauf qu'il manquait toujours le biofiltre. Et si l'absence de ce composant faisait échouer la translation ? Il valait mieux passer une dernière fois la maison au peigne fin.

Haletant, le garçon se remit à fouiller. Partout. Là où il avait cherché et là où il n'avait pas jugé bon de chercher. Derrière la cuvette des toilettes, par exemple. C'est alors qu'il se rendit compte du ridicule de la situation. Il s'était laissé envahir par la panique. M. Fogarty ne rangerait jamais un composant électronique au fond du petit coin. Un brin de jugeote ne nuisait pas, surtout dans les situations extrêmes. Quel risque prenait-il ? Au pire, l'absence de biofiltre empêcherait la translation. Au mieux, Henry pouvait se retrouver au Royaume dans quelques secondes. Le jeu en valait la chandelle.

Il appuya sur l'interrupteur.

Et il ne se passa rien, une fois de plus.

Puis un bourdonnement s'éleva près de la cabane à outils. Une vibration, plutôt. Henry l'entendait moins qu'il ne la *sentait* avec ses pieds. Bientôt, cependant, le bruit devint plus net, jusqu'à évoquer une sirène d'ambulance et à devenir insupportable... avant de s'interrompre d'un coup. Un curieux « plop » retentit, et un portail s'ouvrit à deux mètres du garçon. Il avait réussi. Il avait construit un portail. Qui, en plus, débouchait directement dans le Palais pourpre. Elle était pas belle, la vie ?

Soudain, un grésillement se fit entendre. Henry regarda son circuit électronique... d'où montait une fumée. Des étincelles jaillirent.

Le portail vacilla. Il allait se refermer. Et Henry était paralysé par la colère. Tant d'efforts pour rien ? Un craquement plus puissant que les autres le fit sortir de sa léthargie. Il bondit en avant. Derrière lui, il entendit une explosion et constata que le portail avait disparu.

Aucune importance. Il avait gagné son pari. Il était dans le Palais pourpre.

Et il comprit aussitôt qu'il avait un très, très gros problème.

40

— C'était pas Papa ! gémit Bleu en se tournant vers son frère, qui ne répondit pas. Papa est mort ! On l'a vu ! Il était mort !

Elle faisait les cent pas dans l'antichambre. Des larmes brillaient dans ses yeux.

— C'était pas lui, c'était pas lui, c'était pas lui ! s'emporta-t-elle. Pyrgus, dis quelque chose !

— Il lui ressemblait, en tout cas, murmura l'Empereur héritier.

La Princesse tremblait. Elle revoyait le mouvement du chaperon. Le pli du vêtement qui partait en arrière. Puis ces yeux qui étaient soudain apparus. S'étaient rivés aux siens. Les yeux de son père. Et, autour, son visage mal recousu après l'explosion causée par l'arme du Monde analogue.

— Ils ont fabriqué un double, affirma-t-elle avec force. Quelqu'un qui lui ressemble. Ou une illusion magique. Un hologramme. Hamearis Lucina s'est associé à Noctifer pour le réaliser. Ils en sont capables. Noctifer ne s'arrêterait devant rien pour obt...

— Je ne crois pas qu'il s'agissait d'un double, l'interrompit son frère. Ni d'un sortilège d'illusion – hologramme ou autre.

Bleu non plus.

À l'instant où le visage de la silhouette était apparu, la Princesse avait *su* avec certitude que le corps était celui de son père, le mouvement de la tête aussi, et même la curieuse façon dont il tenait sa main gauche ouverte. Et Noctifer n'était pas idiot. Un sortilège d'illusion aurait tenu une heure, deux, bon, mettons vingt-quatre au maximum. Pas assez pour déstabiliser le Royaume. La silhouette était réelle.

La jeune fille était submergée par l'émotion. Le bonheur, en fait. Son père qu'elle croyait mort était revenu à la vie. Elle avait vu son visage, entendu sa voix, senti sa main rugueuse se poser sur sa joue à elle. Ils allaient pouvoir marcher ensemble, parler ensemble. Comme avant.

Mais la vague se retira. Et Bleu se rendit compte que ce ne serait pas « comme avant ». Leur père avait refusé de leur parler. De demeurer avec eux. Il avait juste montré son visage et confirmé avoir conclu un pacte avec Lord Noctifer ; ensuite, il était parti. Pourquoi ? Pourquoi avait-il ressuscité, s'il ne voulait plus de ses enfants ?

Les larmes que la Princesse retenait se mirent à ruisseler sur ses joues. Son frère vint l'entourer de son bras et murmura :

– Ça va aller, Bleu. Tout va s'arranger.

« Tu parles, Charles », pensa-t-elle sans le dire. Pyrgus se doutait que la situation était critique, pourtant il essayait de soutenir Bleu. Il allait avoir du travail !

– Tu crois à ce qu'a affirmé Hamearis ? lui rappela-t-elle après un silence.

Son frère fronça les sourcils.

– Il a dit que Papa n'avait pas vraiment été tué, expliqua-t-elle. Donc qu'il n'avait jamais été vraiment mort, qu'il était juste tombé dans le coma ; que Noctifer l'avait tiré de son sommeil profond et l'avait, euh... réveillé. T'y crois, toi, à ça ?

– Eh bien... D'un côté, Papa avait l'air très mort... De l'autre, parfois, il arrive que des gens tombent dans le coma et se rév...

– Tu n'as pas répondu, le coupa Bleu. Est-ce que tu crois toi-Pyrgus-en-personne que Papa était dans le coma, et que cela s'est passé comme l'a décrit Hamearis ?

Pyrgus secoua la tête :

– Non.

– Alors, ils sont allés le chercher chez les Morts, et ils l'ont ramené.

Sa voix n'était qu'un souffle à peine audible.

Les deux enfants de l'Empereur défunt restèrent un moment en silence, serrés l'un contre l'autre dans l'obscurité de la chambre. Bleu réussit à stopper ses larmes, s'essuya les yeux avec sa manche, se racla la gorge et déclara :

– Allons chercher le Gardien et Mme Cardui ! J'ai l'impression que nous allons avoir besoin de leurs conseils...

41

Wainscot, le Maître-des-masques, soupira :

– Monsieur Blafardos, s'il vous plaît... Pourriez-vous vous concentrer ?

– Mais je me concentre ! glapit l'intéressé. Et je m'améliore, vous ne trouvez pas ?

Le Maître et l'élève étaient seuls dans le grand Gymnase d'exercice de l'Académie Noctifer d'Assassins. Sols en chêne poli ; murs couverts de miroirs reflétant les silhouettes de Blafardos et de son professeur à l'infini : un décor de luxe !

Wainscot, lui, avait les cheveux foncés et une haute silhouette musculeuse. Sur son visage, une impassibilité très professionnelle.

– Je note de légers progrès, oui, déclara-t-il.

– Ah !

– Hélas, on reste très loin du compte.

– Oh, pas si loin que ça...

– Je vous assure. Si vous deviez partir en mission demain, vous échoueriez lamentablement. Vous devinez les conséquences ?

Blafardos baissa la tête. Oui, il les devinait. Pas difficile : la mort. Dans d'atroces souffrances, si Black Noctifer avait du temps à lui consacrer. Et le Maître-des-masques aussi. Car il faisait partie des quatre personnes au courant de cette mission. À part lui, les trois initiés étaient Blafardos, Lord Noctifer évidemment, et le sorcier retenu pour lancer le sortilège de transformation – un nain formé par les Haleks, et qui s'appelait Pouderoff, Ploumdouff, ou Psodos... enfin, un truc dans le genre. Tous les autres croyaient que Lord Noctifer honorerait de sa présence la scène du Couronnement. Pas un indice ne laisserait présager la supercherie.

Sauf si Jasper Blafardos continuait de se comporter comme un incapable. Ce qui lui vaudrait de longues séances de torture.

Avec Noctifer, le moindre prétexte suffisait pour déclencher de redoutables punitions.

— Voyons, lança Blafardos avec pétulance, pourquoi nous fatiguer ? Le sortilège d'illusion me donnera l'apparence exacte de Sa Seigneurie.

— Oui, vous avez raison, reconnut Wainscot. Mais il ne vous donnera pas sa démarche, ses attitudes. Et c'est cela que nous devons travailler, surtout qu'avec votre corpulence...

— Ma corpulence ? Elle vous déplaît, peut-être, ma corpulence ?

Il était un peu enveloppé, certes. Peut-être assez pour être taxé de personne « plutôt forte ». De là à parler de sa corpulence avec un tel aplomb dédaigneux !

— Elle est plus importante que celle de Lord Hairstreak, répondit le Maître-des-masques, diplomate. Par conséquent, votre manière de bouger n'est pas la même que Lord Noctifer. Il nous faut pallier ce problème. Moi-même, je suis plus grand que Noctifer ; et cependant, regardez...

Blafardos regarda. Et ses cheveux se dressèrent. Wainscot s'était mis à déambuler, et, d'un coup, il avait paru rétrécir. Plus encore, il avait adopté sur-le-champ une caractéristique de Noctifer : son épaule droite était légèrement affaissée. Son visage s'était creusé. Ses traits avaient changé pour ressembler inexplicablement à ceux de Black. Pourtant, le plus remarquable restait sa démarche. « Un insecte arrogant », pensa Blafardos. Ce qu'il pensait de Noctifer. Même sans sortilège, on aurait pu prendre le Maître-des-masques pour le chef des Fées de la Nuit.

Hélas, le Maître n'était pas un assassin.

Blafardos réessaya. Oh, comme il essaya ! Il essaya d'abaisser son épaule droite. De rentrer son gros ventre. De se déplacer comme un insecte arrogant. De s'observer dans les miroirs et d'en tirer des leçons. De se prendre pour un acteur jouant Lord Noctifer sur une scène de théâtre. Bref, il marcha, marcha, essaya, essaya, s'acharna tant et tant que, à la fin, l'évidence s'imposa.

— Ça ne sert à rien, lâcha le Maître-des-masques. Il va falloir passer au ver...

42

Mme Cardui n'était pas dans les appartements qui lui avaient été attribués au palais. Par chance, le Gardien réussit à la trouver « quelque part », dit-il ; et les deux plus proches conseillers de l'Empereur héritier arrivèrent ensemble. Bleu leur trouva l'air bizarres. Un effet de son imagination... ou pas : de toute façon, dans l'immédiat, elle avait des sujets d'inquiétude autrement plus sérieux qui lui occupaient l'esprit.

Elle résuma la situation, provoquant la stupéfaction de ses interlocuteurs.

– Noctifer peut ressusciter un mort ? s'exclama M. Fogarty.

– Les nécromanciers en sont capables, répondit Pyrgus très bas, comme s'il avait sorti une obscénité. Certains d'entre eux. Quelques-uns. La plupart savent juste parler avec les... avec les...

– Mais certains peuvent ? Et certains le font ?

Le Gardien était si pressant qu'on aurait cru qu'il posait là une question personnelle.

– Oui, si le... comment... si la... si les choses n'ont pas été trop loin.

– Si le cadavre n'a pas commencé à pourrir ?

Pyrgus acquiesça, les lèvres serrées.

– Ben pourquoi vous l'avez pas fait ?

– M... Moi ? bégaya l'Empereur héritier.

– Toi ou Bleu, oui.

– Ressusciter Papa ? s'étonna la Princesse.

Le Gardien observait le frère et la sœur, sidéré par leurs réactions :

– Vous l'aimiez bien, non ? Remarquez, je comprends pas pourquoi vous ne ressuscitez pas plus de gens ! Après les batailles, par exemple, vous devriez rendre la vie à vos soldats, non ?

– C'est... c'est interdit, fit observer Bleu.

– Ha ! Interdit ! Et par qui, s'il vous plaît ?

– Par la Loi et par l'Église de la Lumière.

M. Fogarty paraissait incrédule :

– Pas d'autres raisons ?

– Juste que... c'est mal, dit la Princesse.

– Bon, supposons que je meure, moi. Vous pourriez me faire ressusciter ?

– C'est interdit, répéta Bleu.

– Par votre religion. La mienne ne mentionne rien à ce sujet : je suis presbytérien.

– Mais il y a un problème, l'avertit la jeune fille.

– Ça m'aurait étonné ! ironisa le vieil homme.

– Le nécromancier aura le contrôle sur vous, continua Bleu.

Le Gardien frappa dans ses mains :

– Ha ! Donc, si je te suis, Lord Noctifer a volé le corps de votre père, puis il l'a animé pour le transformer en esclave personnel obligé d'obéir à ses moindres ordres ?

– Presque : le zombie n'obéit qu'au nécromancier qui l'a ressuscité, corrigea la Princesse. Pas à Noctifer.

– Il y a un intermédiaire entre Noctifer et ton père ?

– Oui. Peut-être que quelqu'un a ressuscité Papa avant de le revendre. Il y a eu d'autres cas, par le passé, je l'ai lu dans mes manuels d'histoire.

– D'ailleurs, peu importe, trancha Pyrgus. Quelle que soit la méthode, le résultat est le même : Papa est soumis cent pour cent à Noctifer.

– Sauf que les gens n'y croiront pas, puisqu'ils connaissent cette histoire de zombies ! objecta M. Fogarty.

Bleu parut sur le point de pleurer. Cependant, elle trouva la force de se retenir et de murmurer :

– C'est pourquoi Hamearis affirme que Papa était seulement dans le coma, pas mort. Cela lui permet de prétendre qu'il agit de sa propre volonté.

– Je vois... Il est encore là ?

– Papa ? Non. Je ne crois pas. Je ne sais pas. Il est venu avec le duc de Burgonde ; après, il nous a confirmé le pacte et nous a quittés.

– Et Hamearis ?

– Parti aussi, il y a une demi-heure, signala Pyrgus.

– Dommage. On aurait pu le kidnapper et l'interroger. Ça nous aurait donné un avantage sur Noctifer.

Mme Cardui avança d'un pas et parla pour la première fois depuis le début de l'entrevue :

– Ce n'est pas aussi simple, Alan.

Bleu sursauta. Personne n'avait jamais appelé le Gardien « Alan », jusqu'alors !

– Mes cheeers enfants, continua-t-elle, la situation doit être terrible à vivre, et je comprends votre trouble. Combien de temps avant que ce sale petit homme rende le pacte public ?

Pyrgus sursauta à son tour. Devant lui, personne n'avait jamais traité Noctifer de « sale petit homme », jusqu'alors !

– Il veut que j'abdique mon titre d'Empereur héritier, dit-il. Aussitôt après, il divulguera le pacte.

– Combien de temps peux-tu le faire patienter ? s'informa M. Fogarty.

– Il faut que j'abdique avant la Cérémonie de couronnement.

– Nous trouverons un plan d'ici là, affirma Mme Cardui.

Bleu opina. Elle n'en était pas sûre. Elle aurait aimé que Henry fût là, avec elle. Il le lui avait promis. Mais qu'est-ce qu'il fabriquait, à la fin ?

43

Sulfurique commençait d'être sérieusement incommodé par les flammes quand le prêtre lui indiqua de s'arrêter à quelques pas du brasier.

– Placez vous côte à côte ! lança-t-il d'une voix forte.

Il se pencha à l'oreille du vieillard pour ajouter :

– Et essayez de faire semblant de passer un bon moment...

Sulfurique se contenta de le foudroyer du regard. Puis il se tourna vers sa promise pour la gratifier d'un bref sourire mielleux et hypocrite. Elle lui rendit son rictus avec enthousiasme. « Cinq maris ! pensait le vieillard. Elle a eu cinq maris ! Si elle les a tous tués, elle a dû récupérer une fortune ! » Ce mariage pouvait se révéler *très* profitable.

– Mes amis, annonça le prêtre en jetant un œil aux spectateurs professionnels qui ne semblaient guère amicaux, nous sommes réunis ici pour célébrer le blablabla de patati patata et ainsi de suite avec de la rhubarbe, etc., ah-hum.

Sulfurique ouvrit de grands yeux.

– Votre dulcinée a estimé que l'intégrale de la cérémonie coûtait trop cher, lui souffla l'officiant. Si vous voulez payer...

– Non, continuez, répondit le vieillard.

– Dans ce cas...

L'homme reprit avec vigueur :

– Nous avons entendu les textes et la bénédiction nuptiale. Passons à présent au mariage proprement dit, à travers le rituel symbolique. La fiancée, comme vous pouvez le constater, porte un cactus à la main. Ses épines symbolisent les difficultés et les marques d'adversité auxquelles les époux sont confrontés dans leur vie commune. Un couple qui ne survit pas aux épines de l'existence n'est qu'une cymbale retentissante. Je demande donc à la future épouse de présenter ces épines à son futur époux. En acceptant ce don, l'homme s'engage solennellement à supporter les épines de la vie avec elle, maintenant et pour les siècles des siècles, ah-hum.

« Compte là-d'sus et bois d'l'eau », pensa Sulfurique en veillant à attraper le cactus par le pot.

Les spectateurs professionnels applaudirent mollement.

– Tenez-le plus haut ! exigea le prêtre.

Sulfurique éleva la plante au-dessus de lui. Cette fois, la veuve Mormo en personne applaudit, pendant que son époux continuait de penser en boucle : « Cinq maris ! Incroyable ! Cinq maris ! Elle ! Et je suis le sixième ! » Ce n'était sans doute pas un record, mais cela restait une sacrée performance. Surtout pour quelqu'un d'aussi horripilant que la Veuve.

L'une des nymphes se précipita pour libérer Sulfurique de son pot. Elle avait le corps maigre et le regard perdu des drogués devenus accros à la musique simbala* ; cependant, elle était encore assez lucide pour réclamer un petit quelque chose. Sulfurique lui remit une pièce de monnaie. La nymphe s'éloigna, les sourcils froncés.

– Encore un truc, et c'est bon, murmura l'officiant.

Puis, à haute voix :

– J'appelle maintenant tous ceux qui connaîtraient une raison susceptible d'empêcher le mariage de la fiancée ici présente d'être prononcé. Qu'il parle maintenant ou se taise à jamais !

« On va voir si l'un de mes cinq prédécesseurs a survécu », ironisa Sulfurique.

Le prêtre fixa le plafond un long moment ; aucun spectateur professionnel ne pipa mot. Alors, l'homme prit le bas de son aube à la main (on aurait cru qu'il se préparait à sortir en courant) et déclara :

– J'appelle maintenant tous ceux qui connaîtraient une raison susceptible d'empêcher le mariage du fiancé ici présent d'être prononcé. Qu'il parle maintenant ou se taise à jamais !

Ce fut au tour de Sulfurique de fixer le plafond. Plus qu'une pause minimale à respecter, les formalités administratives à expédier, et après, zou ! direction les bois pour tuer la vieille.

Un beau mariage, en vérité...

44

Le ver n'avait pas grand-chose d'un ver. C'était plutôt une anguille ou un serpent. À ceci près qu'il était protégé par une solide coquille articulée et brillante – on aurait dit une armure. Enfermé dans une espèce d'aquarium en verre dont on avait ôté le couvercle supérieur, il gardait les yeux fixés sur Blafardos. Sur le sol de sa prison, du sable pour imiter son désert d'origine ; çà et là quelques plantes desséchées pour qu'il se sente moins seul. On avait disposé des tranches de nourriture sur un petit rocher plat.

Blafardos posa un regard interrogateur sur le Maître-des-masques.

– C'est un symbiote, expliqua Maître Wainscot. Une créature qui travaille en association durable et mutuellement profitable avec celui qui l'accueille. Tel le lichen qui, vous le savez, est formé d'une algue associée à un champignon, ce ver s'associera avec vous pour vous aider à marcher comme il convient... donc comme Lord Noctifer.

Blafardos avait reporté son attention sur le lombric. Il mesurait presque vingt centimètres de long et exsudait une sorte de morve à l'odeur repoussante là où ses écailles s'écartaient.

– Ce... cette chose va m'aider à marcher comme Lord Noctifer ? grogna-t-il.

– Oui.

– Mais je suis censé lui donner quoi, en échange ?

– Pardon ?

– C'est un symbiote, non ? Genre : on n'a rien sans rien ; je t'admire si tu m'admires ; tu me grattes le dos si je te gratte le tien... Que compte me demander le ver en échange de son coup de main ?

Blafardos comprenait bien le principe de la symbiose, car il avait fondé sa vie dessus. Le Maître-des-masques le rassura :

– Pas grand-chose. Le ver vous prendra juste un peu de votre pigmentation pour sa parade nuptiale.

– Hein ?

– La femelle ver préfère les vers mâles dotés de petits points clairs. Celui-ci est uniformément foncé, donc il vous empruntera un peu de votre couleur de peau pour se déguiser.

– Et moi, à quoi je vais ressembler pendant ce temps ?

– Vous serez légèrement pâle.

– Ça fait mal ?

– Pas le moins du monde, promit le Maître-des-masques.

– Bon ! s'exclama Blafardos, soulagé. Je m'attendais à pire... Alors, je le mets dans ma poche, et le tour est joué ?

– Hum, pas dans votre poche. Vous devez absorber le symbiote.

– L'abs... L'absorber ? Vous voulez dire : l'avaler ?

– Non, pas l'avaler, rectifia Wainscot. La salive humaine est vénéneuse pour ces espèces...

Son interlocuteur éclata de rire :

– Ha ! J'ai eu peur !

– L'ingestion doit donc se passer par la narine, poursuivit Wainscot, imperturbable. Le ver glisse le long de la gorge, se faufile dans l'estomac, passe dans le gros intestin, franchit sans s'arrêter l'intestin grêle et termine sa course pour s'installer définitivement au fond de l'abdomen, près de votre derrière, en somme, où...

– Attendez ! cria Blafardos. Vous êtes dingue ou quoi ? Vous voulez que je me fourre ce truc dans le nez et que je le laisse courir le long de mes boyaux ? Mais c'est dégueulasse !

– C'est pas beaucoup plus drôle pour moi, déclara le ver.

45

Le lendemain matin, Pyrgus se réveilla tard. Les autres aussi devaient être épuisés : personne n'était venu réveiller l'Empereur héritier. La lumière du jour s'en chargea. Mais Pyrgus n'avait pas envie de se lever. Le soleil insistant, il finit par s'étirer et repousser les endolgs laineux qui lui servaient à la fois de gardes du corps et d'édredon.

– Salut, chef ! lancèrent-ils.

– Salut, grommela Pyrgus.

Il attrapa les serviettes qu'un domestique avait préparées pour lui, et il se dirigea vers le cube-nettoyeur.

Le Prince n'était clairement pas du matin. Encore moins de ce matin-là. La discussion qu'il avait eue la nuit dernière l'avait tenu éveillé jusqu'à l'aube. Pour rien. Il n'avait eu aucune idée lumineuse. Aucun trait de génie. Aucune solution.

– Bonjour, Altesse Royale, ronronna la voix automatique du cube-nettoyeur.

Pyrgus ne répondit pas : il grogna. Même ce sortilège d'accueil était au courant des derniers développements. Depuis la mort de son père, il était accueilli par un « Bonjour, *Empereur héritier* ». C'était fini. Le bruit avait couru dans tout le palais, désormais.

Le cube-nettoyeur se remplit de vapeur chaude, et des pseudopodes[1] entreprirent de décrasser le Prince avec vigueur. Des rigoles d'eau chaude et parfumée couraient à ses pieds, serpentaient autour de ses cuisses et se glissaient entre ses orteils. Une musique douce – à peine un murmure – tentait de le détendre, d'extraire le stress qui raidissait ses épaules et sa nuque.

---

1. Des pseudopodes sont des espèces de petits tentacules qui permettent à certains organismes, en général microscopiques, de se déplacer. (*N.d.T.*)

Pyrgus referma les yeux. Il ne se sentait pas en état d'affronter le prochain rendez-vous dans... dans...

– Dix-sept minutes et trente-huit secondes, annonça le cube-nettoyeur.

Le jeune homme grimaça. La machine n'était pas devineresse, ni même télépathe. Juste dotée d'un sortilège d'intelligence et d'anticipation qui augmentait son prix, déjà très élevé. À une moue de Pyrgus, elle avait deviné la question que le jeune homme se posait. Et, ce faisant, renforcé son malaise. Car Pyrgus avait honte de se servir de ce gadget. La vie avait été beaucoup plus simple quand il était resté caché parmi le petit peuple afin d'éviter les disputes avec son père.

Ce matin-là, il avait dix-sept minutes et trente-huit secondes (un peu moins, à présent), pour inventer une astuce. Pas question de s'incliner devant les maléfices de ce diable de Lord Noctifer. Ni maintenant, ni jamais. Et tant pis s'il devait... s'il devait... s'il devait quoi, d'ailleurs ?

Soudain, une idée le frappa : il attendait tout des autres, comme s'il n'avait pas existé. Prendre une initiative – voilà ce qu'il convenait de faire ! Passer à l'action !

Sauf que son esprit refusait de fonctionner.

Le cube-nettoyeur sentit son hésitation et inonda d'un puissant jet glacé son corps nu. Pyrgus glapit et bondit dehors pour se blottir dans ses serviettes. Cependant, il avait les idées plus claires.

Par exemple, il pouvait refuser de reconnaître le pacte. Affirmer que son père était mort. Que Noctifer avait imité la signature. Son ennemi serait coincé !

« Sauf s'il présente le zombie de l'Empereur pourpre », rectifia une petite voix dans la tête du jeune homme. La dépouille de son père était l'esclave de Noctifer.

Pyrgus s'habilla lentement, l'échine courbée, le moral au plus bas. Dans des moments pareils, la seule consolation consistait à se dire que la situation n'avait aucune chance d'empirer. *A priori.*

46

– **P**arfait ! s'extasia le Maître-des-masques. Parrrfait ! Regardez ! Non mais regardez-vous dans les miroirs !

Blafardos n'en avait pas besoin. Il savait qu'il marchait comme Lord Noctifer. Et ce n'était pas qu'une question de démarche : il en avait aussi la posture, les gestes, les tics, et même la voix. Mais ces exploits avaient un prix.

D'abord, ses fesses étaient en feu *de l'intérieur*. Son nez le grattait en permanence. Ses membres étaient raides et échappaient à son contrôle. Il avait l'impression d'être une marionnette tirant ses propres fils.

Pourtant, ce n'était que broutilles, comparé à l'insupportable voix dans sa tête.

« Pour être précis, disait-elle sur un ton haut perché et grinçant – un ton incroyablement irritant –, nous ne sommes plus deux entités séparées. Nous avons fusionné. Oui, fusionné de corps et d'esprit. D'esprit, ou d'*âme*, ou de *moi*, peu importe, n'entrons pas dans des débats théologiques, n'est-ce pas, car cela nous obligerait à prendre en considération ceux qui, comme les clans des Haleks, rejettent toute dimension spirituelle. De ce qui précède, il s'ensuit que... »

Et ainsi de suite. À longueur de temps.

« Tais-toi ! Tais-toi ! Tais-toi ! » hurlait Blafardos dans son crâne. Le ver n'avait pas cessé de parler depuis qu'il l'avait ingéré. Si le lombric continuait ainsi, Blafardos allait devenir fou.

– Il ne se tait jamais ? demanda-t-il à Wainscot.

– Le ver ? Non. C'est ainsi. La plupart de ceux qui l'accueillent s'y habituent.

– Et ceux qui ne s'y habituent pas ?

– Ils se pendent.

« D'où un dilemme juridiquement intéressant, commenta le ver. Doit-on considérer cette pendaison comme un suicide ou comme un assassinat ? Pour certains spécialistes que je qualifierais d'essentialistes, la relation symbiotique engendre la création d'une nouvelle entité ; par conséquent, ils préfèrent parler de suicide. Pour d'autres – appelons-les dualistes, d'accord ? –, on peut toujours distinguer deux entités : le vyr wangaramas et la fée, ce qui les amène à parler d'assassinat. Dans l'affaire Jessup contre Trentonelf, cependant, Lord Justice Lit-de-paille a fait jurisprudence en admettant la possibilité de collusion du wangaramas, lequel aurait suscité l'idée de suicide – ce qui est passible d'une condamnation, certes inférieure à celle qu'encourt un assassin convaincu de... »

– Pourquoi ne pas ôter le ver au lieu de se pendre ? s'enquit Blafardos en tâchant d'ignorer son monologue intérieur.

– Le processus d'extraction est un peu plus compliqué que l'insertion, expliqua le Maître-des-masques. Il dure six mois.

– S... six mois ? Mais je vais pas supporter ce truc dans ma tête pendant six mois !

– C'est une estimation.

– Et il n'y a pas d'autre solution ?

– L'opération chirurgicale, mais...

– Mais ?

– Elle tue un opéré sur trois, lâcha Wainscot.

Des bruits d'altercation à la porte. Un messager en livrée de Noctifer entra, repoussant les gardes d'un air arrogant.

« Nous ne nous intéressons là qu'au point de vue des fées, souligna le ver. Il serait intéressant de se placer sous l'angle opposé, si je puis ainsi m'exprimer. Lors de la récente Grande Convention des Wangarami – que l'on appelle d'ordinaire GCW, par commodité –, on a pu assister à un débat fascinant... »

– Jasper Blafardos ? cria le messager.

– C'est moi.

« Je résumerais la question d'une manière qui peut paraître simpliste, mais nous autres, wangarami, nous aimons la poser en ces termes : au fond, l'homme n'est-il qu'une boîte de conserve ? Certes, je le concède, à première vue, il s'agit d'une plaisanterie. Néanmoins, un examen plus poussé montre que... »

– Lord Noctifer vous présente ses salutations, déclara le nouveau venu d'une voix solennelle. Il m'enjoint de vous informer que, suite à un retournement de circonstances, il n'a plus besoin de vos services pour l'affaire dont vous avez discuté dernièrement. En clair, l'opération est annulée.

Blafardos fixa l'homme, les yeux exorbités.

47

En arrivant à son rendez-vous, Pyrgus comprit très vite le sens du fameux proverbe selon lequel « il faut toujours s'attendre au pire : il ne devrait pas tarder ».

La veille au soir, la situation était catastrophique. Elle semblait désormais désespérée.

– Ton demi-frère a quelque chose à te communiquer, annonça M. Fogarty.

Pyrgus remarqua qu'il n'y avait ni Mme Cardui, ni Henry. Il se crispa un peu plus. Il préférait quand son ami était à ses côtés...

– Il veut te parler à toi personnellement, insista Bleu.

– Oh, vous pouvez rester ! lâcha Comma. Du moment que Pyrgus est présent...

Pyrgus l'observa. Son demi-frère avait-il encore grossi, ces derniers temps, ou était-ce une impression ?

– Je t'écoute, dit-il. Parle vite.

– On ne s'adresse pas comme ça à l'Empereur héritier, siffla Comma.

– Que...

– Je suis l'Empereur héritier. Et je ne suis pas content. Tu ne m'avais pas raconté que Papa était vivant, sale porc !

– Comma..., commença Bleu.

– Tu m'as fait croire qu'il était mort, poursuivit son demi-frère entre larmes et colère. Toi aussi, Bleu. Vous vous êtes ligués contre moi ! Vous m'avez menti !

– Personne ne t'a menti, objecta M. Fogarty.

– EH BIEN, PAPA N'EST PAS MORT ! hurla Comma. Il n'a jamais été mort. Et maintenant, il veut que je sois l'Empereur héritier.

Le silence retomba.

– Alors... tu es au courant, murmura Pyrgus.

– Je serai le prochain Empereur, continua Comma. Et toi...

tu ne seras rien. Rien. Papa ne peut plus gouverner à cause de sa difformité. Alors, il m'a choisi. MOI !

Pyrgus n'y comprenait rien. Le duc de Burgonde avait pourtant affirmé que cette partie du pacte devait rester secrète.

– Qui te l'a dit ? demanda-t-il.

Son demi-frère eut un sourire de triomphe :

– Lord Noctifer lui-même !

48

Henry comprit qu'il n'était pas arrivé au bon endroit. Il avait eu l'impression de voir le palais à travers le portail. Il avait même eu l'impression d'arriver au palais en débarquant. Erreur ! Le garçon se trouvait dans une vaste plaine. De hautes herbes à l'étrange teinte marron lui arrivaient aux chevilles.

Henry se rappela que Pyrgus aussi avait emprunté un portail de M. Fogarty pour aboutir en Enfer. Henry avait-il emprunté le même chemin ? Ce qui l'entourait ne ressemblait pas à l'idée qu'il se faisait de l'Enfer. Mais il n'était jamais allé là-bas. Alors, pourquoi pas ?

En tout cas, il n'était jamais venu là où il se trouvait en ce moment. L'herbe était étrange. Elle poussait par touffes. Ne s'arrachait pas. N'avait pas une odeur d'herbe. Plutôt une odeur de laine. Des moutons étaient peut-être passés par là. Y avait-il des moutons en Enfer ?

Une autre observation intrigua Henry. Au loin, la plaine ne s'incurvait pas. Elle s'arrêtait. Net. Comme s'il avait marché au pied d'une falaise. Mais d'une falaise immensément haute. Si haute qu'il n'en voyait pas le sommet.

Le ciel aussi était bizarre, bien qu'il fût bleu. Pas de nuages. Il ressemblait plus à un ciel *peint* qu'à un *vrai* ciel. Quant aux arbres, ils étaient groupés par quatre. Leurs troncs étaient droits et lisses ; leurs branches se rejoignaient pour former une espèce de toit. Quelque chose clochait.

Henry jeta un coup d'œil derrière lui. Le portail avait bel et bien disparu. Logique. Il l'avait vu exploser. Était-ce cela qui expliquait... l'inexplicable ? « On verra plus tard, se dit le garçon. D'abord, je dois trouver des gens. Et ce n'est pas en restant ici que je m'en sortirai ! »

Il chercha le soleil dans le ciel, afin de toujours marcher dans la même direction. Et il ne le repéra nulle part. Incroyable ! Il faisait grand jour ; pourtant, le soleil demeurait caché. « Aucune importance, songea Henry, décidé à rester optimiste. Je n'ai qu'à avancer droit devant moi. On verra... »

Dès ses premiers pas, il sentit qu'il avait quelque chose dans le dos. Quelque chose qui l'agrippait sous les omoplates et battait à sa droite et à sa gauche. Il saisit ces drôles de trucs, et constata qu'il s'agissait de membranes frêles... quasi transparentes... qui le chatouillaient lorsqu'il tirait dessus...

En débarquant dans le Royaume des Fées, Henry avait hérité d'une paire d'ailes !

49

– Ça ne s'est pas passé comme tu crois, Comma, affirma M. Fogarty.

Il se tourna vers Pyrgus. Mais le Prince fut incapable d'expliquer à son demi-frère que son père n'était pas vivant ; que le corps qu'il avait vu n'était qu'une coquille vide manipulée par une ignoble Fée de la Nuit.

– Lord Noctifer te ment, dit Holly Bleu.

– Tu veux dire que Papa est mort ?

– Pas... pas tout à fait.

– Donc il est vivant !

– Pas tout à fait non plus...

Comma ricana, le regard rageur :

– Alors, voilà votre trouvaille ! Vous voulez me faire croire qu'on peut être *un peu* mort ou *un peu* vivant ? Raté ! Ou on est mort, ou on est vivant, y a pas trente-six solutions – y en a que deux. Tu sais, Bleu, je croyais que tu étais moins mauvaise que Pyrgus. Mais t'es pareille que lui. Tu espérais me cacher que Papa était en vie parce que tu avais peur que je devienne Empereur. Raté. Pyrgus et toi n'êtes plus mes amis. D'ailleurs, vous ne l'avez jamais été. M'en fiche, j'en ai pas besoin. Lord Noctifer va vous remplacer. En mieux.

– Noctifer n'est pas ton ami, intervint M. Fogarty.

– Ah oui ? Et qu'est-ce que vous en savez ?

– Noctifer n'est l'ami de personne.

– Hé, si, Monsieur Je-sais-tout ! Regardez !

Il tira de son gilet un rouleau de parchemin semblable à celui qu'avait exhibé le duc de Burgonde. Pyrgus le prit et le déroula, bien qu'il *sût* ce qu'il contenait. Il fixa son demi-frère un moment, puis baissa les yeux sur le document. Son intuition avait vu juste.

– Qu'est-ce que c'est ? demanda Bleu.

– Une Ordonnance officielle désignant Comma comme prochain Empereur pourpre, et Lord Noctifer comme régent jusqu'à ce que Comma ait l'âge de gouverner.

– Le chien ! s'exclama M. Fogarty.

– Et vous avez vu qui a signé ? insista Comma. Dis-le-leur, Pyrgus ! Dis-leur qui a signé !

– Papa.

– Ha-ha ! Qu'est-ce que j'avais dit ? Et inutile de déchirer le parchemin, j'en ai plein de copies, et Lord Noctifer aussi...

Pyrgus laissa tomber le rouleau.

– Comma, Papa ne sait pas ce qu'il signe, murmura Bleu. Lord Noctifer se moque de toi. Il veut juste devenir régent.

– Il m'avait prévenu que vous objecteriez ça, rétorqua son demi-frère. Et aussi que vous essaieriez de m'empêcher de devenir Empereur. Mais tu as compris que ce n'est pas la peine, hein, Pyrgus ?

– Je...

– Général Ovard !

La porte s'ouvrit. Le général, en uniforme d'apparat, entra dans la salle, accompagné d'un régiment de gardes du palais. L'officier paraissait peiné et, cependant, déterminé à exécuter les ordres. Quels qu'ils soient.

– Ils ne veulent pas que je devienne Empereur ! se lamenta Comma en tapant du pied. Je leur ai montré l'Ordonnance, et Pyrgus l'a jetée par terre !

– Prince Pyrgus, l'Ordonnance est légale. Signée par votre père, et frappée du sceau impérial.

– C'est un complot de Noctifer ! siffla M. Fogarty.

– Je n'aime pas beaucoup ce passage de l'Ordonnance, moi non plus, Gardien. Mais j'ai juré d'obéir aux ordres de l'Empereur pourpre, et je ne me dédirai pas de mon serment.

– L'Empereur pourpre est mort, Ovard. M-o-r-t. Vous avez vu le corps.

– J'ai vu son corps immobile. Était-il mort ou vivant ? Ce n'est pas de ma compétence. Par contre, il avait l'air tout ce qu'il y a de vivant quand il m'a tendu l'Ordonnance.

– Il est encore au palais ? s'exclama Bleu.

– Il est venu aux baraquements, Sérénité. Lord Noctifer était avec lui. J'ignore où ils sont à l'heure où je vous parle ; en revanche, je sais que l'Ordonnance est valide.

– ASSEZ PARLÉ ! glapit Comma. Maintenant, c'est moi qui commande, alors écoutez ce que j'ai décidé !

Les soldats se mirent en position derrière Ovard tandis que le garçon boudiné lançait :

– Voici ma première proclamation, en tant qu'Empereur héritier. Lord Noctifer m'a dit : « Si les usurpateurs montrent de la mauvaise volonté, fourre-les en prison et exécute-les. » Mais je serai clément. Tu es mon demi-frère, Pyrgus ; et toi, Bleu, ma demi-sœur. Même traîtres, vous êtes ma famille. Donc je vais vous épargner. Cela étant, je ne veux pas prendre de risques. Si vous restez dans mes pattes, vous allez m'embêter. C'est pourquoi je vous envoie en exil. Tous : Pyrgus, Bleu, et vous aussi, Gardien. Je vous donne une demi-heure pour prendre vos affaires et quitter le palais. Général Ovard, vous veillerez à ce qu'il en aille ainsi !

Sur ces mots, il rejeta la tête en arrière et sortit de la pièce d'une démarche qui se voulait impériale.

Un silence de plomb retomba.

Puis M. Fogarty demanda :

– Il ne peut pas faire ça, n'est-ce pas, général ?

– Il faut croire que si, Gardien. Il vient de vous le prouver...

50

Tout ça pour RIEN ! Blafardos n'en revenait pas. Quelle mouche avait piqué Noctifer ? Pourquoi arrêter maintenant un projet aussi avancé ?

« Je peux t'aider », lui signala le vyr wangaramas.

« Ah oui ? » s'étonna Blafardos. Il avait réussi à ne plus entendre en permanence le détail des incessantes déblatérations du lombric. Cependant, l'animal était capable d'attirer son attention quand il le désirait.

« Bien sûr ! Suffit que j'active l'Internet ! »

« De quoi tu parles ? »

« Les wangarami sont télépathes. Entre eux. Pas avec les autres espèces, sauf pendant la symbiose. À mes yeux, cette caractéristique est une marque de supériorité incontestable de notre espèce – quoique j'aie conscience que ce sujet convient mieux aux discussions philosophiques entre des vyrs d'un certain niveau intellectuel... »

« De quoi tu parles ? » répéta Blafardos pour couper court.

« De l'Internet télépathique. Tous les wangarami sont reliés. En clair, n'importe quel vyr – y compris moi, par exemple – a accès à la connaissance, à l'information, aux croyances et aux structures mnémoniques de vyrs. »

« Aux structures quoi ? »

« À la mémoire des autres vyrs, si tu préfères. »

« Tu sais ce qu'ils savent ? »

« Je peux l'apprendre. »

« Et tu peux te renseigner auprès des autres vers pour découvrir pourquoi Noctifer a annulé la mission ? »

« Oui. Mais je préférerais que tu parles de *vyr*, pas de *ver* ; et j'aimerais que tu m'appelles Cyril. »

« Entendu, Cyril. Et tu le ferais ? »

« Je m'y mets tout de suite, Jasper. »

Blafardos marchait de long en large dans le sous-sol de l'Académie, incapable de décider si l'annulation de l'assassinat était bon ou mauvais signe.

Le silence tomba dans sa tête. Puis des centaines de milliers de voix envahirent le crâne de l'homme. Le bruit était insoutenable. Blafardos s'effondra en se tenant les tempes. Il avait l'impression de suffoquer, et ne dut sa survie qu'au brusque silence qui s'ensuivit.

« Bonne nouvelle ! s'exclama Cyril peu après. Lord Noctifer n'a plus besoin de toi parce que le Prince Pyrgus ne deviendra pas Empereur pourpre. Il a été exilé avec ses partisans. Le Royaume sera gouverné par Lord Noctifer en qualité de régent du prince Comma. L'annonce sera rendue publique prochainement. »

Blafardos resta allongé. Trop stupéfait pour réagir. Le Royaume gouverné par Noctifer ? Cela signifiait que les Fées de la Nuit avaient triomphé ! C'était... c'était génial !

« Tu es sûr de toi, au moins ? » demanda-t-il à Cyril.

« Je le tiens de Wilhelm, un vyr qui habite dans l'un des plus proches conseillers de Noctifer... »

– Ça va, monsieur ? s'inquiéta une jeune femme qui portait l'uniforme de l'Académie.

Blafardos lui sourit :

– Je ne me suis jamais senti mieux !

51

C'était très *spécial*.

Si Henry s'obligeait à se concentrer sur ses ailes, elles ne bougeaient pas. Mais s'il décidait de les bouger *sans y penser*, elles se mettaient à battre. Bon, pas énormément. Juste flap, flap. Et question coordination, le garçon avait encore du travail.

N'empêche, il avait remarqué qu'il avait des muscles spéciaux, entre ses omoplates, là où ses ailes avaient pris racine – « comme un arbre », pensait-il. Et, perdu au milieu de la grande plaine marron, il essayait de gainer cette nouvelle partie de lui. La situation était à la fois paniquante et excitante. Avoir des ailes était l'aventure la plus incroyable que le garçon eût vécue ces dernières années.

Soudain, ses ailes se déplièrent et se tendirent derrière lui. Il se sentit fier : il avait progressé. Il n'arrivait pas encore à battre des membranes. Une question de temps. Pour le moment, il avait mérité une pause. Il jeta un coup d'œil derrière lui. Ses ailes étaient grandes. Magnifiques. L'instant était magnifique. Tout était magnifique. Il avait des ailes. Il était un garçon ailé ! Incroyable !

Il se mit à courir. L'air siffla à ses oreilles. Henry s'ordonna de battre des ailes. En vain. Il accéléra. Ses nouveaux appendices vibraient et battaient ; il ne parvenait pas à les contrôler. Il s'arrêta. Prendre de l'élan, brûler les étapes – cela ne servirait à rien. Il devait procéder avec méthode.

D'abord, s'exercer à contrôler le mouvement des membranes. Le garçon se mit à marcher en essayant de garder ses ailes immobiles. Pas mal. Il progressait. Il pouvait passer à la suite.

Près d'un des quatre arbres les plus proches, il avisa une espèce de gros promontoire. Ce serait une piste d'envol acceptable. Il se plaça en bas, puis monta la côte, les ailes tendues. Il sentit qu'il se hissait un peu dans les airs. « Pas encore », songea-t-il, plein d'espoir. Mais ses doutes s'étaient envolés ; et lui ne tarderait pas à faire de même.

Cependant, au moment d'atteindre le sommet, il prit peur. Ou plutôt, il prit conscience de ce qu'il fabriquait : il courait sur une colline bizarre, dans un monde bizarre, avec des trucs bizarres dans le dos. Et il allait se jeter du haut d'un rocher, avec une chance sur deux de se casser le cou.

« Tant pis, se dit-il, je tente ma chance ! »

Alors, arrivé au faîte du promontoire, il sauta dans le vide.

52

Aux portes du palais, les gardes étaient placés de part et d'autre des parterres. Pyrgus avançait au milieu d'eux, la tête haute, les mâchoires serrées. Bleu se tenait à son côté. Trois pas derrière eux, comme l'exigeait le protocole, marchait M. Fogarty.

Une demi-heure s'était écoulée depuis leur entrevue avec Comma. Ils devaient partir. Vite.

Le nouvel Empereur héritier les attendait.

– Disparaissez ! lança-t-il avec un sourire insultant. Toi, Pyrgus, si tu tentes de me causer le moindre souci, sache que Lord Noctifer me redemandera de t'exécuter. Cette fois, je ne m'y opposerai pas – non que cela me plaise, mais, vois-tu, nous avons à nous occuper d'un Royaume. Sans compter que je serai empereur ; or toute atteinte à l'Empereur étant assimilée à de la haute trahison, tu serais infailliblement condamné à mort.

Son petit sourire disparut, laissant place à une étrange expression, presque de la compassion :

– Prends l'argent que tu veux. Quand tu en auras besoin, informe-moi, et je t'en ferai parvenir. Si tu veux assister à mon Couronnement, tu n'auras qu'à promettre que tu ne joueras pas au plus malin, et je te laisserai y assister. Lord Noctifer ne sera pas content, mais, après tout, c'est moi l'Empereur, non ?

– Tu ne l'emporteras pas au paradis ! promit Holly Bleu, verte de rage.

– Escortez-les hors de l'Île pourpre ! proclama Comma d'une voix forte. Puis transportez-les jusqu'à la frontière Haleklind★. Quand ils auront quitté le Royaume, qu'ils n'y remettent pas les pieds tant que je ne les y aurai pas conviés par message écrit, marqué du sceau impérial !

– Où est Noctifer, Comma ? demanda M. Fogarty, comme s'il s'était juste apprêté à partir en pique-nique.

– Surveille ta langue, vieillard ! s'emporta le garçon. Ne parle plus ainsi de *Lord* Noctifer et du *Prince* Comma ! Je t'ôte ta

140

charge de Gardien. Je vais en choisir un autre. Un qui appartienne aux Fées de la Nuit. Lord Noctifer trouve cela plus *œcuménique*.

– Excuse-moi, *Prince* Comma. Je voulais simplement savoir où était *Lord* Noctifer. C'est ton régent, non ?

– Réjouis-toi qu'il ne soit pas là ! rétorqua Comma. Sinon, il t'aurait jeté en prison au lieu de t'envoyer en exil. Mais rassure-toi, il termine ce qu'il a à terminer, et, bientôt, il s'installera au palais. Avec Papa.

– D'accord...

– Je me fiche que tu sois d'accord ou pas. Par contre, je te conseille de filer avec tes petits amis avant que je ne change d'avis...

Pyrgus se remit à marcher sans un mot. Arrivé au portail, il se retourna vers la demeure impériale, conscient qu'il la voyait peut-être pour la dernière fois. Au dernier étage, par une fenêtre éclairée, il crut apercevoir – il ne l'aurait pas juré – la grande silhouette de son père. Ce serait la dernière image du palais qu'il emporterait en exil.

53

« **J**e vole ! pensa Henry. Je voooole ! »

C'était fantastique. Le vide était sous lui. Lui restait au-dessus, comme si une main géante l'avait retenu et suspendu dans les airs. Il n'avait jamais rien connu de tel. Un mélange de liberté et d'étourdissement.

Voler n'était pas plus inquiétant que de marcher. Un coup à prendre, rien de plus. Or, en quelques secondes, le garçon s'aperçut qu'il maîtrisait la situation. Il ignorait *comment* cette maîtrise lui était venue. Il se contentait de la constater : s'il voulait tourner à droite, il tournait à droite ; s'il préférait piquer vers le sol, il piquait ; et s'il souhaitait reprendre de l'altitude, un looping plus tard, il s'était éloigné du sol. Hallucinant. Excellent. Extraordinaire. Exceptionnel.

Ivre de bonheur, Henry volait de plus en plus haut. Il sentait le vent qui lui caressait le visage, et le sang qui battait plus vite dans sa poitrine à l'idée qu'il allait toucher le ciel...

D'ailleurs, il le touchait ! Il avait atteint le ciel. Et le ciel était solide. Parce que – comprit Henry – ce n'était pas le ciel. C'était un plafond. Cet indice lui suffit pour saisir ce qui se passait. Il déduisit que les troncs qui poussaient par quatre étaient des pieds de meubles. L'horizon était un mur ; l'espèce de montagne, dans le coin, avec ses contreforts – un lit, une table de chevet, un tabouret ; le promontoire qui lui avait servi de piste d'envol – un vêtement jeté en boule sous une coiffeuse.

Henry était dans une chambre qui lui paraissait géante *parce qu'il avait rétréci*. Tout devint clair. Malgré l'absence du bio-filtre, le portail avait très bien fonctionné ; Henry avait atteint le palais. Simplement, il s'était transformé. Il était devenu une fée.

Il alla voleter devant le miroir posé sur la coiffeuse. En effet.
Il ressemblait à Pyrgus tel que le Prince s'était présenté à lui
lors de leur première rencontre. Henry était fou de joie : il pouvait voler et, en plus, il avait une tête – et un corps – de fée !
Il avait envie de danser, de crier...

C'est alors qu'il vit l'araignée. Elle était énorme.

54

— Je vais le tuer ! promit Bleu dès qu'ils se retrouvèrent seuls.

— Il n'est qu'un enfant, dit M. Fogarty. Il pense qu'être empereur lui donnera des superpouvoirs.

— J'ai peur que Noctifer ne s'en débarrasse sans tarder, intervint Pyrgus. Il n'acceptera jamais de renoncer à son pouvoir de régent.

— Tant mieux, ça m'évitera de devenir une meurtrière, marmonna sa sœur.

Ils étaient assis dans un ouklo du palais – un énorme carrosse doré, garni de sièges confortables couleur pourpre. Le véhicule flottait à altitude toujours égale et à vitesse réduite. Autour, des hommes casqués, en armure, sur leurs flotteurs individuels, concentrés sur leur tâche : s'assurer que les bannis quittaient effectivement le Royaume.

— Vous êtes déjà allés à la frontière Haleklind ? demanda M. Fogarty.

— Moi, oui, annonça Pyrgus, le visage tourné vers la fenêtre. J'y ai vécu quelque temps.

— C'est comment ?

— Vallonné. Rocailleux. Aride. Pas très accueillant. Il y a des troglodytes.

— Des *quoi* ? grogna Bleu.

— Des gens qui vivent dans des grottes, traduisit le Prince. Mon père s'entendait bien avec leurs chefs. Ils devraient nous offrir un endroit confortable où nous installer.

— On ne restera pas, prévint sa sœur.

— Non. Bien sûr que non...

— Qui gouverne ? voulut savoir M. Fogarty.

— La Maison des Halek. Il n'y en a pas d'autre, là-bas.

— Ils nous aideront à reprendre le pouvoir ?

– Hum, j'en doute, murmura Pyrgus. Dans tous les cas, ils ne feraient pas le poids face à l'Armée impériale.

– Ils vivent dans un trou perdu, expliqua Bleu. C'est pourquoi mon père n'a jamais pris la peine de les intégrer au Royaume. Ils n'en valent pas la peine.

– Pourquoi es-tu allé là-bas, Pyrgus ? s'étonna M. Fogarty.

– Je voulais me fabriquer un couteau halek, répondit l'intéressé. Une arme qui tue à tous les coups.

– Tu ne pouvais pas en acheter un ?

– Je n'avais pas assez d'argent. En plus, les Haleks mettent des siècles à en fabriquer un. Sans parler de leurs sorciers : ils sont les meilleurs, mais ils n'aiment pas se dépêcher. Et s'ils sentent que tu es pressé, ou si tu as le malheur de les bousculer, ils ralentissent.

– Mais ils pourraient nous aider ?

– Les sorciers ? Oui. Ils sont très puissants. Il suffirait qu'on leur propose un plan...

M. Fogarty opina, puis s'enfonça dans son fauteuil et ferma les yeux.

55

Tout de velours noir vêtu, Lord Noctifer semblait au bord de l'apoplexie :

– Partis ? Comment ça, partis ?

– Partis en exil, précisa Comma en caressant avec tendresse le repose-bras de son trône.

Il agita les mains. Sa tunique pourpre officielle – trois fois trop grande pour lui – frémit.

– J'avais dit : emprisonne-les et exécute-les ! glapit Noctifer.

– J'en ai décidé autrement, rétorqua Comma. On conseille l'Empereur pourpre ; on ne lui donne pas d'ordre.

Ce gamin était un cauchemar. Rien de nouveau sous le soleil : déjà, sa mère...

– Tu n'es pas l'Empereur pourpre, rappela la Fée de la Nuit.

– Pas encore.

– En attendant, je suis le régent, et c'est moi qui décide.

– Trop tard !

– Où les as-tu envoyés ?

– Hum... en territoire halek.

Noctifer rugit intérieurement. Ses agents n'avaient jamais réussi à s'infiltrer, là-bas. Le Haleklind s'étendait au beau milieu de nulle part, ce qui ne facilitait pas l'installation des agents doubles. La plupart des autochtones vivaient au fond de leurs bois. Mais les sorciers... c'était autre chose. Oseraient-ils s'élever contre le Royaume ? Il y avait peu de chances. Le prix qu'ils réclameraient serait trop important. Ces gens-là étaient dange-reux – voilà pourquoi l'Empire avait veillé à ne pas leur échauf-fer les oreilles. Mais on ne sait jamais. Pyrgus était sans doute prêt à tout pour regagner ce qu'il avait perdu.

Inutile de prendre des risques. Il fallait empêcher les exilés d'atteindre la frontière, en arrêtant leur convoi... ou en s'arran-geant pour les assassiner avant.

– Quand sont-ils partis ? demanda-t-il d'une voix tranchante.

– Juste avant votre arrivée.

– Comment voyagent-ils ?

– En ouklo impérial.

Bonne nouvelle ! Même impériaux, les ouklos restaient des véhicules lents. Il faudrait entre un et deux jours au cortège pour atteindre la frontière. C'était jouable.

– Quelle route ont-ils prise ? voulut-il savoir.

– Alors ça, je m'en contrefiche ! Je laisse ce genre de détails à mes sous-fifres !

« Calme-toi, s'ordonna Noctifer. Ce petit crétin a dû prévoir une escorte. Une question au poste de garde, et tu découvriras leur itinéraire. Après, tu n'auras plus qu'à envoyer tes meilleurs hommes massacrer les gardes et les voyageurs. »

– Tu as eu tort de risquer ton avenir en laissant vivre ton demi-frère et ta demi-sœur, déclara-t-il.

– C'est mon choix.

– Eh bien, tu as eu tort quand même. Je vais tâcher de réparer cette grossière erreur. Mais je te préviens : si jamais tu t'abstiens de nouveau d'obéir à mes ordres, tu le regretteras. Pas long-temps, mais très douloureusement. N'oublie pas que j'ai toute autorité sur ton père !

Comma sauta sur ses pieds ; et Noctifer fut surpris du chan-gement qui venait de s'opérer en lui. Il ne s'attendait pas à ce que le garçon le toisât avec un mélange de mépris et de rage dans les yeux :

– Mon père ? Vous osez parler de mon père comme si je ne savais pas qu'il n'était qu'une coquille vide possédée par votre magie noire ! Vous aussi, vous me prenez pour un imbécile ? Vous avez tort. Oh, comme vous avez tort, *mon oncle* !

Noctifer pivota et sortit de la salle du trône à grandes enjam-bées. Il devait d'abord s'occuper de Pyrgus et de Bleu.

Puis il réglerait son compte à ce misérable insolent.

56

Henry pensait deux choses à la fois.

Première chose : il connaissait cette pièce. Il s'y était déjà rendu. C'était la chambre de Bleu.

Deuxième chose : AU SECOURS ! Il avait une peur panique des araignées, même quand elles étaient plus petites que son pouce. Et celle-ci était plus grande que sa tête !

Il la connaissait, elle aussi. Elle appartenait à Bleu – certains ont des hamsters, la Princesse avait une araignée. Elle la gardait dans un coffret à bijoux. Mais, maintenant que Henry avait rétréci, l'araignée n'avait rien d'un animal domestique. Elle était monstrueuse ; et elle pouvait avaler le garçon en moins de deux.

Sauf que Henry avait des ailes. Pas elle. En deux pas, il serait hors de portée.

Il pivota pour prendre son élan. Enfin, il *voulut* pivoter. C'est alors qu'il s'aperçut qu'il ne pouvait plus bouger le petit doigt. Ses muscles étaient paralysés.

Il n'avait jamais rien éprouvé d'aussi horrible. Jamais. Il avait l'impression qu'une force extérieure avait enveloppé son esprit dans des filaments, et qu'elle resserrait son cocon, l'empêchant lentement mais sûrement de penser. Il frissonna de la tête aux pieds. Il avait froid.

De la viande, voilà ce qu'il était devenu.

★

Figé sur le bord de la coiffeuse, Henry regardait, terrorisé, l'araignée qui s'approchait de lui.

Ses yeux étaient énormes. Fixes. Ovoïdes. Liquides. Noirs comme les profondeurs de l'espace. Intelligents. Le regard du monstre était dénué de la moindre trace d'émotion.

L'animal avançait, très calme, levant les pattes et les reposant avec délicatesse. À chaque contact avec la coiffeuse, Henry entendait un léger « toc ». Puis il avisa les mâchoires de la bête. Puis il sentit l'odeur de son ennemie – une odeur rance qui devint bientôt suffocante. Puis il perçut son souffle – un léger sifflement qui grésillait par instants, à la manière d'une tranche de bacon en train de frire.

L'araignée tendit une patte. Henry tenta de fuir. Il savait qu'il était paralysé, mais il espérait que... Rien. Impossible de bouger. La patte allait l'atteindre. Elle l'atteignit. Au bout, une petite griffe incurvée. Une dague noire, polie, qui avait quelque chose d'une corne et se dirigeait vers l'œil du garçon.

Brusquement, la griffe frappa. Non à l'œil, mais à la joue, qu'elle ouvrit jusqu'à la fossette. Henry n'eut pas mal ; pourtant, le sang jaillit et se mit à couler en abondance.

Sa paralysie cessa d'un coup. Aveuglé par le sang, il sentit qu'il basculait par-dessus bord. L'instant d'après, il retrouvait le contrôle de ses ailes. Évitait le sol d'un battement. Se mettait à trembler. Sentit une douleur sourde au niveau de sa blessure. S'éloigna au plus vite du monstre. Lui jeta néanmoins un coup d'œil quand il eut pris ses distances.

L'araignée buvait son sang.

Incrédule, Henry s'approcha un peu et vit que sa blessure avait laissé une petite flaque de sang sur la surface. L'instant d'après, il eut l'impression qu'on frappait à la porte de son esprit – ou plutôt qu'on grattait, comme un chien aurait gratté pour qu'on lui ouvrît. Le garçon voulut fuir, mais, malgré lui, il restait à voleter en cercles au-dessus de l'animal, à la manière d'une mouche blessée.

Dans sa tête, le grattement continuait.

Henry crut devenir fou. Il voulut hurler. Hurler. Et mourir. Quand, brusquement, l'araignée s'arrêta de gratter. Quelques dizaines de centimètres plus bas, elle le regardait avec ses énormes yeux noirs. Elle était à la fois là, sur la coiffeuse, et à l'intérieur du crâne du garçon. Deux araignées en une. Qui le fixaient toutes les deux.

C'est alors que le garçon eut une intuition stupide. Très stupide. Il pensa que l'animal voulait juste devenir son ami.

Quelle idée absurde ! Le monstre lui avait déchiré la joue. Il avait bu son sang. Il était à peu près aussi amical qu'une vipère.

Pourtant, le garçon tourna son esprit vers l'araignée avec précaution. « Ça y est, pensa-t-il, je suis fou. » Et s'il ne l'était pas ? Si l'araignée voulait vraiment devenir son amie ?

Il se posa sur la coiffeuse, immobile. L'animal l'observa... et ronronna de plaisir. Henry comprit qu'il pouvait la caresser comme un chaton. S'il le voulait, il pouvait s'approcher de l'araignée et la caresser, si dingue que cela parût. L'araignée qui lui faisait face était repoussante ; mais l'araignée dans sa tête était différente.

Elle s'enfonça plus avant à l'intérieur de l'esprit de Henry, qui pensa à un chiot se roulant par terre en attendant qu'on lui caressât l'estomac. Le garçon se doutait que l'araignée n'était pas un chiot inoffensif. C'était un monstre puissant et dangereux. Il se concentra néanmoins et, dans son esprit, flatta doucement le flanc énorme de la bête.

57

M. Fogarty ouvrit les yeux quelques secondes avant la catastrophe. Il avait une mauvaise intuition. Pourtant, il mit un moment avant de comprendre ce qui se tramait.

Par une fenêtre de l'ouklo, il vit l'un des gardes s'approcher et inspecter l'intérieur de l'habitacle, comme pour vérifier que le Prince Pyrgus était toujours dedans. Quand le garde s'aperçut que M. Fogarty l'observait, il lui décocha un sourire mauvais.

Puis il disparut.

L'instant d'après, le convoi royal déviait sa course. Quelqu'un cria des ordres. Un hurlement retentit.

– On nous attaque, dit M. Fogarty d'une voix calme.

Pyrgus, qui était en grande conversation avec sa sœur, bondit à la fenêtre. L'ex-Gardien voulut l'en empêcher et conseilla :

– Ne te mets pas près de la fenêtre !

Trop tard. Le Prince avait ouvert la vitre et passé la tête dehors.

– Vous avez raison, confirma-t-il.

– L'un de vous est-il armé ?

– J'ai juste ma dague d'apparat, grommela Pyrgus en fermant la fenêtre.

– Moi, j'ai un aciel*, annonça la Princesse.

M. Fogarty la regarda, admiratif :

– Bonne idée d'avoir pris cette arme ! Mais je suis surpris que tu ne t'en sois pas servie pour tuer Comma...

Bleu grimaça.

– Une idée sur l'identité de nos assaillants ? demanda le vieil homme.

– Des hommes de Noctifer, suggéra Pyrgus. Attaque fulgurante, puissance de feu et effet de surprise : c'est signé !

– Et d'après toi qui le connais bien, il veut nous arrêter ou nous tuer ?

– Nous tuer.

151

– Eh bien, on va essayer de le décevoir... Combien d'hommes compte notre escorte ?

– Un convoyeur et une demi-douzaine de gardes. Le sortilège de direction doit nous amener directement à la frontière avec l'Haleklind. La route est connue ; le convoyeur n'a qu'à admirer le paysage. Quant aux gardes, ils sont là pour vérifier si nous ne sautons pas en cours de route.

M. Fogarty se frotta les mains :

– De toute façon, ils sont assez occupés avec les sbires de Noctifer sur leurs disques volants. Tu peux t'occuper du convoyeur ? Grimper sur les ouklos en pleine course, c'est plus de mon âge...

Pyrgus acquiesça. Pas question d'utiliser l'aciel pour le moment : l'arme était trop explosive. Il ne fallait jamais s'en servir dans un habitacle fermé. Même tuer le convoyeur au-dessus était hors de question, car la puissance de l'arme aurait désintégré l'ouklo.

Le Prince ouvrit la fenêtre de droite.

– Bonne chance ! souffla sa sœur.

– Passe plutôt à gauche, conseilla l'ex-Gardien. Il y a un peu trop d'action à droite.

Pyrgus obtempéra et disparut.

58

« Quel bonheur d'être un homme libéré ! » s'extasia Blafardos.

Pas seulement libéré de prison – même si c'était un bonus non négligeable ; libéré surtout de trop de responsabilités. Avec un peu de chance, Noctifer allait le laisser tranquille. Il aurait sans doute assez à faire avec le Royaume.

Blafardos se gratouilla l'oreille gauche en pensant qu'il serait peut-être plus prudent de changer de nom (il envisageait de s'appeler Jasper Faucon de la Glue) ; à part ça, il pouvait aller où bon lui chantait. Vendre sa propriété. Utiliser cet argent pour prendre un nouveau départ. Pourquoi pas retrouver Sulfurique.

Le vieillard était insupportable, horripilant, odieux ; il fricotait à l'excès avec les démons. Néanmoins, il fallait lui reconnaître une qualité qui rattrapait ses défauts : il avait un sens inouï du commerce. Important, pour un partenaire.

Surtout quand on avait l'esprit de revanche chevillé au corps comme Blafardos. Tel un phénix, l'entrepreneur avait hâte de renaître de ses cendres et faire blêmir de jalousie ceux qui l'avaient méprisé quand il avait tout perdu.

Mais, avant cela, Blafardos allait se débarrasser de cette saleté de ver. Il lut devant lui la discrète plaque de cuivre apposée sur la clinique :

> DOCTEUR VAPORISATEUR

Blafardos était déjà venu ici lorsqu'il avait dû résoudre un petit problème contracté dans un salon de tatouage. Les frais de séjour étaient exorbitants, ce que justifiaient un personnel très compétent et une discrétion irréprochable. Bref, l'établissement du Docteur Vaporisateur était l'endroit idéal pour se débarrasser sans douleur et en un rien de temps d'une créature gênante.

L'homme tendit la main vers la sonnette. Mais son bras se figea en cours de route. Cyril l'avait empêché d'aller plus loin.

59

À l'extérieur de l'ouklo, c'était la guerre.

Un détachement de soldats en uniformes verts était aux prises avec l'escorte des exilés. Des éclairs elfiques zébraient l'air, bourdonnant comme un essaim d'abeilles en furie. Pyrgus s'aplatit contre la paroi de l'ouklo, lancé à pleine vitesse. Puis il tira sur ses bras et se hissa sur le capot en veillant à garder la tête baissée.

La cabine du convoyeur, ornée avec luxe, située à l'avant, était pourvue de deux ailes d'apparat qui empêchaient le chauffeur de voir Pyrgus monter vers lui. Mais, problème : ces ailes étaient renforcées en argent adamantin[1], de sorte que l'homme ne pouvait être affronté que de face. Le Prince devrait escalader la cabine avant de retomber à côté du conducteur et de l'éjecter de l'ouklo aussitôt en profitant de l'effet de surprise. Pyrgus ne voulait pas tuer un domestique du palais qui ne faisait que son devoir... même s'il se doutait que ses scrupules n'allaient pas lui faciliter la tâche, déjà passablement compliquée.

Un éclair elfique lui coûta la peau d'un lobe d'oreille. Serrant les dents, Pyrgus bondit. Rester exposé sans défense n'arrangerait rien. Plié en deux, il courut et sauta sur le toit de la cabine. À main droite, il avisa un Gardien engagé dans un combat sans merci contre un agresseur propulsé par un disque volant. Mis en difficulté, le Gardien recula contre l'ouklo qui fit un écart par réflexe : son sortilège anti-agression était entré en action. Pyrgus crut qu'il allait être désarçonné. Il réussit à se retenir d'extrême justesse et bascula d'un même mouvement dans la cabine. Il se mit aussitôt en garde.

Inutile. Le chauffeur ne bougea pas. Il avait les yeux grands ouverts. Un filet de sang s'échappait de sa bouche, côté gauche.

---

1. L'argent adamantin a la dureté et l'éclat du diamant. *(N.d.T.)*

Pas de blessure apparente. Juste un rictus stupéfait. Et une immobilité absolue.

Pyrgus mit un moment à comprendre qu'il ne pouvait rien pour le convoyeur. L'homme était mort, et bien mort. Le Prince le saisit par les bras pour prendre sa place et dégager l'ouklo de la zone de combat. Mais la tête du cadavre semblait collée au siège.

Un éclair elfique ! L'engin de mort était passé par l'arrière et avait frappé l'homme par la nuque. C'était la seule explication logique. Pourtant, les éclairs elfiques – aucun projectile d'aucune sorte – n'auraient pas dû franchir l'argent adamantin. Il y avait de la sorcellerie dans l'air... Pyrgus murmura une vague excuse, puis tira sur les épaules du défunt.

Il craignit de décapiter le chauffeur ; cependant, l'éclair elfique céda le premier, et le Prince jeta ensemble le corps et l'arme accrochée derrière la tête. Puis il prit la place du mort et regarda devant lui.

Il n'y avait pas de levier de commandes. L'ouklo répondait aux ordres lancés par celui qui s'installait sur le siège du conducteur. À condition de lui donner au préalable le mot de passe.

Par chance, tous les ouklos impériaux répondaient à la même commande. Pyrgus la connaissait. C'était le prénom de son grand-père paternel, un empereur jadis adoré de ses sujets.

– Dispar ! lança donc le Prince à mi-voix. Et tourne à droite ! L'ouklo ne réagit pas.

– DISPAR ! répéta Pyrgus plus fort.

Rien.

Comma avait changé le mot de passe.

60

« P... pour qui te prends-tu ? » souffla Blafardos, entre sidé-
ration et effroi.

Jusqu'alors, il ne s'était pas rendu compte de la puissance du
ver. Peut-être celle-ci n'était-elle que temporaire. Et peut-être
que, si Jasper lui-même se concentrait, il réussirait à la surpasser.

« Pour quelqu'un qui va t'empêcher de commettre une grosse
bêtise », répondit le vyr.

« Au contraire ! Je vais nous libérer l'un et l'autre ! »

« Tu te trompes. Écoute ce que j'ai à te dire... »

Blafardos soupira. L'animal allait encore s'embarquer dans
l'une de ces infinies divagations philosophiques dont il raffolait.
Et ce n'était pas le moment.

« Cyril, j'ai été ravi de faire ta connaissance, mais nous sommes
arrivés à un carrefour de nos vies. Nos chemins vont se séparer.
Je suis sûr que tu comprendras mes motiv... »

« On m'a demandé de te recruter », le coupa le vyr.

« Me recruter ? »

« Tu es plutôt intelligent, pour un homme, continua la créature. Il ne t'aura pas échappé que le Royaume est dans un drôle
d'état. Les Fées s'entre-tuent pour des âneries, comme la forme
de leurs yeux ou la nature de leur croyance ; les empereurs se
font assassiner ou destituer avant même d'avoir été couronnés ;
une guerre menace ; l'économie est au plus mal ; l'avarice et
l'obsession du plaisir l'emportent sur la solidarité et la convivia-
lité ; les valeurs qui guidaient la morale féerique sont mortes ;
bref, l'Empire ne doit sa survie qu'à une chose : la fermeture
des portails. Si les démons revenaient... »

« Ils ne reviendront pas, affirma Blafardos, espérant que l'animal allait enfin libérer son bras. Cela dit, tu as raison, tout n'est
pas parfait. Mais je ne suis pas sûr que l'Empire ait empiré, pour
ainsi dire ! Et même si c'était le cas, en quoi cela me concerne-
rait-il ? »

« Posons la question autrement, proposa Cyril. Si tu pouvais changer quelque chose, le ferais-tu ? Si par exemple je t'invitais à te joindre à la Révolution des wangarami, que répondrais-tu ? »

Soudain, Blafardos sentit qu'il pouvait de nouveau bouger son bras. Il plia ses doigts pour combattre la sensation de crampe. Puis, sans se presser, il éloigna sa main de la sonnette et demanda :

« La Révolution des wangarami ? C'est quoi, ce truc ? »

61

Il existe un mot de passe spécifique pour freiner l'ouklo impérial. Pas suffisant pour permettre de contrôler le véhicule ; mais capable de l'arrêter en cas d'urgence. Et permanent, car associé à l'appareil dès sa construction (donc impossible à changer). Pyrgus en était sûr. Mais il ne se souvenait plus de la formule !

Une lame siffla à ses oreilles et fila se ficher derrière lui. Le combat féroce continuait. Pyrgus devait agir.

S'il parvenait à arrêter le convoi, deux événements se dérouleraient simultanément :

1) les soldats poursuivraient leur route sans s'arrêter, et abandonneraient – ne serait-ce qu'un moment – l'ouklo ;

2) pendant ce temps, Holly Bleu, M. Fogarty et Pyrgus pourraient s'enfuir à pied.

Le paysage sauvage qu'ils traversaient regorgeait de cachettes. Dans la confusion, les exilés avaient une chance – peut-être même une *bonne* chance – de prendre la poudre d'escampette.

À condition de retrouver le mot de passe du frein.

Pyrgus se creusait les méninges quand il perçut un bruit étrange. Il se pencha sur le côté et s'aperçut que les ennemis étaient passés à la vitesse supérieure. Un sbire de Noctifer avait abandonné son disque volant pour atterrir sur l'ouklo. À présent, il rampait avec précaution vers le Prince.

Pyrgus n'avait pas voulu faire de mal au convoyeur. Mais face aux tueurs envoyés par son pire ennemi, il n'aurait pas ce genre de scrupule. Il dégaina la dague qu'il portait à la ceinture, s'extirpa de la cabine, se jeta sur l'homme...

... et découvrit que c'était une fille.

Le jeune homme faillit en perdre sa dague. Le soldat – enfin, la soldate – était svelte. Et très jolie. Pyrgus ignorait que Noctifer utilisait des fantassin*es* dans son armée. Qui plus est des fantassin*es* avec d'aussi beaux yeux violets. Il était encore en train de l'admirer quand il éprouva une douleur atroce à l'entrejambe, où son adversaire venait de projeter son genou.

La souffrance lui fit lâcher prise. Il savait qu'il devait tenir sa lame, serrer sa poigne dessus, se jeter sur son adversaire et lui trancher la gorge. Sinon, il allait mourir. Après s'être fait justice, il pourrait crier et pleurer. Pas avant. Il le savait ; et cependant, il abandonna sa dague et s'effondra dans un hurlement d'agonie.

La fille donna un petit coup de matraque sur l'oreille gauche de Pyrgus. L'instant d'après, tout devint noir.

62

La lumière enveloppa Henry dès qu'il toucha l'araignée. Le monstre s'avança dans son esprit et l'embrassa. Le garçon se dit qu'il aurait dû être terrifié ; il ne l'était pas. C'était trop brutal. Trop inattendu. Trop *original*.

Il éprouvait une sensation incroyable : celle d'avoir été avalé vivant par une clarté éblouissante. Ses perceptions s'affinaient de seconde en seconde ; les limites de son esprit s'élargissaient – il visualisait à présent la chambre de Holly Bleu en entier, *et* les appartements de la Princesse, *et* les couloirs qui en partaient, *et* tout l'étage supérieur du palais, *et* l'ensemble du palais.

Mais l'expérience ne s'arrêtait pas là ! Le garçon voyait désormais l'Île pourpre sur laquelle était bâti l'édifice impérial, ainsi que la ville construite sur la rive opposée. Il observait, fasciné, les rues où se pressait la foule, un bar simbala plongé dans la pénombre (il goûta même au passage quelques notes sucrées de cette musique envoûtante), un troubadour accordant son luth, un chat de gouttière mâchouillant la souris qu'il venait d'attraper...

Et l'exploration continua. L'esprit de Henry se divisa en tentacules mentaux pour découvrir plus avant le Royaume. Au passage et sans s'y attarder, il sentit battre le pouls de la réalité et découvrit les filaments ténus qui reliaient toutes choses entre elles. Il voulait investir le monde, et les autres mondes aussi ; il voulait reconnaître l'univers en entier ; il pensa que, ainsi, il pourrait être Dieu.

Puis une idée plus intéressante lui passa par la tête : il pourrait chercher Bleu.

L'exploration s'interrompit d'un coup. L'esprit du garçon se concentra sur son amie. Il la vit, mais d'une étrange manière : elle marchait sur son chemin de vie, s'avançant entre le Temps et l'Espace, et visitant différents endroits de son Royaume ; puis elle pénétra d'un pas décidé dans l'usine à fabriquer de la

Réalité, où elle disparut... avant de réapparaître et de poursuivre sa route comme avant. Henry eut l'impression d'avoir vu le générique d'un film, destiné à le mettre en appétit sans répondre à la question qui le taraudait : où était Bleu, en ce moment ?

Il se concentra. Pas facile de discerner les détails de la scène. Henry manquait d'expérience en vision psychotronique. Il y avait une forêt profonde. Le garçon se focalisa sur les formes qu'il distinguait dans une clairière. Elle était là. Avec Pyrgus. Et aussi M. Fogarty, un peu plus loin, dans ses habits de Gardien salis. Les trois corps étaient allongés sur le sol. Immobiles. Peut-être morts...

– BLEU ! hurla Henry, paniqué.

Il se déconcentra. Aussitôt, son esprit reprit sa fuite débridée vers l'infini ; et la conscience du garçon explosa.

63

Pyrgus émergea du trou noir pour se retrouver devant la plus belle paire d'yeux violets qu'il eût jamais vue. D'autant que ce qu'il y avait autour des yeux n'était pas mal non plus. Elle était magnifique, en fait. Le cœur du jeune homme battait à grands coups. Des tremblements agitaient son corps. C'était peut-être l'amour. Ou la mort qui commençait.

Il sentait que son cerveau n'était pas sorti indemne de l'agression. Il était troué comme du gruyère. Pyrgus était incapable de fixer son regard sur quoi que ce soit. Autour de lui, tout tournait. La fille avait néanmoins noté qu'il avait ouvert les yeux.

– Désolée, dit-elle en se penchant vers lui. J'étais obligée de t'assommer. À cause de ta dague.

Pyrgus n'osa pas hocher la tête de peur de vomir. Il jeta un coup d'œil autour de lui. Des arbres l'entouraient. Il lui sembla être allongé sur un matelas d'aiguilles de pins, dans la clairière d'une forêt. Des silhouettes en uniforme vert apparaissaient, floues, derrière la splendide jeune fille.

Le Prince essaya de se concentrer. Que lui était-il arrivé ? Il se rappelait l'exil, l'ouklo, le chauffeur mort... Et soudain, il comprit : Noctifer ! Les sbires de Noctifer l'avaient capturé. Mais M. Fogarty ? Bleu ? Qu'étaient-ils devenus ? Il tâcha de les repérer... puis renonça. Il ne pouvait rien pour eux. En ce moment. Il se sentait faible comme un chaton. Cependant, on ne lui avait pas lié les bras. Bizarre. Il poussa un grognement destiné à prouver qu'il n'était pas mort et que, si on lui laissait le temps de se remettre, il se vengerait.

En supposant qu'il réussirait à attaquer une créature aussi bouleversante que la soldate aux yeux violets. Pour sauver Bleu et M. Fogarty, il y parviendrait. Quoique. Il venait de croiser le regard soucieux de la jeune fille posé sur lui, et il n'était plus du tout sûr de pouvoir s'obliger à lui faire du mal. « C'est bien ma chance ! pensa-t-il. Tomber raide dingue d'une servante de mon pire ennemi... » Mais aussi, quelle idée de travailler pour un tel monstre quand on est aussi belle !

– Je crois qu'il revient à lui, signala la splendeur en vert.

Sa voix tintinnabulait comme des clochettes dans le vent. Pourtant, ses yeux... quelque chose n'allait pas avec ses yeux. Pyrgus avait hâte de découvrir *quoi*.

Soudain, il vit une silhouette encapuchonnée qui s'approchait. « Black Noctifer », songea-t-il. À sa portée. S'il arrivait à forcer son corps à lui obéir, il étranglerait ce chacal et mettrait fin à ses jours avant que ses gardes du corps ne fussent intervenus. Ce serait parfait. Mieux que parfait. Car Noctifer avait commis un crime en attaquant Pyrgus et sa suite lors de leur exil. Si le chef des Fées de la Nuit périssait des mains d'un Prince en état de légitime vengeance, il n'y aurait aucune répercussion politique dangereuse pour la Maison d'Iris.

Restait à obtenir de son corps qu'il lui obéisse.

Pyrgus rassembla ses forces. Il avait conscience que tuer Noctifer revenait probablement à se suicider. Néanmoins, si improbable que cela parût, il y avait une chance – sur un million, mais une chance quand même – qu'il réussît à prendre son ennemi juré en otage ; ainsi, il s'échapperait avec lui et le tuerait en toute tranquillité. De la sorte, il aurait renversé l'équilibre du pouvoir dans le Royaume.

Cette idée le galvanisa. Il respira par petits coups. Puis prit une profonde inspiration, gonfla sa poitrine, sauta sur ses pieds et attrapa Black à la gorge. L'homme recula. Son capuchon tomba.

– Mon cheeer, surveillez vos manières ! glapit une voix familière.

– Oh ! s'exclama Pyrgus en retombant. Pardon, madame Cardui !

64

La femme était mince et vêtue de noir. Henry devinait qu'elle était fort belle – seules ses pupilles lui parurent très étranges. Elle était assise sur un fauteuil, près du seuil. Son visage impassible exprimait une patience inquiétante. Elle avait dû voir Henry inconscient, puis revenant à lui, se relevant ensuite et cherchant enfin à conserver son équilibre. À présent, elle le fixait « comme un serpent fixe un oiseau », pensa le garçon.

Puis elle sourit. Et tout ce qu'elle avait eu de sinistre disparut à la seconde. Son visage s'éclaira de l'intérieur.

– Tu es un ami de Bleu, n'est-ce pas ? demanda-t-elle.

– Comment va-t-elle ? s'enquit aussitôt Henry.

– Elle doit être passée en Haleklind, à l'heure qu'il est, répondit la femme d'un air rêveur. Et toi, dis-moi... Tu es un ami très *intime*, pour que je te trouve dans sa chambre !

Le garçon devint cramoisi :

– Euh... Je suis plutôt un ami de Pyrgus, en fait.

En un sens, c'était vrai. Et plus simple à expliquer que la traversée du portail malgré le défaut du biofiltre, puis le voyage mental en arachnide psychotronique.

– Je voulais aller dans la chambre de Pyrgus, prétendit Henry, et je me suis perdu.

– Viens, je vais t'y conduire, proposa la femme. Ce n'est pas loin.

Elle se leva et l'attendit.

– M... merci, bégaya le garçon.

Il essayait de deviner à qui il avait affaire. Holly Bleu avait un nombre incalculable de domestiques ; mais son interlocutrice n'était pas habillée à la manière d'une servante. Elle semblait vêtue de soie – Henry s'y connaissait juste assez en chiffons pour savoir que cette matière était affreusement chère –, et de couleur pourpre qui plus est. Une couleur réservée à la famille impériale. Il laissa sa curiosité l'emporter sur sa timidité et lança :

– Je m'appelle Henry Atherton.

La femme prit la main qu'il lui tendait et, l'entraînant hors de la pièce, elle répondit :

– Moi, c'est Quercusia.

– Et vous êtes...

– ... la Reine du Royaume des Fées.

65

L'ouklo noir avait toussé, hoqueté, puis carrément refusé de redémarrer. Les Sulfurique avaient donc dû se rabattre sur un ricocheur à deux places. Très inconfortable, très peu maniable (le sortilège de conduite était de mauvaise qualité), mais « parfait pour s'offrir une pointe de vitesse en rase campagne » avait affirmé le loueur. Sulfurique lui trouvait un gros défaut : l'habitacle était minuscule. Impossible d'échapper à sa femme, qui s'accrochait à son bras en poussant de petits glapissements satisfaits tandis que lui regardait droit devant lui.

Le ricocheur se faufila sans difficulté dans les rues ventées du quartier de Bon-Marché, et négocia de même le passage de l'Ouest, où la forte teneur en quartz du fleuve interférait souvent avec la magie, déréglant volontiers les sortilèges de pilotage automatique. Toutefois, parvenu aux portes de la ville, il s'immobilisa et attendit les instructions.

Sulfurique se força à décocher un sourire à sa femme :

– Les coordonnées du logis, très chère ?

– 80-42, murmura-t-elle en découvrant ses rares chicots jaunis.

– Quoi ? Si loin que ça ?

Mme Sulfurique opina.

Son époux donna les instructions au ricocheur, qui prit un moment pour les assimiler puis fila en direction du nord-ouest, vers les bois. Le vieillard s'enfonça dans son siège et tenta de s'absorber dans la contemplation du paysage afin d'oublier la pression qu'une main osseuse exerçait sur son genou.

Une heure et demie plus tard, ils arrivaient. Sulfurique s'était imaginé une cabane en rondins, spartiate quoique idéale pour se cacher. Au lieu de quoi, il se trouvait devant une maison en bois, certes, mais spacieuse et construite dans les règles de l'art par un architecte astucieux. L'ex-veuve avait englouti beaucoup

d'argent dans cet édifice, qui n'avait même pas besoin de sortilèges d'illusion pour briller !

— Alors, ça te plaît ? susurra Mme Sulfurique en sortant du
ricocheur.

Son époux ne répondit pas tout de suite. Il était trop occupé
à calculer combien il lui resterait après avoir vendu la bicoque
et, éventuellement, payé un enterrement minimal à cette satanée
vieille.

66

Henry ne savait pas qu'il y avait une reine, dans cet Empire. La mère de Pyrgus et de Bleu était morte. Donc la reine n'était pas la femme de feu l'Empereur (sinon, elle aurait été appelée « impératrice », non ?). Quercusia était beaucoup trop jeune pour être la mère d'Apatura. Dès lors, quel pouvait bien être son rôle ? Peut-être était-elle une tante. Peut-être régnait-elle sur une partie du Royaume. Ou peut-être « reine » n'était-il qu'un titre honorifique, qui n'avait pas la même signification ici et dans le Monde analogue.

Le garçon se sentait ridicule. On ne l'avait pas promené par la main depuis au moins dix ans ! En plus, la paume de Quercusia était petite, glissante et glaciale – on aurait dit qu'elle venait d'être extirpée d'une avalanche...

Ils passèrent sous une arche. Deux gardes patibulaires claquèrent des talons et saluèrent Quercusia. Quelle que fût la signification de son titre, elle était connue dans le palais, conclut Henry. « Et crainte », ajouta-t-il dans son for intérieur, en fixant les gardes avec attention.

Pyrgus était à présent logé dans les appartements qu'occupait son père au moment du meurtre. Deux gardes en protégeaient l'accès. Ils s'empressèrent de saluer à leur tour Quercusia. Celle-ci poussa la porte. Henry entra. Pyrgus n'était pas là.

Le garçon se dégagea et alla jusqu'à la cheminée. Pour se donner une contenance, il examina les bibelots posés sur le manteau et s'arrêta devant une abeille tatouée sur... mais oui, sur de la peau humaine !

Henry se retourna vers son accompagnatrice. Elle le mettait mal à l'aise et, pourtant, elle lui souriait gentiment.

– Il va bientôt rentrer ? demanda-t-il.
– Qui ça ?
– Pyrgus.
– Pyrgus ne vit plus ici.

– Pardon ?

– Pyrgus ne vit plus ici.

Henry fronça les sourcils :

– Alors pourquoi m'avez-vous emmené dans cette pièce ?

– Tu voulais voir sa chambre, non ?

– Je... je me suis mal exprimé, excusez-moi, bredouilla le garçon. En réalité, je voulais voir Pyrgus.

– Ce n'est pas possible.

– P... pourquoi ?

– Il est en exil. À présent, c'est mon fils qui est empereur.

Elle papillota, comme si elle venait de s'éveiller d'un long sommeil. Puis elle fixa Henry et déclara d'un ton calme :

– Je vais te faire mettre au cachot. Tu es si *laid*...

Henry frissonna. Cette femme était dangereuse. Et pas normale. Elle ne tira aucune sonnette. Ne fit aucun geste. Ne poussa aucun cri. Pourtant, en un instant, la pièce se remplit d'hommes musculeux, et Quercusia ordonna :

– Jetez cet énergumène dans la pire cellule du donjon !

Ses yeux lançaient des étincelles. De l'écume couvrait ses lèvres. Son corps frémissait de colère.

– Oui, jetez-le dans le donjon, répéta-t-elle. Et après, détruisez la clef de sa geôle !

67

L'arbre ne ressemblait à aucun autre. Il avait un tronc énorme – digne d'un très vieux chêne ; et cependant, ses branches étaient frêles et imbriquées, à la manière d'un écheveau de laine en bataille.

M. Fogarty en fit deux fois le tour et ne repéra aucune ouverture. Sans doute la faute d'un sortilège d'illusion. Ou pas. Car le Gardien savait que si, à l'œil nu, le monde semble plein, au niveau microscopique, en revanche, la matière est essentiellement constituée de vide avec, çà et là, quelques atomes. La seule chose qui nous empêche de passer à travers notre siège quand nous nous asseyons dessus, c'est un champ de force électrique.

Peut-être que ces gens avaient trafiqué le champ de force du tronc, de manière à permettre aux soldats d'entrer dedans. Mais cela expliquait *comment*. Pas *pourquoi*. Or, pourquoi quelqu'un de sensé voudrait-il entrer dans un arbre ?

– À vous ! lança un soldat en uniforme vert au vieil homme.

Celui-ci s'engagea sans hésiter. La curiosité le titillait trop ! Il s'avança d'un pas vif vers l'endroit qu'on lui avait indiqué dans le tronc massif. L'atteignit. En sentit la rugueuse solidité. Et, néanmoins, passa au travers avec l'impression encore plus curieuse de franchir l'obstacle de biais.

Il se retrouva dans un tuyau en métal assez large pour qu'il pût étendre ses bras sans toucher les extrémités supérieures du cylindre. « Glissement dimensionnel, supposa M. Fogarty. Pas énorme. Juste ce qu'il faut pour laisser l'arbre intact. Quelle technologie fascinante ! » Ces inconnus étaient beaucoup plus sophistiqués que leur apparence ne le laissait imaginer !

Le vieil homme découvrit qu'il flottait. « Sortilèges de lévitation », comprit-il. Bientôt, il déboucha sur une vaste surface en bois, située dans les hauteurs des branchages. Le jeune soldat qui l'avait devancé – *la* jeune soldat*e*, corrigea M. Fogarty, étonné – lui tendit la main pour l'aider à retrouver son équilibre.

Et l'ex-Gardien n'en crut pas ses yeux.

Devant lui s'étendait un système complet de routes qui surplombait la canopée[1]. L'ensemble était invisible du sol. Mais, de là-haut, on voyait ces infrastructures serpenter entre les arbres. Les plus grandes artères étaient larges comme des autoroutes. Des sortes de nationales les desservaient, partaient de zones de chargement et de parkings, et reliaient entre eux des avenues, des rues et de simples chemins. L'ensemble paraissait immense. Suffisant pour qu'une armée y manœuvre. C'était un travail d'ingénierie colossal, construit avec un mélange de bois, de métal... et d'une autre matière que M. Fogarty n'avait jamais rencontrée auparavant.

Bleu observait le panorama avec une nonchalance et un détachement très étudiés. Mme Cardui et Pyrgus émergèrent quelques instants plus tard.

— Vous connaissiez cet endroit ? demanda l'ex-Gardien à la Femme peinte.

— Oh, oui ! Depuis un bout de temps...

— Vous ne m'en aviez jamais parlé, signala Holly Bleu, une pointe de reproche dans la voix.

— Tu n'avais pas besoin d'être au courant, ma chèèère, rétorqua Cynthia. Et puis, à mon âge, il faut toujours garder un petit secret. Ça rassure d'en savoir davantage, vois-tu...

M. Fogarty n'était pas certain que la Princesse fût d'accord avec son informatrice. Mais lui l'était.

— Qui sont ces gens ? s'enquit-il.

— On les surnomme les Fées sauvages.

— « Sauvages » ?

— Oui, on a longtemps cru que les habitants des bois étaient peu évolués. On les prenait – et on les prend encore – pour des aborigènes primitifs. En réalité, ce sont les rois du camouflage ! Ils ont leur propre culture, leur propre structure sociale, leur propre système de gouvernement, leurs propres forces d'autodéfense...

— Et ils sont plutôt Fées de la Nuit, ou Fées de la Lumière ?

— La distinction ne s'applique pas chez les Fées de la Forêt. Ils ne font allégeance à personne. Désolée, Pyrgus...

Le Prince était en extase :

— Ces routes, c'est extraordinaire... Pour une armée, impeccable !

---

1. La canopée désigne les feuillages situés au sommet des arbres. *(N.d.T.)*

M. Fogarty sourit en entendant sa pensée dans la bouche du jeune homme.

– À quoi ressemblent leurs villes ? s'enquit l'ex-Gardien.

– Ils n'en ont pas, expliqua Mme Cardui. Ce sont des nomades. Ils ne supporteraient pas de vivre dans des cités comme les nôtres. Ils se regroupent en petites communautés et résident dans les arbres.

Un soldat en uniforme s'approcha de la Femme peinte et lui murmura quelques mots à l'oreille.

– On nous attend, mes cheeers, annonça-t-elle.

– Qui ça, « on » ? s'inquiéta M. Fogarty.

– La Reine, bien sûr !

68

Mme Sulfurique insista pour préparer le repas elle-même. Et seule.

Silas, qui s'attendait au pire, sentit ses soupçons s'accentuer. Sa femme allait tenter de l'empoisonner dès leur nuit de noces ! Aucun sens du crime parfait. La logique aurait consisté à attendre quelques semaines. Mais la logique de la vieille échappait à son époux : si elle tuait ses maris pour récupérer leur argent, pourquoi l'avait-elle épousé, lui qui était censé être pauvre ? Oh, il ne portait pas mal son âge ; toutefois, il était assez lucide pour ne pas se considérer comme un séduisant jeune premier...

Aussi Maura avait-elle à peine fermé la porte de la cuisine qu'il repoussait le battant et murmurait :

— Je peux t'aider, très chère ?

— Non, non, non ! Ce n'est pas la place d'un homme, ici ! Pas la place de *mon* homme, en tout cas ! Installe-toi donc au salon, prends un bon livre et attends-moi. Je te prépare un plat si succulent que tu n'en reviendras pas ! Oh, il est fini le temps du gruau, Silas ! Bien fini ! Allons, file, gros gourmand, ou je ne serai pas prête à l'heure !

Sulfurique battit en retraite. Il aurait pu la tuer tout de suite. L'idée ne le séduisait pas. Elle avait un frère ; donc il allait falloir simuler un accident. Ce qui réclamait un minimum de préparatifs.

Même s'il n'aimait pas qu'on le traitât de « gros gourmand ».

Par chance, la vieille était une radine finie. Et les poisons les plus discrets étaient chers. De sorte qu'elle s'était sans doute contentée d'acquérir un poison grossier que Silas, en fin connaisseur de l'art de l'assassinat, devrait réussir à détecter sans trop de problèmes.

Il s'installa au salon en ruminant ses pensées, s'empara d'un livre et feignit de lire. Lorsque sa femme l'appela, il s'était presque assoupi.

– C'est prê-ê-êt ! chantonna-t-elle de la cuisine. J'ai dressé la table. J'espère que ça va te plaire...

Sulfurique la rejoignit.

– Assieds-toi ! s'exclama-t-elle, toute guillerette. Assieds-toi !

Et elle lui désigna un siège devant lequel était posée une horreur. Couleur : fond verdâtre, dessus grisâtre, taches blanchâtres. Consistance apparente : gelée avec grumeaux mous sur une espèce de bout de plastique vert. Conclusion : un chat avait dû vomir sur une feuille de salade.

– Je ne reconnais pas cette merveille, souffla Silas, le ventre noué.

– Mousse de poisson couché sur son lit d'algues ! déclara sa femme en s'asseyant avec une moue modeste mais fière. Je n'enlève pas la peau, c'est très nourrissant.

Sulfurique regrettait déjà l'époque du gruau. Il hésita. S'il ingurgitait cela, il risquait d'être malade. À en mourir ? Pas sûr...

– Tu ne t'es pas servie beaucoup, fit-il observer pour gagner du temps.

– Tu en auras plus pour toi !

– Ça ne marche pas ainsi, très chère : tu t'es démenée pour préparer ce... cette... enfin, ce qu'il y a là, à toi la part du roi !

Et il versa une grosse partie de son plat dans l'assiette de son épouse.

Celle-ci parut surprise. Sulfurique se réjouit : si la vieille avait tenté de l'empoisonner, elle allait s'en repentir !

– Eh bien, merci, Silas, dit-elle simplement. C'est très aimable à toi...

Elle piocha dans la partie que son mari lui avait donnée et porta la fourchette à sa bouche. Sulfurique l'imita... et constata, déconcerté, que c'était tout à fait mangeable. Voire exquis.

En plat principal, la vieille avait cuit un rôti de porc pile comme Silas l'aimait : grillé autour, tendre à l'intérieur, avec des herbes aromatiques en abondance. Mais la méfiance n'avait pas quitté Sulfurique. Et il ne lâchait pas des yeux le couteau de boucher que son épouse avait saisi l'air de rien.

– Une petite tranche ? demanda-t-elle.

Elle entama le rôti sans attendre sa réponse.

– Je préférerais un morceau de l'autre côté ! intervint Silas. C'est moins cuit...

– Comme tu voudras !

175

Elle finit de découper la tranche qu'elle avait entamée et la déposa dans son assiette à elle. Donc le rôti n'était pas empoisonné...

– Je te rajoute du grillé ? proposa-t-elle. Je ne peux pas en manger moi-même : je ne le digère pas...

Le poison était dans le grillé ! Il aurait dû s'en douter !

– Moi non plus, je ne le supporte pas, affirma-t-il.

Il adorait le grillé ; mais pas au point de risquer la mort.

– Tu mangeras quelques légumes ?

– Seulement si tu en prends.

– Pour sûr, j'en prends ! J'ai préparé des pommes de terre, des carottes, des sinderacks* à la menthe et des petits pois. De la nourriture saine n'a jamais fait de mal à personne...

Une pensée traversa l'esprit de Sulfurique tandis qu'il contemplait son assiette que la vieille remplissait. Peut-être s'était-elle servie d'un poison spécial dont elle avait avalé l'antidote au préalable. Toutefois, c'était peu probable. La vieille était trop bête.

– On porte un toast ? lança-t-elle en désignant un verre de vin qu'elle lui avait versé sans qu'il s'en aperçût.

Zut ! Elle avait profité d'une seconde d'inattention pour lui préparer un verre empoisonné.

– Euh... Pourquoi pas ? répondit-il en s'emparant du verre, les doigts tremblants.

– Alors, à notre nouvelle vie !

– À notre nouvelle vie !

Il trinqua avec son épouse... et en profita pour renverser le vin sur la nappe.

– Oh, je suis d'une maladresse ! gémit-il. Laisse-moi une seconde, je vais me resservir.

Il se mit debout et tendit la main vers la bouteille. Là où son vin s'était renversé, la nappe fumait. Bientôt, il y eut un trou dans le tissu *et* dans la table en chêne massif.

– C'est... c'est très curieux, murmura Mme Sulfurique, décomposée.

– N'est-ce pas ? siffla son mari. Allons, à notre nouvelle vie quand même !

Et, la bouteille bien en main, il fracassa le crâne de son épouse, qui tomba comme une pierre.

69

Le transporteur était un grand radeau de bois qui flottait à un mètre au-dessus de la route. Il gîta légèrement lorsque Pyrgus marcha dessus. Un garde en uniforme vert tenait la seule manette de contrôle. Les passagers, essentiellement des soldats, étaient serrés les uns contre les autres.

— En avant ! cria le chauffeur.

L'instant d'après, Pyrgus se sentit projeté en arrière. L'appareil venait de passer à la vitesse *très* supérieure. Le Prince remarqua que les autres voyageurs s'étaient tous penchés pour éviter de subir le contrecoup de l'accélération. Il trouva son équilibre, même si, dans sa tête, les idées se mêlaient dans une grande confusion.

Il s'était passé tant d'événements en si peu de temps. Le coup de force de Noctifer. L'apparition de son père. Sa propre destitution. L'ordonnance. L'auto-proclamation de Comma. Son exil, aux côtés de Bleu et du Gardien-qui-n'était-plus-Gardien. L'attaque de l'ouklo impérial. Qui avait été commanditée par les Fées de la Forêt et non par Noctifer. Ce qui pouvait se révéler être une bonne nouvelle. À moins que... Non, au fond, il n'en savait rien. Et il ignorait aussi ce que venait faire Mme Cardui dans cette histoire.

Quelqu'un tapa sur l'épaule du Prince. C'était la fille qui l'avait assommé sur le capot de l'ouklo.

Elle était toujours aussi splendide.

— Je voulais m'excuser pour tout à l'heure, dit-elle. Je ne savais pas que tu étais Prince.

— P... pas... pas grave, parvint à grommeler Pyrgus.

— J'espère. Mais quand tu m'as attaquée avec une dague, j'étais obligée de réagir.

— Hon, hon...

— Bon, ben voilà ce que j'avais à dire, conclut la fille en se détournant.

– ATTENDS ! cria le Prince trop fort. C... comment tu t'appelles ?

– Nymphalis Antiopa. *Alias* Nymphe pour les intimes.

– Euh... Moi, c'est Pyrgus.

Il était fasciné par Nymphalis. L'uniforme vert lui allait bien. Il ne lui donnait pas le moins du monde une apparence masculine. D'ailleurs, rien n'aurait pu la rendre masculine. Non. La tenue lui donnait plutôt un côté... élégant. Mais Nymphalis était si belle que, même revêtue d'un sac, elle aurait paru élégante.

Il eut soudain envie de parler pour la retenir :

– Les coups de genou et de matraque... je comprends... à la guerre comme à la guerre, hein...

Elle lui sourit. Il se demanda si elle était soldate de métier. Et si elle avait un petit copain.

– Tu as un petit cop..., commença-t-il. Je veux dire, pourquoi vous avez attaqué l'ouklo ? Vous avez plutôt l'air de gens normaux, par rapport à ce qu'on raconte...

Elle fronça les sourcils :

– Tu ne crois quand même pas ces vieilles rumeurs selon lesquelles nous autres, Fées de la Forêt, ne sommes qu'un ramassis de brigands !

– Non, bien sûr, je n'ai jamais cru ces racontars ! prétendit Pyrgus. Mais pourquoi nous avoir attaqués ?

– Parce que...

Le transporteur vibra puis s'arrêta. Nymphalis eut une moue amusée :

– Ah, désolée, on est arrivés !

Et elle sauta hors du véhicule.

70

Le donjon, Henry connaissait. C'est là qu'il avait tenté de voler à la rescousse de M. Fogarty, quand on avait jeté le vieillard en prison pour avoir assassiné l'Empereur pourpre.

La cellule de son ami était exiguë et peu confortable. Elle aurait paru luxueuse, pourtant, comparée à celle où le garçon se trouvait. On l'avait enfermé dans un cachot souterrain minuscule qui empestait l'urine à plein nez. Par terre, des pavés et, dans un coin, un trou repoussant faisant office de toilettes. Les murs aussi étaient en pierres énormes. Il n'y avait pas de fenêtre. Pas de bouche d'aération. Une faible lueur émanait d'un chétif flambeau dont la petite flamme semblait près de s'éteindre au premier courant d'air.

La porte était extraordinaire. Elle mesurait un pied de large et avait été sculptée dans un roc massif avant d'être renforcée par des barres de métal gigantesques. « Idéal pour enfermer les tyrannosaures rex », songea Henry. Le battant était protégé par un sortilège qui émettait un crissement strident (on aurait dit des ongles rayant un tableau noir) lorsque le garçon s'en approchait.

Henry ne pensait pas que ses gardiens avaient détruit la clef de sa cellule. Cependant, il se doutait qu'il ne reverrait pas le soleil de sitôt. « J'espère qu'on me nourrira d'ici là », songea-t-il.

Il s'assit contre un mur et tâcha de réfléchir. Qu'était-il arrivé à Bleu et à Pyrgus ? Et d'où diable sortait cette Quercusia ? Il devait trouver un moyen de contacter ses amis pour éclaircir ce malentendu et s'enfuir. Les soldats qui l'avaient jeté ici avaient refusé de répondre à ses questions. Mais s'il était vraiment ingénieux, il découvrirait peut-être tout seul une idée pour creuser un tunnel, désactiver le sortilège ou assommer les gardiens...

Il allait devoir être très, très ingénieux. Voire plus. Car il n'y avait pas de meuble. Pas de table. Pas de chaise. Pas même de matelas. Juste une couverture miteuse en tas dans un coin.

Étrange. Il n'avait pas de matelas, mais il avait droit à une couverture... Intrigué, il s'approcha.

Ce n'était pas une couverture.

C'était un endolg.

– Tu n'as pas de gens plus intéressants à espionner ? lança Henry.

L'endolg grogna :

– Je n'espionnais pas. Je dormais. J'étais au beau milieu d'un rêve délicieux. Tu aurais pu me laisser en profiter.

La créature se redressa et souffla :

– Tiens-tiens, Henry ! Salut, Henry ! Monsieur le Chevalier de la Dague grise... Drôle d'endroit pour rencontrer une Lame Illustre !

– On... on se connaît ?

– On s'est rencontrés une fois... Le jour où tu as voulu rendre visite à ton copain, dans sa cellule.

– C'est toi qui m'as dénoncé ?

– C'est moi qui ai détecté ton mensonge, oui. Je faisais mon travail.

– Et maintenant, tu m'espionnes ?

Henry ne voyait pas pourquoi on souhaitait l'espionner. Ni ce qu'il fichait là.

L'endolg émit un gargouillement qui pouvait passer pour un rire :

– Ha ! La jeunesse ne voit pas plus loin que le bout de son nombril, n'est-ce pas ? Eh bien non, figure-toi, je ne suis pas là à cause de toi, ni pour te surveiller. La vieille chouette a juste exigé qu'on me jette dans la pire cellule du donjon.

– Pourquoi ?

– Parce que, Henry. Juste par-ce-que. Avec cette chauve-souris sans cervelle, tous les prétextes sont bons : la texture de mon pelage lui déplaît, la couleur de mes yeux ne lui convient pas, n'importe quoi ! Je parie que, dans un mois, les cachots seront pleins, et la prison d'Asloght aussi. Comma a commis un crime terrible pour le Royaume quand il a libéré cette siphonnée...

– Comma a libéré *qui* ?

– Attends... Tu débarques ?

– Oui, excuse-moi, j'ai été absent pratiquement depuis le jour où nous nous sommes rencontrés. Tu pourrais m'expliquer ce qui se passe, s'il te plaît ?

La créature parut hésiter. Puis elle se décida :

– Bon, où veux-tu que je commence ?

71

Pyrgus se frottait les yeux. Le spectacle était incroyable.

Près d'un millier de fées étaient arrivées dans la clairière de la forêt ; et il en arrivait autant à chaque minute qui passait. Elles apparaissaient de chaque arbre comme, plus tôt, le Prince et ses compagnons de voyage. Le sortilège qui permettait une telle performance était sans doute lié à la technologie de translation qu'utilisaient les portails. Sauf que ce type de portail ne faisait pas passer dans une autre dimension. Juste *à travers* un arbre.

Impressionnant. À sa connaissance, le meilleur sorcier halek★ en aurait été incapable. Il se demanda comment les Fées de la Forêt y parvenaient, elles.

Une nouvelle idée brouilla la précédente : il se dit que, avec un sortilège aussi puissant, aucun palais n'était à l'abri. Avec de tels portails, on pouvait passer à travers n'importe quelle muraille, si haute et si épaisse fût-elle.

Les fées s'organisaient en rangs d'oignons, bien que certaines ne fussent pas en uniforme vert treillis. Peut-être étaient-ce des soldats en permission ce jour-là. Ou alors ces fées avaient une aptitude naturelle à la discipline et à l'organisation, soldats de métier ou non.

Pyrgus se retourna pour poser la question à Nymphe. Elle avait disparu. Mme Cardui aussi.

– Vous avez deviné leur secret ? chuchota-t-il à l'oreille de M. Fogarty.

– Non. Mais je donnerais cher pour le connaître.

À son tour, Holly Bleu prit la parole :

– Pyrgus, qu'est-ce qui est arrivé à...

Elle s'interrompit. Car, dans la clairière, le silence était soudain retombé. Les têtes s'étaient tournées vers l'un des sentiers forestiers. Dans le lointain, des cloches sonnaient.

Deux hommes à cheval fendirent les flots de la foule, qui reflua de chaque côté du sentier. Pyrgus, Bleu et M. Fogarty se retrouvèrent au premier rang. Ils se regardèrent, mais décidèrent de ne pas bouger. Au moins, ils seraient plus près du spectacle. Et, s'ils gênaient, on ne se gênerait pas pour les en informer.

Un détachement des archers à cheval s'approcha du sentier. Leur armement paraissait basique. Toutefois, Pyrgus avait appris à se méfier des apparences. Pas impossible que les flèches de ces soldats fussent ensorcelées. Comme l'éclair elfique qui avait tué le chauffeur : il avait probablement bénéficié du sortilège qui leur avait permis de passer à travers l'arbre. Voilà pourquoi il avait franchi la barrière de l'argent adamantin ! Ces archers étaient capables de tirer à travers les armures les plus solides. Hallucinant...

Le bruit des cloches était plus proche, à présent. Des cavaliers en masse, la mine grave, le port solennel, suivaient les archers.

– Ils se servent de chevaux ! murmura Pyrgus, étonné. Ils ont des disques volants et des sortilèges de lévitation, et ils montent quand même à cheval !

– C'est plus pratique dans la forêt, expliqua M. Fogarty à voix basse. Un cheval évite spontanément les obstacles. Dans les fourrés, il doit être plus rapide qu'un disque volant.

Les archers entrèrent dans la clairière et s'écartèrent pour former un cercle... autour des trois nouveaux venus. Sans être vraiment inquiet, Pyrgus n'était pas très rassuré non plus.

L'étrange procession continua. Des cavaliers arrivaient en nombre, entourés de fantassins qui levaient les bras au ciel et les agitaient sans effrayer le moins du monde les chevaux. Tous étaient costumés. Ils portaient un curieux assortiment de vêtements qui avaient dû être à la mode cinq siècles plus tôt. Prédominaient les chapeaux pointus et les chaussures effilées.

– Oooh ! lâcha M. Fogarty. C'est la Chasse sauvage !

– La quoi ? demanda Pyrgus dans un souffle.

– La Chasse sauvage. Une vieille superstition du Monde analogue. Enfin, je croyais qu'il s'agissait d'une superstition. Au Moyen Âge, on racontait que, certaines nuits, des sorcières et des êtres surnaturels erraient dans la forêt pour traquer des... des âmes, j'imagine. On appelait ça la Chasse sauvage, ou la Chasse Féerique. La légende existe aussi chez vous, apparemment : je reconnais les costumes – les chapeaux pointus – et les acteurs – les archers, les cavaliers et, devant, les femmes.

Pyrgus s'aperçut que, en effet, c'était une femme qui menait le bal. Comment avait-il pu ne pas la remarquer jusqu'alors ? C'était la créature la plus étrange qui fût. Elle était vêtue en grande partie de vert (elle portait un manteau en fourrure sur une tunique lâche et des hauts-de-chausse serrés) ; dans ses cheveux verts courait une guirlande de petites fleurs sauvages ; même sa peau était maquillée de vert, ce qui sertissait à merveille ses yeux dorés. Derrière elle, chevauchait un homme vert, muni d'un arc impressionnant qu'il portait sur son dos. L'archer était torse nu sous son manteau entrebâillé, qui dévoilait un poitrail puissamment musclé. Ses yeux étaient presque noirs et sa chevelure d'un blond doré.

La femme chevaucha droit vers Pyrgus, s'arrêta quelques foulées plus loin, sauta à terre d'un bond gracieux et revint vers le jeune homme.

– Prince Pyrgus Malvae, je me présente : je suis la reine Cléopâtre, déclara-t-elle, les yeux rivés sur le jeune homme. Et voici mon époux, Gonepterix.

L'archer qui la suivait hocha la tête, le visage attentif mais ferme.

– Vous êtes la reine... Cléopâtre ? répéta M. Fogarty, incrédule.

– Oui, répondit la femme avec un sourire. Aussi vrai que vous êtes Alan Fogarty, le Gardien du Monde analogue dont m'a parlé la Femme peinte.

« La reine Cléopâtre ? » Pyrgus n'en revenait pas. « Mais reine de quoi ? et d'où ? » Il ne connaissait donc rien aux Fées de la Forêt ! Il ne savait pas qu'elles avaient une reine, ni qu'elles avaient construit un réseau de routes au-dessus des arbres, ni qu'elles pouvaient franchir les parois les plus solides, ni qu'elles vivaient à l'intérieur des arbres, ni qu'elles étaient aussi nombreuses et aussi civilisées. Ces gens habitaient le Royaume des Fées ; et cependant, c'est comme s'ils avaient habité une autre planète.

– Je suis venue vous souhaiter la bienvenue, Prince, annonça Cléopâtre, ainsi qu'à votre sœur...

– Je suis la Princesse Holly Bleu, annonça la jeune fille en s'avançant.

Jusque-là, M. Fogarty l'avait dissimulée à la vue de la Reine.

– La Femme peinte m'a beaucoup parlé de toi, dit Cléopâtre d'une voix chaleureuse. Encore plus que du Gardien, ce qui n'est pas peu dire !

– Et où est-elle passée ?

– Elle nous a devancés. Elle nous attend dans la Grande Salle. Allons donc la rejoindre, voulez-vous ?

– Je monte pas à cheval, prévint M. Fogarty en observant avec méfiance la monture de la Reine.

La Reine parut surprise. Puis elle se remit à sourire :

– Pour vous rendre à la Grande Salle ? Oh, ce n'est pas la peine, Gardien. Elle est beaucoup plus proche que vous ne pensez...

72

— Je sais que Pyrgus a été exilé, résuma Henry à l'endolg. Et Holly Bleu ? Et M. Fogarty ?

— La Princesse et le Gardien ? Ils sont partis avec Pyrgus. Ordre de l'Empereur.

— « L'Empereur » ? Quel empereur ?

— Le seul et l'unique Apatura Iris.

Henry ouvrit de grands yeux.

— Apatura est *mort*, rappela-t-il.

— Hum, de nos jours, on croit que les gens meurent, et puis vlan ! ils réapparaissent.

— Pas quand ils ont pris une balle en pleine tête...

— Si, ça arrive.

— ... et à bout portant.

— Henry, Apatura est vivant. Pas fringant-fringant, on ne peut pas aller jusque-là, mais vivant, ça, oui. Je l'ai vu de mes yeux.

— Quand ?

— Y a quelques jours. Avant que la hyène disjonctée me punisse.

Henry ne savait plus que penser. La créature lui racontait-elle des histoires ? Son interlocuteur devina son trouble :

— Tu doutes de moi, hein ? Pourtant, tu devrais savoir que nous autres, endolgs, sommes incapables de mentir. Il manque soixante-huit cellules à notre cerveau. Ça n'a pas l'air beaucoup, sur les milliards qu'il contient au total ; et pourtant, c'est suffisant pour nous empêcher de mentir. Quand nous affirmons quelque chose, tu peux t'y fier. Si nous avons le moindre doute, nous précisons « peut-être », « il me semble que » ou « à ce qu'on raconte », etc. Par contre, si l'un de nous te dit : « J'ai vu l'Empereur il y a quelques jours, dans le palais, et il était vivant », crois-le : il a vu l'Empereur, et celui-ci est vivant.

— J'ai du mal à le croire, avoua le garçon.

Même dans le Monde analogue, qui semblait scientifiquement plus développé que le Royaume sur de nombreux aspects, les gens mouraient, et les médecins étaient impuissants à les ressusciter. Certains proposaient bien de décapiter les grands malades pour les mettre au congélateur en attendant qu'on trouve une solution pour eux, mais Henry pensait qu'il s'agissait de charlatans. Et il n'était pas le seul.

— C'est Comma qui gouverne, maintenant ? demanda-t-il afin de changer de sujet.

— Il s'y prépare, en tout cas. Il doit encore être couronné Empereur héritier (et Catastrophe nationale en même temps). Une affaire de jours, sans doute.

— Et il a fait sortir sa mère ?

— De l'aile Ouest du palais, en effet. On la retenait là-bas depuis des années.

— Sa mère s'appelle Quercusia, n'est-ce pas ?

— Oui.

— Pourquoi était-elle enfermée ?

— Parce qu'elle est folle. Folle à lier. Comme tout le monde, dans sa famille.

— Comme qui d'autre, par exemple ?

— Ben, le frère de Quercusia, par exemple, *alias* Lord Noctifer !

73

« **L**a Révolution des wangarami, annonça Cyril dans l'esprit de Jasper Blafardos, pourrait bien être l'événement politique le plus important de la vie du Royaume depuis, hum, au moins cinq siècles. Certes, d'aucuns objecteront... »

« Viens-en au fait, veux-tu ? » le coupa Jasper.

Il s'était habitué à vivre avec un ver parlant. Par moments, il trouvait même presque agréable d'avoir toujours quelqu'un à qui parler. Mais le vyr avait tendance à abuser.

« Oui, tu as raison, reconnut Cyril, cela vaudra mieux car le temps, c'est le nerf de la guerre. Le Royaume est dans un triste état, nous sommes d'accord, n'est-ce pas – non, inutile de me répondre, j'ai une vision d'ensemble sur tes pensées, et je *sais* que tu es du même avis que moi. Or, la Révolution wangaramas est la meilleure façon de tout remettre en ordre de marche. »

« Et si tu me disais en quoi elle consiste ? »

« J'y venais, Jasper, j'y venais. Tu es si impatient ! Tu n'es pas sans avoir entendu parler du grand penseur politique wangaramas appelé Munchen, selon lequel... »

Blafardos en avait assez. Il tendit la main vers la sonnette de la clinique.

« Non, non, non ! glapit le vyr. Attends ! Je te mets rapidement le marché en main et tu décideras en connaissance de cause. Nous, wangarami, sommes l'espèce la plus intelligente sur cette planète depuis près de trois millions d'années. Maints philosophes wangarami se sont débattus avec cette évidence pendant des générations, élaborant, examinant, rejetant force théories qui – NE TOUCHE PAS CETTE SONNETTE ! Un vyrologue contemporain a affirmé que... »

« On arrête, déclara Jasper. Je suis sûr que les philosophes wangarami sont passionnants, et t'écouter parler d'eux ne manquerait certainement pas de charme. Hélas, cher Cyril, j'ai d'autres projets pour la suite de mon existence, et tu n'entres pas dedans. Par conséquent, et malgré les sentiments qui ont pu exister entre nous – ne vois surtout rien de personnel dans mes intentions –, je ne reculerai pas davantage notre divorce. Je demanderai à ce qu'il ne te soit fait aucun mal, évidemment. Je n'aime pas que mes amis souffrent. Quant à ce qui t'arrivera après, je ne suis pas inquiet pour toi. Tu as longtemps réussi à te débrouiller sans moi. Et puis, tu es si intelligent, tu trouveras sans doute un moyen pour... »

« Nous ferons de toi le nouvel Empereur pourpre ! » promit Cyril.

Le bras de Blafardos se figea.

Mais, cette fois, le vyr n'y était pour rien.

– La sœur de Lord Noctifer ? s'exclama Henry. Voyons, pourquoi l'Empereur pourpre aurait-il épousé la sœur de ce monstre ? Il avait perdu la tête ou quoi ? Elle est pas mal, d'accord... mais de là à épouser une Fée de la Nuit !

L'endolg frissonna, comme s'il avait haussé une épaule :

– C'est parce qu'elle est une Fée de la Nuit qu'il l'a épousée. Et aussi parce qu'elle est la sœur de Black Noctifer. On appelle ça de la politique. Apatura Iris pensait qu'un mariage arrangé avec un membre de la famille de Noctifer rapprocherait les deux camps de la Nuit et de la Lumière. Pour un tel exploit, ça valait la peine d'épouser une plaie dans le genre de Quercusia. Surtout qu'Apatura ignorait à l'époque que sa promise était siphonnée.

« Mauvaise nouvelle », pensa Henry. Très mauvaise nouvelle. Très, très mauvaise nouvelle. Il se passait dans le Royaume des événements improbables et qui convergeaient tous vers le même point : la victoire des Fées de la Nuit, donc l'éviction de Pyrgus et de Holly Bleu. Et de M. Fogarty, tant qu'on y était.

La bonne nouvelle, quand même, c'est que les exilés semblaient encore en vie, bien que leur tête n'eût tenu qu'à un fil. Henry avait son rôle à jouer, à présent. Il pensait à la vision qu'il avait eue : ses trois amis gisant dans une forêt.

– Il doit y avoir une façon de sortir de cette cellule, déclara Henry à voix haute, comme pour essayer d'y croire lui-même.

– Évidemment qu'il y en a une ! répondit l'endolg.

« Chtoc-chtoc-chtoc », faisait le corps de sa défunte épouse, tandis que Sulfurique le traînait hors de la maison. Il était léger comme une plume ; et Silas avait le cœur content.

Oh, le beau meurtre que ç'avait été ! Le meurtre parfait. Tout simplement. Rien à voir avec l'amateurisme de la vieille. Penser qu'elle en avait tué cinq avec son débouche-canalisation dans le vin ! Sulfurique se mit à rire : ces imbéciles n'avaient pas mérité de vivre.

Allons, il ne lui restait plus qu'à finir le travail. Alentour, pas âme qui vive. Si quelqu'un approchait, les corbeaux l'avertiraient.

Dans le jardin, Sulfurique contempla sa nouvelle demeure avec gourmandise. Plus tard, il examinerait l'intérieur afin d'évaluer avec précision le prix qu'il pourrait en demander. Pour le moment, il avait juste besoin d'une pelle. Si la bouteille de vin à l'acide avait été plus remplie, il aurait pu dissoudre le corps dans la baignoire, quitte à dissoudre aussi la baignoire tant le poison semblait puissant. Mais le liquide manquait. À croire que l'acide l'avait dissous lui aussi !

Il allait devoir se conformer à la tradition : creuser une fosse, la dissimuler, et ne pas oublier de planter un pieu dans le cœur du cadavre, histoire d'éviter qu'on ne réveillât le corps avant que la dépouille ne fût putréfiée.

Il trouva ce qu'il cherchait dans la cabane du jardin. Attrapa feu sa femme par les cheveux. Et l'attira dans les bois vers sa dernière demeure.

76

– **P**... pardon ? bégaya Henry.

L'endolg était en train de grimper à un mur. Il s'immobilisa. On aurait dit une tapisserie vieillotte.

– Il y a une façon de sortir de ce cachot puant, reprit-il.

Henry comprit la plaisanterie :

– Oui ! J'aurais dû y penser avant ! Par la porte, bien sûr. Dommage qu'ils aient oublié de nous donner la clef.

– Ha-ha, très drôle, lâcha la créature en fermant les yeux. Mais ce n'est pas la peine de jouer au petit malin. Je pensais que tu posais une question sérieuse.

– Excuse-moi... Tu étais sérieux ?

L'endolg grogna. Henry décida qu'il avait acquiescé.

– Alors, comment ? s'écria-t-il.

– Non, non... Je n'en ai pas envie. Nous autres, endolgs, n'aimons pas trop qu'on se fiche de nous.

– Écoute, je me suis excusé. Je ne voulais pas te fâcher. Je suis désolé. Je te demande pardon.

– Trop facile...

– Essaie de comprendre : tu étais là avant moi. Je pensais que s'il avait existé un moyen de sortir d'ici, tu l'aurais utilisé. Je suis navré. Je me repens. Je regrette. Je...

Henry ouvrit la bouche. Et ne pipa mot : il avait épuisé tous les synonymes qui lui venaient à l'esprit.

– J'ai dit qu'il existait une façon de sortir d'ici, déclara enfin la créature.

– Oui...

– Pas que *je pouvais* sortir d'ici. Tu sens la nuance ? Cependant, je pense que, toi, tu es assez fort pour y arriver. Tu m'as l'air d'un garçon vigoureux. Ironique mais vigoureux.

Henry mobilisa ses superpouvoirs de supercalme pour ne pas exploser de superimpatience.

– Alors, tu racontes ? supplia-t-il. S'il te plaît. Allez, quoi !

Tu m'as bien aidé, jusqu'à présent, en m'apprenant ce qui s'était passé en mon absence. Tu ne vas pas t'arrêter maintenant.

– Et pourquoi pas ?

– Parce que... parce que, si tu m'aides et que tu ne puisses pas me suivre, je te prendrai avec moi.

– Tu ferais ça ?

– Je te le promets.

L'endolg se plissa : il paraissait réfléchir.

Henry se sentit oppressé. Lorsqu'il était entré dans cette cellule, il était presque résigné. Il espérait s'échapper, mais l'idée de rester confiné entre ces quatre murs et ce plafond bas ne lui donnait pas l'impression d'étouffer. Désormais, il savait que la sortie était (peut-être) proche ; et il manquait d'air. Vite, il voulait fuir.

– Nous sommes dans l'un des plus vieux donjons du palais. On n'y a pas effectué les moindres travaux, révéla la créature d'un ton las. Or, déjà, à l'époque de sa construction, il n'était pas parfait-parfait... Tu vois ce petit trou dans le sol ?

Henry suivit le regard de l'endolg, qui lui montrait les toilettes improvisées. Son estomac se noua.

– Oui...

– Il y a une grille, autour. Elle se soulève si on tire dessus.

– Elle mesure un bon mètre de diamètre. Elle est trop lourde pour moi.

– Non, le socle n'est pas convenablement scellé. Tu peux l'ôter, Henry.

– Qu'y a-t-il en dessous ?

– Un tuyau. Un peu boueux, un peu étroit, mais tu devrais réussir à t'y faufiler.

Henry grimaça :

– Je *devrais* ?

– Ce n'est que mon avis, expliqua l'endolg avec une pointe d'agacement dans la voix. Tu n'as qu'à soulever la grille, et tu verras.

– D'accord. Je te crois. Où mène ce tuyau ?

– D'après moi, dans les égouts du Palais pourpre. Ce n'est pas une certitude. J'ai juste vu une fois un plan de l'ensemble des réseaux souterrains.

– Et les égouts ? Ils sont assez grands pour que je m'y déplace ?

L'endolg émit une sorte de gloussement :

— De ce côté-là, aucune inquiétude ! Ils sont énormes. Gigantesques. Monstrueux, pour tout dire. Et leur puanteur est à l'avenant.

Henry se raidit d'avance.

— Que se passera-t-il si nous n'arrivons pas à sortir des égouts ? s'enquit-il.

— Fais-moi confiance, je resterai avec toi.

— Merci.

— C'est surtout que je ne veux pas affronter seul les rats d'égout, expliqua l'endolg.

Le garçon frissonna. En général, il aimait les animaux, mais il n'avait jamais éprouvé une franche affection pour les rongeurs. Les rats notamment lui donnaient la chair de poule.

— Ils sont gros ? demanda-t-il d'une petite voix.

— Plus que ça. On raconte qu'ils peuvent atteindre la taille d'un cheval. Peut-être est-ce exagéré. Avec un peu de chance, on ne croisera pas leur route, et ils nous laisseront tranquilles. Et même si on en rencontre, ça vaut toujours mieux que de moisir ici, non ?

— Euh... Si tu le dis...

— Eh bien, qu'attends-tu pour soulever la grille ?

Henry s'approcha du trou. Immonde. Les remugles[1] étaient suffocants. Personne n'avait nettoyé les toilettes depuis des années. Ou des siècles. La grille était donc ornée d'incrustations fécales accumulées par des générations de prisonniers peu soigneux.

— Tu... tu pourrais pas t'en charger toi-même ? vérifia le garçon.

— Non. Les endolgs sont très intelligents, mais notre puissance musculaire est limitée.

— J'ai pas de gants, murmura Henry.

La créature siffla :

— C'est pas vrai ! Mais c'est pas vrai ! Sur les vingt millions d'habitants du Royaume, il a fallu que je tombe sur une petite nature !

— Je ne suis pas une...

---

1. Un remugle est une odeur forte et désagréable, souvent liée à la moisissure et au renfermé. (*N.d.T.*)

– Une chochotte !

– Je ne...

– Une poule mouillée !

– Oh, ça va...

Henry inspira à fond, ferma les yeux, saisit la grille à pleines mains (BEURK !) et tira dessus. Un coup. Deux coups. La plaque bougea d'un demi-centimètre.

– Tire plus verticalement, conseilla l'endolg. Tu tires trop de côté.

– Comment tu t'appelles ? demanda soudain le garçon.

– Flipflop. Pourquoi ?

– La ferme, Flipflop.

Henry s'arc-bouta et reprit son effort.

– Sers-toi de tes jambes ! intervint l'endolg. Tu travailles trop avec tes bras. Ta force doit monter de tes cuisses à la colonne vertébrale, pas de...

– LA FERME !

– Oh, moi, ce que j'en dis, c'est pour t'aider, grommela Flipflop.

Henry tira de nouveau par à-coups. Au début, il crut que la grille ne se soulèverait jamais assez. Puis il sentit que les résistances cédaient. Il poussa un dernier « haaan » en jetant ses ultimes forces dans la bataille... et put pousser la plaque de côté.

Dégoûté, il jeta un œil dans le trou puant qui béait devant lui.

– Je rentrerai jamais là-dedans, grogna-t-il.

– Dans ce cas, je passe le premier, proposa l'endolg en s'avançant. Comme ça, au moins, l'un de nous aura une chance de s'échapper !

77

La Grande Salle portait mal son nom. Elle était immense.

Et M. Fogarty n'avait aucune idée sur la manière dont ils s'y étaient rendus. Il éprouvait une admiration grandissante pour ces Fées de la Forêt. Elles avaient toujours un tour de magie dans leur manche dont nul ne les aurait crues capables. En plus, comment ne pas admirer un peuple qui s'était dissimulé pendant des générations sans que personne soupçonnât son existence ?

« Personne sauf Cynthia », rectifia M. Fogarty en coulant un regard attendri vers la Femme peinte, qui le lui rendit.

Mme Cardui était assise face à l'ex-Gardien, à la table de discussions. M. Fogarty ne se lassait pas de la contempler. Elle avait changé de tenue, troquant son manteau à capuchon pour une tunique des plus flamboyantes. Un sortilège donnait l'impression que des serpents arc-en-ciel sinuaient sur son corps. Quel contraste avec le décor si sobre de la Grande Salle !

À la droite de la Femme peinte, avait pris place Cléopâtre, la Reine des Fées de la Forêt.

À la droite de la Reine – c'était traditionnellement la place d'honneur –, Pyrgus.

À la droite du Prince, Holly Bleu, le visage impassible.

Venaient ensuite une fée pâle, Limenitis, qu'on avait présentée comme « Conseiller de la Reine » ; puis M. Fogarty lui-même ; et enfin Porcellus Phalène de Faucon, l'homme à la stature imposante qui avait conduit l'assaut contre l'ouklo impérial.

M. Fogarty constata non sans surprise que Gonepterix, l'époux de la Reine, était présent dans la pièce, bien qu'il n'eût pas été invité à s'asseoir à la table. Il s'était installé près d'une fenêtre où un sortilège laissait entrevoir une fausse mer en furie. Le Roi était seul à avoir été autorisé à porter une arme, en l'occurrence l'arc de chasse traditionnel chez le peuple de la

Forêt. L'homme fixait son épouse intensément « et amoureuse-
ment », jugea l'ex-Gardien. La tendre complicité qui unissait le
couple ne faisait aucun doute. « Mais c'est madame qui
commande », pensa M. Fogarty.

– Bon, alors ? lança la Reine à la cantonade.

Pyrgus alla droit au but :

– Votre Majesté, puis-je me permettre de vous demander si
nous sommes vos hôtes ou vos prisonniers ?

La Reine sourit. La franchise du Prince semblait lui conve-
nir.

– Mes cheeers, intervint Mme Cardui, c'est à ma demande
que la reine Cléopâtre a ordonné en personne qu'on vous porte
assistance.

– Soyons précis, dit la Reine. Vous êtes mes invités.

C'était précis, M. Fogarty devait l'admettre. Et très flou, en
même temps, quand on ignorait qui étaient les Fées de la Forêt.
Comment avaient-elles réussi à garder aussi bien le secret sur
leur civilisation ? Pourquoi ? À quelle occasion Cynthia les
avait-elle rencontrées ? Et avec quels arguments la Femme
peinte avait-elle réussi à les convaincre de risquer la vie de soldats pour voler à la rescousse d'inconnus, mettant ainsi en péril
leur si précieux secret ?

– Il faut décider ce que nous allons faire à présent, reprit la
Femme peinte.

– Pourquoi avez-vous choisi de nous secourir ? insista néanmoins Pyrgus.

Mme Cardui plongea ses yeux dans ceux du jeune homme.
À l'évidence, elle était agacée.

– Noctifer n'avait pas l'intention de vous laisser quitter le
Royaume vivants, expliqua-t-elle. Lorsqu'il a appris que votre
pauvre imbécile de demi-frère vous avait laissés partir en exil
sains et saufs, il a décidé de le doubler et d'envoyer des tueurs
à vos trousses. Sans l'intervention des Fées de la Forêt, vous
seriez morts dans l'heure.

78

Cruel dilemme pour Henry. Soit il glissait la tête la première dans un tuyau étroit où des tas de prisonniers avaient fait leurs besoins ; soit il s'y risquait les pieds en avant, avec pour seul guide Flipflop. Du moins tant que l'endolg voudrait bien s'encombrer de son compagnon de cellule et l'aider à négocier le souterrain. Alors, que valait-il mieux ?

Pendant ce temps, Flipflop, qui s'était déjà aventuré dans le tuyau, s'impatientait :

– Dépêchons ! Je ne vais pas rester planté ici. Ça renarde velu [1], si tu me passes l'expression.

Le garçon prit sa deuxième grande inspiration de l'après-midi et se jeta dans les entrailles des toilettes. Il était à peine entré en entier dans le boyau qu'il sentit qu'il était incapable d'avancer.

« Génial ! » pensa-t-il.

– Pousse fort ! lui souffla Flipflop.

Henry l'aurait étranglé. Il poussait fort ! Mais ça ne servait à rien. Il était coincé. Impossible de descendre davantage. Impossible de remonter.

Et si l'endolg l'avait attiré dans un piège horrible, inventé spécialement par cette frappadingue de Quercusia ? Une torture où le supplicié restait coincé, la tête en bas, dans un tuyau d'évacuation des immondices, jusqu'à ce que mort s'ensuive ? Non, ce n'était sans doute pas le cas... Cependant, les remugles de l'égout montaient aux narines du garçon et ne l'incitaient pas à un optimisme démesuré.

– Expire ! lui conseilla l'endolg. Tu verras, ça coulissera mieux.

Le garçon grogna. Expira pour voir. Puis avança de nouveau

---

1. Ça renarde velu : expression argotique signifiant « ça sent très mauvais ». (*N.d.T.*)

les épaules. Gagna quelques centimètres. Un peu plus. Et cessa de progresser.

— Faut que je remonte chercher le flambeau, murmura-t-il.

— Hé ! ça va pas la tête ? Si tu as le malheur d'allumer ne serait-ce qu'une étincelle dans les égouts, tu mets le feu au méthane ambiant... et la moitié du palais explose.

— D'accord, d'accord, grommela Henry

De toute façon, il n'arriverait pas à remonter. Il mourrait dans le noir. Au point où il en était...

Toutefois, au cas où il aurait eu une minuscule chance de survie, il tâcha de se tortiller de plus belle. Il tira sur les coudes. Expira. Poussa sur ses genoux. Et s'enfonça nettement. Il avait trouvé la technique !

— Courage, souffla Flipflop. Plus loin, ça s'élargit !

— Bonne nouvelle, lâcha-t-il.

« Si ça se rétrécissait, là, j'étais cuit », songea le garçon.

— Tu sais où on va ? s'enquit-il.

— Oui, guide-toi au son de ma voix, conseilla l'endolg.

— Tu vois dans la nuit ?

— Non, mais je siffle et ça m'aide à m'orienter. Dans les grandes canalisations, il y aura des champignons lumineux qui poussent sur la surface de... de tu devines quoi.

— Tu es déjà venu ?

— Oui.

Avant que le garçon eût pu approfondir la question, l'endolg cria :

— Attention, ça tourne !

À présent, Henry n'avait aucune difficulté à ramper le long du tuyau. Il sentit l'angle que formait la canalisation et se contorsionna pour le passer. La puanteur devint plus oppressante. Le souffle rauque, il entendit la voix de Flipflop :

— Dans un instant, tu... Trop tard !

PLOUF ! La canalisation avait pris fin brusquement, et le garçon venait de tomber dans une mare d'eau – du moins, il espérait que c'était de l'eau. Il se releva précipitamment. Toussa. Par chance, il avait pied et put reprendre sa respiration.

L'endolg avait dit vrai. La canalisation était gigantesque. Çà et là, un halo verdâtre émanait de pieds de champignons, ce qui permettait de voir à quelques pas devant soi.

— Où es-tu ? lança Henry.

« Es-tu, tu, uuu », chantonna l'écho.

– Devant toi, légèrement sur ta droite, répondit Flipflop. Je flotte. Essaie de ne pas me marcher dessus.

– T'es... t'es sûr que tu connais la sortie ?

– Presque. J'ai le sens de l'orientation. Et une bonne mémoire des cartes. Entre les cabinets de toilette, les salles de bains, les commodités privées de la famille royale et les lieux d'aisances des domestiques, ce ne sont pas les sorties qui manquent ! Et si on les rate, on débouche sur le fleuve, où les tuyaux des égouts parviennent. Sans doute la meilleure sortie, d'ailleurs. Tu sais nager ?

– Pas très bien, avoua le garçon.

– Hum, ça pourrait être un problème. Surtout avant qu'on n'atteigne le fleuve.

– Avant ? Mais pourquoi ?

– Les responsables des égouts inondent le cloaque toutes les seize heures. Ils appellent ça « tirer la grande chasse ». Ils envoient dix millions de gallons d'eau recyclée à très haute pression. Même les nageurs expérimentés auraient du mal à survivre face à un flot aussi puissant et abondant. En fait, je crois que personne n'y a jamais survécu.

– Bon, dit Henry avec un semblant d'optimisme, j'espère qu'on ne mettra pas seize heures à sortir d'ici.

– Et moi, répondit l'endolg, j'espère que ça ne fait pas quinze heures trois quarts qu'ils ont tiré la chasse.

79

Pyrgus avait la tête qui tournait. La situation le dépassait. À qui se fier ? Et comment se sortir de cette situation ?

– Nous sommes disposés à vous aider, déclara la Reine des Fées de la Forêt.

« Pourquoi ? » voulut demander le jeune homme.

– Comment ? s'enquit M. Fogarty.

– Par tous les moyens possibles.

– Y compris un soutien militaire ?

– Oui, bien sûr.

Le Prince se raidit. Un soutien militaire, cela signifiait rien de moins qu'une guerre... alors que le Royaume avait évité de justesse un conflit peu de temps auparavant. Pas question.

Mais il n'était pas davantage question de laisser la situation en l'état. Même quand Noctifer l'avait banni, par l'intermédiaire de Comma et avec l'aval de leur père, il se doutait qu'il tenterait quelque chose pour reprendre le pouvoir. Un jour. Plus tard. Quand il aurait retrouvé ses esprits, à l'abri dans le Haleklind. Pas dans l'immédiat.

– Pourquoi ? demanda Pyrgus.

– Pendant des générations, Prince Pyrgus, mon peuple s'est tenu à l'écart des conflits opposant les Fées de la Nuit et les Fées de la Lumière. Cela ne nous regardait pas. Nous ne souhaitions pas nous retrouver mêlés à vos histoires. Nous nous sommes donc servis de nos connaissances et de notre savoir-faire pour rester discrets. Vous connaissez le proverbe : « Pour vivre heureux, vivons cachés. » Eh bien, nous avons tâché de demeurer cachés. Non sans succès. Les profondeurs de la Forêt sont dangereuses. Très rares sont ceux qui ont la folie de s'y aventurer. Ces fous-là ne voyaient que ceux que nous désirions qu'ils voient : une poignée de Fées de la Forêt vivant comme des bêtes sauvages et jouant de temps en temps à brigander les curieux.

– Reine Cléopâtre, à aucun moment...

– Ne vous inquiétez pas, Princesse Bleu. À nos yeux, cela n'avait aucune importance. Nous n'en avons pas pris ombrage. Au contraire. Nous demeurions ainsi à l'abri des envieux. Nul ne cherchait à en connaître trop sur nous. Nul ne pensait à nous faire la guerre. On nous laissait tranquilles. Et seuls. Croyez-moi, nous considérions cette tranquillité comme un don précieux et non comme une insulte.

– Mais cela a changé, anticipa Pyrgus à voix haute.

– En effet. Un membre de votre noblesse s'est récemment construit une vaste propriété dans la forêt.

– Vous ne l'en avez pas empêché ?

– Nous avons fait notre possible. Toutefois, nous ne voulions pas non plus révéler notre existence par une action trop massive...

– Vous considérez ce domaine comme une déclaration de guerre ? demanda M. Fogarty.

– Non. Sa taille reste modeste en comparaison de la Forêt. C'est ce qu'il contient qui nous déplaît. Son propriétaire s'est fait construire des trous de l'Enfer. Or, nous ne pouvons pas tolérer de démons dans la Forêt. Nous gardons nos frontières depuis des siècles ; et voilà que ce... cette créature menace de nous envahir de l'intérieur !

– Les portails qui connectent Hael au Royaume sont fermés, fit observer Holly Bleu.

La Reine acquiesça :

– En effet. Cela nous laisse le temps de nous retourner. Mais les portails finiront par rouvrir, soyez-en persuadés. Et lorsqu'ils seront de nouveau opérationnels, nous craignons pour notre vieil habitat. Mon Conseiller et moi étions en train d'échafauder un plan quand Mme Cardui nous a contactés pour nous proposer une autre solution.

– Vous voulez que nous vous aidions à détruire les trous de l'Enfer, conclut M. Fogarty, et, en échange, vous nous offrez votre aide pour réinstaller le Prince Pyrgus sur le trône, c'est ça ?

– Les deux objectifs sont liés, répondit Cléopâtre. Le propriétaire qui nous cause du souci est un certain Lord Noctifer. Vous connaissez ?

– Je sais bien que les ennemis de nos ennemis sont nos amis, commença Pyrgus. Cependant, je ne comprends pas pourquoi vous n'avez pas attaqué Lord Noctifer vous-même. D'après ce que j'ai vu de votre armée, vous n'auriez eu aucune difficulté à raser son domaine !

— Il y a deux raisons à cela, exposa la Reine. La première, c'est que nous n'aimons pas nous montrer. Si d'aventure nous venions à vous aider, nous exigerions votre parole de ne pas révéler nos origines.

— Vous l'auriez, évidemment.

— La deuxième raison, c'est que mes conseillers et moi-même ne pensons pas que notre sécurité serait assurée dès lors que nous aurions expulsé Noctifer de la Forêt. Tôt ou tard, il y reviendrait. Nous voulons une solution plus radicale. Nous voulons que cet homme disparaisse. Et nous pensons que vous aurez peut-être quelque intérêt à nous y aider.

— Ça se tient, estima M. Fogarty.

— Votre offre ne pouvait pas mieux tomber, Votre Majesté, renchérit Bleu. Mon frère et moi sommes très touchés que...

Pyrgus se mit debout et, d'un geste de la main, interrompit sa sœur :

— Merci beaucoup pour votre proposition, ô Cléopâtre, Reine des Fées de la Forêt. Mais c'est non.

80

La vieille était légère, mais Silas n'était pas un sportif. Il commença de fatiguer après une centaine de pas. Qu'importe, la chance était avec lui : il était près d'un vieux chêne au tronc massif. La terre paraissait assez molle pour y creuser. Il se mit au travail.

Pendant que la tombe prenait forme, Sulfurique réfléchissait à son avenir. Il aurait mis sa main à couper que son beau-frère finirait par pointer le bout de son nez enfariné. Pas avant que la lune de miel eût pris fin, quand même. Ce qui lui laissait en gros une semaine de libre.

« Suffisant pour avoir vendu la maison, empoché l'argent et acheté un petit domaine dans Yammeth Cretch », estima Silas. Là-bas, il se referait gentiment sans attirer l'attention du nouvel Empereur pourpre, ce maudit Pyrgus.

Lorsque le trou fut assez profond, Sulfurique jeta un regard au cadavre ; puis il le poussa dans la tombe et accorda une brève oraison funèbre à celle qui avait été sa femme.

– Repose en paix, ma chère, lui lança-t-il avec un grand sourire. Ravi de t'avoir rencontrée !

Ensuite, il entreprit de combler la fosse.

C'est alors qu'une nuée de corbeaux s'envola à tire-d'aile en coassant. Quelqu'un arrivait. Et vite.

81

Flipflop grimpa sur une paroi du cloaque et émit une manière de gloussement.

— Tu vas rire, affirma-t-il à Henry. Je crois que nous sommes perdus.

— Quoi ? Mais tu étais censé te rappeler la carte !

— Oui, et cependant...

— *Et* avoir le sens de l'orientation !

— Mon sens de l'orientation me dit que nous sommes perdus. Et je ne me souviens pas d'avoir vu cet endroit marqué sur la carte. C'est pourquoi je crois que nous sommes perdus.

— Bof, pas grave, grommela le garçon. De toute façon, si on continue droit devant nous, on arrivera tôt ou tard au fleuve, non ?

L'endolg redescendit par terre :

— Je t'aime bien, Henry. La première fois qu'on s'est rencontrés, je pensais que tu étais plutôt un bon gars. Menteur, ça, oui, et pas très doué. N'empêche, maintenant qu'on se connaît mieux, je comprends que tu es plus qu'un bon gars. Tout le monde ne prendrait pas une aussi mauvaise nouvelle avec autant de flegme. Beaucoup crieraient et m'insulteraient. Tu connais le proverbe : « Si tu veux noyer ton endolg, accuse-le d'être un incapable ! » Les gens l'appliquent systématiquement. Quand quelque chose va de travers, ils blâment leur endolg. C'est toujours notre faute. Pas avec toi. Tu restes calme. Tu gardes ton sang-froid, et... Je pense qu'on pourrait devenir bons copains, toi et moi, Henry.

— Tant mieux, répondit le garçon, parce que, moi aussi, je le pense.

C'était vrai. Depuis une heure qu'ils erraient dans ces égouts puants, la bonne humeur de l'endolg l'avait aidé à ne pas perdre le moral, et même à retrouver le sourire. Il comprenait pourquoi tant de fées se piquaient de vivre avec des endolgs. Ces créatures pouvaient se révéler utiles, puisqu'elles ne mentaient jamais ; et, surtout, leur caractère enjoué était contagieux.

– Alors, regarde à tes pieds, dit Flipflop en se remettant en mouvement.

– Pardon ?

– Regarde en bas. Le flot s'est tari. L'égout s'est asséché.

– Ce qui signifie ?

– Qu'il faut espérer que nous allons trouver bientôt un endroit que nous reconnaîtrons. Sinon...

L'endolg laissa la phrase en suspens.

– Sinon quoi ? demanda Henry.

– On est mal. En général, ils assèchent l'égout au moment de tirer la grande chasse.

Le garçon, qui avait suivi la créature, s'arrêta :

– Tu veux dire que... que... qu'ils vont inonder les égouts ?

– Je ne sais pas mentir, rappela l'endolg. Je ne peux pas en être sûr. Mais je pense que c'est une possibilité.

Pour la troisième fois de l'après-midi, Henry inspira un grand coup afin de combattre la panique – et toussa tant l'air était chargé de bactéries.

– Qu'est-ce qu'on peut faire ? s'enquit-il d'une toute, toute petite voix.

– Bifurquer pour éviter les tunnels principaux. Dans les canalisations latérales, le flux sera forcément moins important.

– Je vois pas de bifurcations.

– Moi non plus, reconnut Flipflop. Par contre, j'entends un grondement lointain.

– Moi aussi.

– Il n'y a pas trente-six solutions, résuma la créature. Allez, prends tes jambes à ton cou ! Et vite !

Henry obéit.

Il se mit à courir. Il ne pensait plus qu'à ça. Courir. S'enfuir. Plus rien ne comptait que ça : allonger la foulée, pousser sur les bras, éviter le point de côté, rythmer son sprint. Encore et encore.

Soudain, une idée parasite lui vint à l'esprit. Il se retourna. L'endolg avait disparu.

– FLIPFLOP ! cria-t-il.

Pas de réponse. Il s'en doutait. Quel imbécile ! Les endolgs avaient beaucoup de talents... mais pas de pieds. Ils rampaient en sinuant à la manière des serpents. Moins rapidement.

Henry sentit une terrible culpabilité s'abattre sur lui. Un endolg ne doit pas peser lourd. Le garçon aurait pu le prendre avec lui. Flipflop ne l'aurait pas retardé. Sauf que Henry n'avait pensé qu'à lui. Il avait détalé comme un lapin effrayé. Comme un lâche.

– Flipflop ! hurla-t-il de nouveau.

Puis il se remit à courir d'où il venait.

« Trop tard », pensa-t-il en voyant le mur d'eau qui se précipitait vers lui.

82

Blafardos trouva un café simbala convenable. Il s'installa en terrasse et commanda une mini-dose.

– Un dé à coudre ! lança-t-il à la serveuse à la peau cuivrée.

Bientôt, il put siroter un délicieux verre de musique liquide. Il l'écouta couler mélodieusement le long de sa gorge puis exploser en une série d'accords entraînants qui le détendirent.

« Je peux parler ? » demanda Cyril.

« Non », répondit Jasper.

Il laissa la musique l'envahir et faire son effet. Il goûta les visions glorieuses et héroïques qui lui venaient au gré des vibrations. Il s'admira par avance revêtu de tenues taillées dans le pourpre impérial – beaucoup plus stylées que les vieilleries mal coupées qu'avait l'habitude de porter l'ancien Empereur. Dans son costume d'apparat, il se vit rendre la justice, gagner des batailles, s'enfermer dans une pièce immense pour y compter son or, et surtout, surtout, donner des ordres. Blafardos adorait donner des ordres. En outre, il ne serait plus Blafardos. Il serait l'Empereur Jasper.

Blafardos essaya d'imaginer l'effet que feraient ces simples mots : « Jasper, Empereur pourpre » dans la bouche de ses sujets. « Pas mal », jugea-t-il.

« Ça y est, je peux parler ? » demanda le vyr.

La musique décroissait. Blafardos jeta un coup d'œil à son verre. Il restait un bout de coda dans son verre, mais il laissa ses visions s'estomper.

« Bien, discutons, lâcha-t-il à l'intention du wangaramas. À une condition : pas de sermons. Pas de philosophie. Même si c'est contraire à ta nature, Cyril. »

« Bon, bon... »

« Tu me proposes de devenir Empereur pourpre ? Je ne me suis pas mépris ? »

« Non. »

« Comment comptez-vous vous y prendre, toi et tes pairs ? »

« Pour comprendre, il faut remonter à... »

« La version courte, Cyril. »

La version ne fut pas si courte. Cependant, elle se révéla plus intéressante – beaucoup plus intéressante – que le bavardage habituel du wangaramas. Les vyrs s'étaient inventé une sorte de conscience collective grâce à leur télépathie. En un an, leurs relations symbiotiques s'étaient plus développées que depuis le début de leur histoire.

De surcroît, la nature des symbioses avait connu un changement radical. Jadis, les wangarami entretenaient des relations plus ou moins étroites avec leurs hôtes, selon leurs affinités. À présent, l'étroitesse de ces liens n'était plus liée au hasard ou aux sentiments. Elle se fondait sur l'importance de leur hôte. Si celui-ci était haut placé – ou pouvait le devenir –, les créatures s'intéressaient à lui de très près. Blafardos apprit ainsi avec délectation que les vyrs avaient infiltré les cercles les plus proches du pouvoir.

« Et moi ? s'étonna l'homme. Je ne suis pas au faîte du Royaume... »

« Je me suis porté volontaire pour me joindre à toi à cause de tes connexions politiques, expliqua Cyril. Tu as travaillé pour Lord Noctifer. Tu as rencontré le Prince Pyrgus. Tu as approché la Princesse Bleu. Tu es richissime. Tu as l'habitude de fréquenter les puissants. Tu peux nous apporter ce que nous n'aurions pas sans toi... »

Blafardos n'en était pas si sûr, mais il tâcha de dissimuler ses doutes au vyr.

« Tous les hommes où vivent tes amis sont-ils au courant des projets de révolution ? »

Cyril prit son temps avant de répondre :

« Non, pas tous. »

« Combien ? »

Nouveau silence dans la tête de Blafardos.

« Peu, finit par lâcher Cyril. Juste quelques-uns. Il faut les choisir avec prudence. L'affaire est trop risquée. »

« Mais pourquoi m'avoir fait confiance à moi ? Je ne suis pas un enfant de chœur... »

« Précisément. Tu n'as aucun scrupule, et ça nous plaît bien. »

83

Bleu fulminait :

– On peut savoir à quoi tu joues, Pyrgus ?

Le frère et la sœur se trouvaient dans une antichambre isolée de la Grande Salle. La Reine leur avait assuré que nul n'entendrait ce qu'ils s'y diraient.

– Il n'est pas question d'attaquer Lord Noctifer, expliqua le Prince, le visage crispé. Il... il...

– Il *quoi* ? Vas-y, exprime-toi !

– Il travaille pour notre père, voilà.

– N'importe quoi ! Ce démon a transformé le cadavre de Papa en zombie, ça n'a rien à voir ! Noctifer n'a jamais travaillé que pour lui ! Et toi, tu voudrais rater une occasion unique de lui régler son compte ? Tu as vu la puissance des éclairs elfiques, non ? Une fois que Noctifer aura déguerpi, nous récupérerons Papa. Si c'est possible, nous le guérirons. Nous lui donnerons les meilleurs traitements médicaux imaginables. Il reprendra le trône. Comma le lui rendra. Ou Papa l'y obligera. L'Empereur pourpre sera de nouveau Apatura Iris. Tout redeviendra comme avant. En mieux, puisque Noctifer aura disparu de la circulation.

– Non.

– Non *quoi*, Pyrgus ? Fais des phrases complètes, ou on ne s'en sortira pas !

– Rien ne sera comme avant, murmura le Prince, qui semblait avoir rapetissé et blêmi d'un coup. Rien ne sera jamais comme avant. C'est impossible.

– C'est possible, Pyrgus. Nous aurons l'armée des Fées de la Forêt derrière nous, et...

– Papa est mort, Bleu. Il n'a pas besoin qu'on s'occupe de lui. Ni qu'on lui administre des traitements médicaux ou quoi que ce soit. Voilà comment Noctifer peut le contrôler. Inutile de nous acharner.

– La situation va s'améliorer ! s'exclama la jeune fille. Pour commencer, nous allons arracher Papa des mains de Noctifer. Ensuite, nous allons le ramener ici et le cacher dans la Forêt aussi longtemps qu'il le faudra pour qu'il retrouve son véritable état. Cléopâtre nous y aidera.

Pyrgus se tint coi. Il regardait fixement devant lui.

– Viens, les autres nous attendent ! s'écria Bleu en prenant son frère par la main et en l'attirant dans la Grande Salle.

84

Henry s'aplatit contre la paroi et attendit. Il pensa qu'il allait mourir. En plus, son dernier coup d'éclat aurait consisté à laisser tomber un ami. S'il mourait, il ne reverrait plus jamais ni Pyrgus ni Holly Bleu. Il ne voulait pas mourir.

Mais l'énorme vague approchait dans un fracas assourdissant. Le garçon détourna le regard. Et il vit l'entrée la plus proche du grand tunnel, à une dizaine de mètres. C'était jouable. S'il l'atteignait, s'il arrivait à s'y calfeutrer, s'il avait de la chance – beaucoup de chance –, il échapperait à la déferlante qui balaierait la canalisation principale. Sinon, il était cuit.

Comme l'endolg. « Pauvre Flipflop », pensa-t-il.

Il courut se mettre à l'abri. Et la vague débula. Elle inonda l'entrée du tunnel latéral. Henry retint son souffle jusqu'à ce que la vague refluât. Il l'entendait rugir, plus loin. Il était sauvé. Il avait survécu.

Sauf que l'eau montait et qu'il perdait pied. Le trop-plein du tunnel principal se déversait dans les canalisations latérales. Une force incoercible le poussait vers l'endroit d'où il venait.

Le garçon n'avait rien à quoi se retenir. Les murs et le sol étaient recouverts d'une vase visqueuse. La déferlante qui avait inondé le tunnel principal avait été si puissante qu'elle avait entraîné de forts remous dans les tuyaux latéraux. À présent, l'eau refluait vers la vague rugissante, entraînant les déchets avec elle. Parmi ces déchets, Henry.

Puis les remous s'atténuèrent. Le tonnerre gronda moins fort. Le garçon parvint à s'immobiliser. Le souffle court, il perçut une sorte de « pop » sonore, puis un énorme gargouillis – comme une baignoire qu'on vide. Il grimpa sur le rebord de l'égout. À l'abri. Il avait des égratignures aux bras et aux jambes ; à part ça, rien.

Par contre, il avait gagné seize heures de répit.

85

Blafardos termina la musique qui clapotait dans son verre. Une mélodie agréable lui monta à la tête, enveloppant délicieusement les mots de Cyril. Il leva une main mentale (il devenait bon à ce jeu) pour arrêter le laïus du wangaramas, et il tâcha de résumer la situation.

« Tous les cercles de puissants du Royaume sont infiltrés ? »

« La plupart, corrigea le vyr. Nous avons des contacts dans la maison de Noctifer. Ainsi qu'à la Cour impériale, même si les remaniements actuels vont entraîner des modifications. Et il ne faut pas oublier le Conseil de... »

« Donc vous avez des relais très haut placés ? »

« Oui. »

« Et vous avez quand même besoin de moi ? »

« Tu as le profil idéal », répondit Cyril sans la moindre hésitation.

« Explique-toi. »

« Nos penseurs ont montré que nous avions besoin d'une transition en douceur ou, comme on dit, d'une révolution de velours. La passation de pouvoir entre le gouvernement actuel et l'hôte que nous élirons pour porter nos revendications doit se faire sans heurt. En clair, la masse du peuple, ceux qu'on appelle *les gens*, doit accepter le nouveau gouvernant. »

« Je ne comprends pas. »

« Ils n'ont pas besoin de savoir que celui-ci abrite un vyr », traduisit le wangaramas.

« Je ne comprends toujours pas, insista Blafardos. Pourquoi m'accepterait-on ? Je n'ai pas la moindre once de sang royal. Je ne suis même pas noble, du moins au sens traditionnel du terme. »

« Quelle importance ? Ce n'est pas toi qui nous intéresses ! Tu ne vas pas devenir l'Empereur Jasper Ier : tu vas devenir Black Ier ! »

Blafardos mit un moment à comprendre ce qu'il venait d'entendre. Les derniers mots du vyr flottaient dans sa tête pareils à de petites notes de musique, accompagnées par les dernières harmoniques simbala. Et soudain, il saisit.

« Tu veux que je continue à imiter Lord Noctifer ! s'exclamat-il dans son for intérieur. Dès que Comma sera couronné, tu veux que je joue Noctifer, que j'assassine le nouvel Empereur et que je prenne sa place *comme si j'étais Noctifer* ! »

« Exactement, répondit Cyril. Tu vois que tu peux penser à la manière d'un wangaramas quand tu t'en donnes la peine ! »

Blafardos réfléchit. Le plan était étrange, mais il pouvait fonctionner. Noctifer était noble. Sa famille était liée à la maison impériale par mariage. Surtout, il avait le soutien de la moitié du Royaume. C'était le chef incontesté des Fées de la Nuit. L'avenir s'annonçait radieux.

À un détail près.

« Et le vrai Noctifer ? objecta Jasper. Ça m'étonnerait qu'il me regarde prendre sa place et gouverner le Royaume pour lui sans bouger le petit doigt. »

« Le vrai Noctifer n'assistera pas à la cérémonie du Couronnement. Il te l'a dit face à face. »

« Non, attends ! Il m'a confié qu'il n'assisterait pas au couronnement de Pyrgus. Il n'a aucune raison de ne pas assister au triomphe de Comma. Ce morveux n'est qu'une marionnette entre ses mains. »

« Exact. Et cependant, Black n'assistera pas non plus à cette cérémonie-là. »

« Pourquoi ? »

« Il pense que les Fées de la Lumière accepteront mieux la situation s'il garde profil bas un temps. »

« D'où tiens-tu cela ? »

« De son nouveau Gardien. »

Blafardos sursauta.

« Il y a un ver dans Cossus Cossus ! » s'écria-t-il, incrédule.

« Un *vyr* », corrigea Cyril.

« C'est trop beau pour être vrai ! poursuivit Blafardos sans écouter le wangaramas. Remarque, j'ai toujours trouvé qu'il avait une curieuse façon de marcher... »

« Cossus est l'un de nos symbiotes les plus importants. Donc crois-le sur parole : notre ami Noctifer n'assistera pas à la cérémonie du Couronnement. Quand tu auras tué Comma, proclame-toi empereur, prétends que Noctifer est un imposteur, ordonne son arrestation et pends-le. »

« Il va affirmer qu'il est l'authentique Noctifer... »

« Et qui croira-t-on ? Un présumé imposteur ou le nouvel Empereur ? »

« Admettons. Mais l'animal a des soldats... »

« Nous avons infiltré sa garde rapprochée. Avec l'aide des wangarami, ce sera du gâteau ! Il te suffit de rester discret tant que nous n'avons pas besoin de tes services. »

Blafardos se mordit les lèvres pour ne pas laisser éclater sa joie. Cependant, une idée contraria son excitation croissante.

« Je n'ai pas le sortilège d'illusion qui devait me permettre de ressembler à Noctifer », prévint-il.

Dans sa tête, Cyril soupira.

« Oh, Jasper, Jasper... Cesse de douter des vyrs, crois en la Révolution ! Qu'est-ce qu'un simple sortilège comparé aux infinies ressources de la Nation des wangarami ? »

« Vous avez réussi à confectionner le même sortilège que celui qu'a obtenu Noctifer ? »

« Mieux que ça. Le sortilège que te proposait notre ami n'était que provisoire. Le nôtre sera définitif. »

« Je... Je ressemblerai à... à Noctifer pour le restant de mes jours ? » demanda Blafardos en ouvrant de grands yeux.

« Oui. »

– Extra ! s'enthousiasma Blafardos à voix haute.

Tout le monde avait peur de Noctifer. L'homme possédait une fortune incommensurable. Blafardos se revit croupissant dans sa misérable cellule. Il sourit. Il allait lui suffire d'un petit sortilège pour gagner d'un coup une puissance, une richesse et une renommée sans pareilles.

Il fit signe à un serveur et commanda un nouveau verre de simbala pour fêter la nouvelle.

86

Henry ne resterait pas une minute de plus que nécessaire dans cette puanteur. Il avait eu une chance incroyable de survivre à la grande chasse d'eau. Pas la peine de tenter le diable deux fois. En plus, il avait eu beau s'habituer à l'odeur, elle imprégnait ses vêtements et continuait de lui donner la nausée lorsque, par mégarde, il inspirait trop fort sans mettre la main devant le nez.

Bien sûr, pour s'en sortir, il devrait affronter le fleuve. Pour un nageur de baignoire, ce n'était pas très rassurant. Mais il n'allait pas passer sa vie à éviter les vagues rugissantes toutes les seize heures. Il devait trouver le chemin de la liberté. Il allait longer le conduit principal. Soit il dénichait un tuyau latéral qui lui permettait d'éviter d'affronter le fleuve en lui offrant une autre voie de sortie ; soit il irait jusqu'au bout, et qui vivrait verrait.

Il examina les trois premiers coudes qui se présentèrent à lui. En vain. L'un d'eux se terminait sur un tuyau si serré qu'il dut ramper pour tenter de s'en extraire. Hélas, comme les précédents, il débouchait sur une grille solidement fixée.

Il hésita à prendre la quatrième bifurcation. Elle semblait mener à une impasse. Henry leva la tête, surpris : à quoi pouvait bien servir ce crochet ? C'est alors qu'il aperçut les tuyaux qui couraient au plafond. Aucun n'était assez grand pour qu'il y glissât ne serait-ce que le bras.

Il commençait à accepter l'idée qu'il allait être obligé de se jeter dans le fleuve lorsqu'il aperçut une pâle lumière sur sa droite. Un instant, il se demanda s'il ne s'agissait pas de champignons. Mais la lumière n'était pas un halo vert. C'était la clarté bleu et blanc d'un ciel ensoleillé où couraient quelques nuages.

Il s'approcha. Avisa un tunnel. Qui se dirigeait vers la lumière. La joie l'inonda. Une joie irrationnelle. À présent, il se moquait de sortir. Il avait revu la lumière du jour. Il avait survécu. Il était vivant. Et il venait de trouver une trappe servant sans doute aux égoutiers pour leurs inspections.

Henry la regarda, se frotta les yeux puis vérifia si la trappe était toujours là. Eh oui ! Il ne l'avait pas imaginée. Elle était bien là. Le garçon n'avait jamais été très religieux ; et pourtant, à cet instant-là, il pria. L'occasion était trop belle. La grille métallique était fixée au plafond. Elle ne paraissait pas rouillée. Une volée de marches en pierre permettait de l'atteindre sans sauter. Henry n'aurait aucun mal à l'ouvrir.

Il se précipita vers l'escalier. Au sommet, il s'arrêta sur la petite plateforme d'observation. Il allait quitter cet enfer aux émanations épouvantables. Il avait échappé aux rats de la taille des chevaux. À la grande chasse tueuse. Au labyrinthe des couloirs sans fin. Et au fleuve qui l'effrayait tant. La vie était belle.

Ou presque : au moment d'ouvrir la grille, il avisa une petite boîte. L'équivalent, dans le Royaume, des serrures du Monde analogue. Ces saletés disposaient en général d'une charge magique pour empêcher de forcer les portes. Henry ignorait comment désamorcer ce dernier obstacle. Puis il décida que, avec la chance qu'il avait depuis un moment, cela n'avait aucune importance.

Il agrippa la grille et la repoussa. Elle céda. Soit on l'avait laissée ouverte par mégarde, soit elle était cassée. Peu importait. Quelqu'un avait entendu la prière silencieuse de Henry. Il était libre. Libre. Définitivement liiiiibre !

87

Pourquoi Henry n'était-il pas venu ? Bizarre autant qu'étrange. M. Fogarty était très surpris. Cela ne lui ressemblait pas. Surtout que le garçon en pinçait pour Holly Bleu !

Le vieil homme se leva et se dirigea vers la fenêtre, là où Gonepterix était assis. Soudain, il comprit que le paysage n'était pas une illusion créée par un sortilège de décoration. Dehors, il y avait vraiment une vraie rive bordée d'une vraie mer en colère.

– Où donc sommes-nous ? demanda-t-il.

– Hors du monde, répondit le prince consort.

– Hors du...

– Pour des raisons de sécurité.

M. Fogarty fronça les sourcils. Ces fées pouvaient donc translater n'importe qui n'importe où. Avec ou sans portail.

Se trouvaient-ils dans un autre univers que celui du Royaume ? Avaient-ils déniché une autre planète avec une atmosphère vivable et une température décente ? Avaient-ils inventé un moyen de fissurer l'espace-temps pour permettre les translations intersidérales ?

C'était à n'y rien comprendre. Tout, ici, était fascinant. Incroyable. Et si innocent. Vu l'étendue de leurs connaissances, les Fées de la Forêt auraient pu envahir le Royaume en un tour de main, investir Hael, commander aux démons et finir par croquer le Monde analogue sans coup férir. Et pourtant, elles n'avaient qu'une envie : qu'on leur fiche la paix.

– On est loin de la Forêt ? s'enquit-il.

– Trente-huit mille années-lumière, dit Gonepterix sans hésiter.

Avant que l'ex-Gardien eût pu réagir, Holly Bleu et son frère entraient dans la Grande Salle. Pyrgus semblait blême, et ce

217

fut la Princesse qui se chargea d'annoncer leur décision à Cléopâtre :

— Votre Majesté, mon frère et moi vous remercions de votre offre généreuse et l'acceptons avec reconnaissance.

Elle se tourna vers Pyrgus, comme si elle l'avait défié de la contredire. Le Prince ne broncha pas. Alors, Bleu reprit avec un sourire :

— Bien, et si on parlait de nos petits projets, à présent ?

88

Il faisait très, très froid.

Au début, Henry pensa qu'il allait s'habituer. C'était juste qu'il sortait des égouts, où on étouffait tant à cause des odeurs que de la touffeur ambiante. Il n'en était rien. Il faisait effectivement très, très froid. La preuve : le garçon dégageait de la buée en respirant. Et il y avait une trace de givre sur le mur, près de la porte. Où était-il arrivé ? Dans les bas-fonds du palais, à l'évidence. Mais encore ?

La salle située au-dessus des égouts était une pièce aux murs de pierre percés de deux seuils et, sur l'une des parois, d'une fenêtre si haute qu'elle touchait le plafond. La salle était vide. Pas de placards, de tables, d'étagères, d'outils ou de grilles – rien pour stocker des vivres, par exemple des denrées périssables. Dommage. Cela aurait expliqué cette température polaire.

Celle-ci était suspecte : Henry n'avait repéré aucun tuyau réfrigérant. Pour obtenir cette froidure, on avait dû utiliser un sortilège spécial. Et efficace : le garçon sentait que ses doigts s'engourdissaient. S'il attendait d'avoir résolu le mystère de la réfrigération pour se remuer, il allait mourir congelé en quelques minutes.

Il frissonna et se dirigea vers la porte la plus proche, qui donnait sur une pièce aussi froide et plus sombre. Seule source lumineuse : un globe couvert de grosses toiles d'araignée séchées, qui diffusait une faible lueur au pied d'un escalier aux marches raides.

Si Henry se trouvait – comme tout le laissait croire – dans les caves du Palais pourpre, il n'avait qu'une façon d'en sortir : vers le haut. Pour quoi faire ? Suivre Bleu et Pyrgus en Haleklind ? Hum... Il ignorait tout de l'Haleklind, à quoi ça ressemblait, où ça se situait, comment on s'y rendait. Puisqu'on y avait exilé l'Empereur héritier et ses proches, le territoire était sans doute :

1) hostile ;
2) éloigné ;
3) difficilement accessible.

En même temps, Henry n'allait pas attendre de mourir de froid ici. Il aviserait une fois sorti du palais et des griffes de cette folle de Quercusia.

Il monta les marches et poussa le battant. La poignée tourna. Et la porte résista. Elle était fermée à clef.

Soudain, Henry eut encore beaucoup plus froid.

89

Sulfurique se figea. Il savait qu'il avait oublié quelque chose : de planter un pieu dans le cœur de sa victime.

Les corbeaux volaient en cercles au-dessus de sa tête en croassant à qui mieux mieux. Trop tard. Quelqu'un arrivait.

Silas n'avait pas le temps de rectifier son erreur. Le nouveau venu était trop proche. Pas le moment d'être surpris devant la tombe fraîche de son épouse, en train de lui ficher une branche en pleine poitrine. Surtout que la thèse de l'accident ne tiendrait pas longtemps la route : on voyait bien la marque du coup sur le crâne enfoncé de cette pauvre Maura. Et son cerveau qui lui sortait du nez risquait de faire mauvaise impression.

Il attrapa la pelle et se dépêcha de recouvrir le corps. Épuisant. Mais sa vie à lui était en jeu. Les corbeaux, ces imbéciles, semblaient devenus fous. Toutefois, le vieillard constata avec soulagement que jeter de la terre dans un trou était moins long que de creuser. Il se débarrassa de la dernière pelletée et regarda autour de lui, constatant les dégâts. Impossible de dissimuler qu'il venait de travailler la terre sous un chêne pour creuser un trou allongé d'environ un mètre cinquante de long. Autant mettre un panneau :

C'est alors qu'il eut une idée : des feuilles mortes !

Des feuilles mortes pour cacher une femme morte ! Excellent !

Il ramassa une pleine brassée de feuilles et les dispersa sur la tombe. Il reviendrait plus tard planter son pieu. Il avait le temps. Sa nouvelle vie commençait à peine.

Cependant, il était loin d'avoir fini son travail de diversion quand une étrange lumière bleue l'éblouit. Quelque chose d'immense et de hideux se dressait dans la clairière. Sulfurique leva les yeux. Et cessa de respirer.

À cinq pas de lui se tenait Beleth, Prince des Ténèbres et des Démons.

90

Henry secoua une dernière fois la porte. En vain.

Il s'assit sur les marches, renonça à aller s'abriter dans les égouts et décida de consacrer les dernières minutes de son existence à réfléchir. Que lui avait-il manqué pour réussir sa fuite ? Juste d'être prévoyant. Il pensa avec nostalgie à la boîte à outils qui attendait chez lui, sur une étagère du garage. Il pensa notamment au marteau, avec son gros manche en bois, dont personne ne s'était jamais servi – ni sa mère ni son père. À part Henry, personne ne bricolait, dans la famille. Dire qu'un simple couteau suisse lui aurait été si utile. Il n'en avait pas.

Il en était là de ses regrets quand, derrière lui, la porte s'ouvrit. Toute seule.

Henry se leva d'un bond et pivota pour découvrir un groupe de femmes portant des tenues spectaculaires.

– B... bonjour, bégaya-t-il en tâchant de rapetisser.

Il n'avait jamais été très soucieux de son apparence. Bon, disons qu'il n'y avait *pas souvent* prêté attention, surtout quand Holly Bleu n'était pas dans les parages. Cependant, devant ces femmes si élégantes, il se sentait honteux de son pantalon de treillis crotté, de son T-shirt sale qui affirmait que les filles étaient « TOUTES FOLLES DE MOI » – ce qui était d'autant moins probable qu'il devait dégager des remugles épouvantables.

Qui étaient ces inconnues ? Travaillaient-elles pour Pyrgus ou pour Quercusia ? Avaient-elles déjà compris qu'il était un prisonnier en fuite ? Les gardes l'attendaient-ils derrière elles ?

Comme ses interlocutrices se contentaient de le regarder sans bouger, Henry finit par murmurer :

– Je me suis perdu...

– Eh bien, nous allons t'aider à te retrouver ! répondit une femme avec un grand sourire.

91

Pyrgus éprouvait une drôle de sensation en s'approchant du Palais pourpre comme l'aurait fait un ennemi. Examiner le terrain à la recherche de cachettes... Déterminer les faiblesses du dispositif de protection... Étudier les forces de sécurité... Un mélange d'excitation nerveuse et de malaise s'était emparé du jeune homme. L'Île pourpre qu'il envisageait d'investir à la manière d'un étranger lui était si familière, avec son écrin aquatique et son palais...

Le Prince jeta un coup d'œil à ses six compagnons d'aventure. Près de lui se tenait Bleu. Heureusement qu'elle avait été là. Sans elle, il n'aurait jamais tenu le coup. Il aurait commis bourde sur bourde. La stratégie, ce n'était pas son fort. Il préférait l'action. Le décès puis la réapparition de son père l'avaient perturbé. Empêché de réfléchir. Oui, il avait eu de la chance que sa sœur l'aidât à arriver jusqu'ici. S'ils s'en sortaient, s'ils parvenaient à renverser la situation, ce serait grâce à elle.

À côté de la jeune fille marchait un ingénieur-sorcier-magicien appelé Ziczac. L'homme, de petite taille, avait un drôle de visage ratatiné : émergeant au-dessus d'une barbe abondante, nichés entre des sourcils broussailleux qui se rejoignaient, ses yeux avaient quelque chose d'un animal sauvage scrutant les environs derrière les fourrés. Mais il ne fallait pas se fier aux apparences : Ziczac était un savant. Il connaissait l'art de traverser les parois. C'était un passe-murailles.

Avant le départ, il avait exposé les grands principes de son art. Pyrgus avait décroché, cependant que M. Fogarty en redemandait, le regard brillant. En gros, si le Prince avait à peu près compris, l'idée générale était que les Fées de la Forêt n'avaient aucune difficulté à franchir un mur une fois que leur système magique était en place. Son installation, parfois complexe, nécessitait un talent particulier : n'importe quel savant ne pouvait devenir passe-murailles. De plus, la reine Cléopâtre avait rappelé avec insistance que cette activité était dangereuse. Une seule erreur de jugement, même infime, et on restait coincé au milieu de la pierre, à étouffer jusqu'à ce que mort s'ensuive.

Ziczac était l'un des rares passe-murailles des Fées de la Forêt. Il transportait l'équipement *ad hoc* dans son petit sac à dos. Cléopâtre avait chargé trois soldats de protéger les voyageurs. Pour le bonheur de Pyrgus, Nymphe était de l'aventure.

92

C'était un peu gênant mais très gentil. Ou l'inverse.

Les femmes avaient emmené Henry dans une petite pièce où un impressionnant baquet d'eau fumante et parfumée semblait n'attendre que lui. Elles ne sortirent pas pendant qu'il se déshabillait (même si elles se détournèrent) : en fait, elles attendaient de pouvoir récupérer ses vêtements puants pour les emporter avec elles.

Une fois dans son bain chaud, le garçon se rendit compte à quel point il était épuisé. La tension permanente l'avait aidé à tenir le choc. À ne pas trop penser. À présent, la chaleur, l'impression de sécurité et peut-être une herbe qu'on avait mêlée à l'eau décrispaient ses muscles. Certains se révélèrent douloureux. Pas étonnant : il avait été réduit à la taille d'un papillon, plongé dans un égout, avait lutté contre le flot... Son corps avait été mis à rude épreuve.

Enfonçant sa tête dans l'eau fumante, Henry pensa à Bleu et agita les orteils. La jeune fille prenait son bain quand il l'avait vue pour la première fois (sans le faire exprès). Son bain à lui était beaucoup plus intime. Pourtant, comme la jeune fille, il avait des servantes non loin de lui. Il se demanda qui elles étaient. Pourquoi elles l'avaient aidé. Et quels liens elles entretenaient avec la folle du palais.

Il s'apprêtait à s'immerger totalement de nouveau quand l'une des femmes lui apporta du linge. Il était intrigué par ces êtres si différents les uns des autres. Elles n'avaient ni le même âge, ni le même style, ni la même taille ; et cependant, elles avaient chacune la démarche gracieuse... Henry ne connaissait aucune démarche qui pût lui être comparée. Et elles étaient gentilles aussi, bien qu'elles n'eussent aucune notion de l'intimité que pouvait désirer un garçon lorsqu'il prenait son bain.

— Je t'ai apporté de quoi t'habiller, l'informa celle qui venait d'entrer. Après ton bain, rejoins-nous. On te trouvera peut-être quelque chose à manger.

Le garçon lui sourit, le souffle court. La femme avait raison. Il n'était pas seulement éprouvé par ses dernières aventures. Il n'avait pas seulement envie de rester à somnoler dans l'eau chaude. La vérité, c'est qu'il mourait de faim.

Il sortit du baquet. Se sécha vite fait. Constata qu'il n'avait plus mal aux muscles. Sa fatigue avait presque disparu. Il ne restait plus qu'un gros creux dans l'estomac. Une affaire de minutes.

Henry saisit ses vêtements. Ce n'étaient pas les *siens*. On lui avait apporté des habits neufs et bigarrés. Une chemise, des chaussettes et des hauts-de-chausse assortis. Tout en soie. Sauf les sous-vêtements, car, hormis les chaussettes (« mais les chaussettes sont-elles des sous-vêtements ? » se demanda-t-il), il n'y en avait pas.

Il enfila ses vêtements (bien qu'il regrettât l'absence de caleçon). Il n'avait jamais porté de soie jusqu'à ce jour. Le tissu lui donnait de drôles de sensations. Il trouvait les couleurs un peu trop vives et la coupe un rien féminine ; cependant, il se sentait très bien dedans.

Il passa la chaussette droite. Se jaugea d'un coup d'œil. Pas mal. Un côté original, élégant et une allure héroïque pas désagréable.

Il passa la chaussette gauche. Étendit le bras. Apprécia les formes et les reflets que prenait la soie lorsqu'il bougeait. C'est clair, il était plus sexy qu'en treillis et T-shirt ringard censé affoler les filles. Dans sa nouvelle tenue, il allait peut-être affoler les filles pour de bon. À commencer par Holly Bleu.

S'il la revoyait...

93

Sans consulter Pyrgus, Bleu avait rejeté l'idée de partir avec des troupes plus nombreuses. L'envoi de soldats en masse risquait de déclencher une guerre civile et d'inciter la population à soutenir les Fées de la Nuit contre les envahisseurs. Mieux valait s'en tenir à un effectif plus modeste pour former le commando destiné à enlever Apatura Iris. L'objectif : l'aider à échapper au contrôle de Noctifer. Ensuite ? Eh bien... on verrait.

L'essentiel, c'était l'effet de surprise. Donc la vitesse d'exécution. Une fois l'opération déclenchée, il faudrait dénicher l'Empereur pourpre sans tarder. Pyrgus était optimiste. Quand ils seraient dans le palais, ils trouveraient de l'aide. Parmi les domestiques, la plupart n'avaient dû se résoudre à obéir à Noctifer que par raison ou par peur. Dans leur cœur, ils étaient sans doute restés fidèles à celui qui aurait dû être leur nouveau monarque.

Mais comment entrer dans le palais ? Pas question de prendre la navette qui traversait le fleuve jusqu'à l'Île. Ni Pyrgus, ni Bleu n'avaient assez confiance dans leurs sortilèges d'illusion personnels ; et, sans sortilèges d'illusion, ils seraient reconnus aussitôt. Les gardes chargés de la sécurité du palais ne feraient pas de quartier.

Résultat, pour le moment, les sept membres de l'expédition étaient accroupis dans le lit de roseaux situé à deux cents mètres environ du gué officiel.

— J'espère que tu sais nager, chuchota Pyrgus à Nymphe avec un petit sourire.

— Très drôle, Prince couronné, lui répondit-elle sur le même ton. Cléopâtre l'a promis, tu traverseras à pied sec.

Le jeune homme remarqua alors deux choses :

1) Nymphe ne l'appelait jamais par son prénom, lui préférant son titre officiel qu'elle prononçait avec une emphase ironique ;

2) elle avait de très jolies jambes, bien mises en valeur par le short court et moulant qui constituait le bas de son uniforme.

La soldate tira un curieux filet du sac qu'elle portait à la ceinture. Elle le lança dans la rivière comme si elle avait envisagé d'attraper du poisson. Cependant, entre le moment où la jeune fille lâcha l'objet et celui où il retomba sur la surface de l'eau, le filet se transforma en transporteur – c'était une version réduite des véhicules collectifs que les Fées de la Forêt utilisaient sur leurs autoroutes aériennes. Il aurait dû être balayé par la puissance du courant ; pourtant, il restait sur place, aussi stable que s'il avait été solidement ancré.

Pas de doute : les magiciens de la Forêt étaient très doués !

94

Henry observa ses bottes marron foncé. C'était la partie la plus originale de son nouveau costume. Elles montaient jusqu'aux genoux... et étaient entièrement en soie. Comme sa chemise et ses hauts-de-chausse. Même la semelle n'était constituée que de quelques couches supplémentaires de soie.

C'était beau. Magnifique. Mais très fragile. Il crut entendre sa mère lui souffler : « Allons, combien de temps il va te falloir avant de les massacrer ? » Bof, il n'allait pas vexer ses hôtesses en refusant de porter ces merveilles. Il dénicherait plus tard une paire de vraies chaussures convenant mieux à sa vie d'aventurier. Pour le moment, il allait profiter de ses bottes : il les trouvait plus confortables que des chaussons, et plus agréables à porter que les dernières tennis à la mode.

Les femmes l'attendaient dans la pièce d'à côté. Conscient d'avoir revêtu ses plus beaux atours, Henry leur décocha un grand sourire de séducteur et dit :

— Je ne sais pas qui vous êtes, mais je vous remercie infiniment.

Il insista sur « infiniment », estimant que cela lui donnait un côté adulte.

— Je m'appelle Pêche Bénie, répondit la femme la plus proche en lui rendant son sourire. Pourquoi veux-tu nous remercier *infiniment* ?

D'autres femmes s'activaient pour disposer des plats sur une petite table. Henry ne reconnaissait pas le quart de ce qui l'attendait (il était à peu près aussi connaisseur en gastronomie qu'en haute couture), mais l'odeur qui montait des mets était exquise.

— Ben... le bain... les vêtements... et le repas que vous m'avez promis... Euh, au fait, je m'appelle...

— Henry Atherton, oui, je sais.

Le garçon fronça les sourcils et reprit :

– Vous m'avez dit comment vous vous appeliez... Pas *qui* vous êtes.

– Nous sommes les Maîtresses de la Soie, annonça Pêche Bénie. On nous appelle aussi les Sœurs de la Guilde de la Soie. Et nous allons encore t'aider.

95

Pyrgus battit des paupières et essaya de ne pas paraître trop impressionné malgré ce nouvel exploit. Les Fées de la Forêt maîtrisaient tant de technologies ! Rien de ce qui était magique ne leur semblait étranger ! Bien sûr, modifier ou dissimuler l'apparence d'un objet n'avait rien d'exceptionnel. Un banal sortilège d'illusion suffisait. On en enveloppait la chose à modifier, et le tour était joué. Changer certaines caractéristiques d'un objet était déjà plus costaud. Faisable (si on avait assez d'argent pour s'offrir de la haute magie), mais costaud.

Par contre, le Prince n'avait jamais – au grand jamais – vu quelqu'un modifier la *nature essentielle* d'un objet. Jeter un sort à un pandatherium pour qu'il ressemble et agisse comme un endolg ? Jouable, bien que l'effet soit limité puisque le pandatherium garde le poids et le volume d'un pandatherium. Rien à voir avec ce qui venait de se passer. Ce radeau pour sept personnes n'était, une seconde plus tôt, qu'un petit filet que transportait une jeune fille svelte (et très belle, même si ce n'était pas la question).

C'était matériellement impossible. Ce qui n'avait pas empêché Pyrgus de le voir de ses propres yeux.

– Montez vite ! chuchota Nymphe. Il faut que je nous recouvre !

La jeune fille avait certaines similitudes de caractère avec Bleu, pensa le Prince. Le côté « c'est moi le chef », notamment.

D'ailleurs, la Princesse se méfiait de Nymphe :

– Ça veut dire quoi, « nous recouvrir » ?

– Nous cacher de manière que personne ne nous voie depuis le palais.

– Nous rendre invisibles, donc ?

– Non. L'invisibilité ne suffit pas. Avec elle, on est toujours là où on est.

Pyrgus grinça des dents. Il était déjà perdu.

– Allez, on monte, Bleu ! décida-t-il.

Sa sœur le fixa mais obéit. Elle disparut... et le radeau aussi !

– Oui, bon, c'est un sortilège d'invisibilité, conclut-il.

– Non, objecta Nymphe. Tu ne pourras plus repérer ta sœur ou le vaisseau tant que je n'aurai pas désactivé le processus. Essaie.

Il tendit les doigts. Qui ne rencontrèrent que le vide.

– Bleu ? lança-t-il.

– Elle t'entend et elle te voit, elle, expliqua la Fée de la Forêt. Pas l'inverse. Tant que tu ne seras pas couvert à ton tour, tu n'auras plus de contact possible avec elle. Ni avec le radeau.

Derechef, Pyrgus palpa l'air à l'endroit où avait été le radeau. Il n'y avait rien. Nymphe avait raison. C'était plus que de l'invisibilité. C'était de l'imperceptibilité. Fabuleux.

Le jeune homme se tourna vers Nymphe, les yeux écarquillés. La soldate avait l'air de passer un très bon moment.

– Allez, à ton tour ! lui dit-elle. Monte à bord.

– Mais... le bateau n'est plus là !

– Tu ne le perçois plus, Prince, c'est différent. J'ai promis que tu traverserais à pied sec, tu peux me faire confiance.

L'invitation de Nymphe ressemblait à un défi. Aussi Pyrgus n'hésita-t-il pas un instant. Il avança d'un pas... et se retrouva sur le radeau.

– Pourquoi tu nous as retardés ? lui demanda Holly Bleu d'un ton rogue.

– Tu me voyais ?

– Parfaitement.

– Moi, je ne te voyais pas, je ne sentais pas le radeau, je...

– Eh bien, moi, je te voyais minauder avec ta petite Mlle Je-sais-tout. On peut y aller, maintenant, si vous avez fini de discuter ?

96

Beleth était dans un sale état. Il demeurait effrayant, bien sûr : c'était un Prince. Un démon. N'empêche, il était salement amoché.

Il avait choisi d'apparaître dans sa version gigantesque. Celle sous laquelle Sulfurique l'avait vu pour la dernière fois : un corps immense, bardé de muscles saillants ; et une tête massive surmontée d'impressionnantes cornes de bouc de chaque côté du front. Mais cela n'en soulignait que mieux son piteux état. Une corne brisée. Deux crocs cassés. Une oreille en moins. Un hématome jaunâtre à l'œil droit. Un gros bleu qui palpitait sur le front. Une très vilaine cicatrice qui partait de la joue gauche et courait le long de sa gorge.

Sulfurique avait toujours eu une peur panique du Prince des démons. Cependant, à l'heure actuelle, la créature paraissait à peine en état de croquer une cuisse de grenouille. Le cœur du vieillard se remit à battre, et le sang ramena des couleurs sur son visage.

— Que vous est-il arrivé ? s'enquit-il.

— Aucune importance, gronda Beleth.

— Voyons, je suis inquiet pour...

— Une bombe m'a explosé au visage. Par chance, cette forme est *grosso modo* indestructible. Ce qui est important...

— Comment êtes-vous arrivé jusqu'ici ? l'interrompit Sulfurique, enhardi par le délabrement de son ennemi. Les portails avec Hael ne sont pas fermés ?

Dans ce cas, Beleth avait dû venir par la voie du vimana. Pas d'autre solution. Et s'il était là aujourd'hui, alors que le voyage était censé prendre des années d'ordinaire, cela indiquait qu'il avait emprunté un vaisseau monoplace – ce qu'il n'avait jamais, jamais fait par le passé.

C'était *très* grave.

Le Prince des démons se pencha soudain, attrapa le vieillard par la gorge et le souleva plusieurs mètres au-dessus du sol.

– GÂÂÂH ! protesta sa victime. GÂÂÂÂÂÂH !

– Ce qui est important, reprit Beleth d'une voix calme, soufflant son haleine de soufre au nez de Silas, c'est que le reste du Royaume de Hael n'a pas eu ma chance.

Il redescendit un peu le vieillard puis le lâcha.

– Aïe ! gémit Sulfurique en se massant à la fois le coccyx et la gorge. Vous... voulez dire que... le Royaume de Hael est détruit ?

– Ne sois pas stupide ! Il a juste besoin d'une sérieuse reconstruction.

Sulfurique faillit crier de joie. Si Beleth devait rebâtir son Royaume, il aurait autre chose en tête que de faire appliquer un pauvre contrat.

« Hum, pas sûr... », pensa le vieillard quand le démon plongea ses yeux injectés de sang dans les siens.

– Il y en a pour plusieurs milliards, résuma le Prince.

– Euh, là, je suis à sec. Dès que je me serai remis à flot, je me ferai un devoir de...

– *On* m'a trahi ! tonna le démon sans écouter. *On* a fait preuve d'ingratitude ! *On* a rompu des accords, *on* est revenu sur sa parole donnée, *on* a retourné sa veste, et *on* croit s'en sortir comme une fleur ! *ON* SE TROMPE ! *ON* SE TROMPE énormément !

Sulfurique verdit :

– Je... j'ai eu un petit problème, j'avoue... Les circonstances...

– Pas toi, fieffé imbécile ! Ce pendard, cette ordure, ce chien de Noctifer !

– N... Noctifer ? Lord Black Noctifer ? Mais vous n'étiez pas alliés ?

– Précisément, abruti ! Crois-tu qu'on est trahi par ses ennemis ? Non, ce sont toujours ces petits... ces misérables... ces microbes... ces chacals que je vais briser...

Beleth était hors de lui. Ses yeux lançaient des éclairs de sept couleurs. Une pluie de bave dégoulinait de sa gueule. Le bleu gonflé sur sa tête battait si fort qu'il semblait sur le point d'exploser. La cicatrice sur sa gorge parut sur le point de céder, montrant une rangée de points de suture tendus à l'extrême.

Sulfurique se demanda si le démon avait lui-même dû se recoudre. Si tel avait été le cas, il n'aurait pas voulu être à sa place – oh, non !

– Noctifer était ravi que je lui propose mon aide, lâcha le monstre. Sans moi, il n'aurait jamais pu prétendre au trône pourpre. Et à présent que j'ai besoin d'un coup de main à mon tour, il ne me connaît plus !

– C'est très mal, pontifia le vieillard.

« Mais à quoi vous attendiez-vous de la part d'une Fée de la Nuit ? » pensa-t-il par-devers de lui.

Un plan commençait de germer dans sa tête. Beleth était mal. À genoux, pour être précis. Presque à la merci du premier magicien venu. Sauf que les Princes des démons ont toujours quelques tours de magie très noire et très douloureuse dans leur sac. Et puis, Beleth savait que Sulfurique venait d'enterrer le corps de sa dernière victime. Il pouvait le faire chanter. Il allait falloir jouer serré ; cependant, le jeu en valait la chandelle.

– Puis-je vous apporter mon concours ? proposa-t-il.

– Oui.

– Pour faire *quoi* ?

Beleth le lui dit.

Et Sulfurique n'en crut pas ses oreilles.

97

Henry dégustait une ordelle – un plat féerique dont il ignorait tout, sinon qu'il avait un goût fumé absolument dé-li-cieux.

– Vous n'avez pas peur d'avoir des ennuis ? demanda-t-il.

– Des ennuis ? répéta Pêche Bénie. Pourquoi ?

Henry se mordit les lèvres. Peut-être en avait-il trop dit. Inutile de préciser qu'il s'était enfui de la pire cellule du donjon. Bien sûr, il avait émergé en sentant les égouts à plein nez. Mais il avait intérêt à jouer le visiteur égaré dans le labyrinthe du palais.

Au point d'aboutir dans les égouts ? Pas très crédible. D'autant que les Maîtresses de la Soie connaissaient son identité. Savaient-elles autre chose sur lui ? Mieux valait éviter de les effrayer... et de les inciter à le dénoncer.

– La Reine et moi ne nous entendons pas très bien, lâcha-t-il d'un air désinvolte.

– C'est bon signe, répondit Pêche Bénie. Quercusia est tellement siphonnée que si une idée raisonnable lui venait, la pauvre idée mourrait noyée au milieu de tous ses délires.

Henry sursauta. Il n'avait pas entendu dire autant de mal de quelqu'un depuis la dernière fois qu'il avait discuté de sa prof d'anglais avec Charlie, sa meilleure copine.

98

Pas de système de propulsion visible. Pas de signe manifeste d'un sortilège. Et cependant, le transporteur traversait le fleuve, indifférent à la puissance redoutable du courant.

— Comment ça marche ? demanda Pyrgus dans un souffle.

— Pas la peine de susurrer, rétorqua Nymphalis. C'est très sensuel, mais inutile : personne ne nous entendra tant que nous serons couverts.

— Bon, d'accord, grommela le Prince un ton plus haut. Comment ça marche ?

— Il y a un pilote automatique intégré, avec traction avant, contrôle multidirectionnel et sortilège de lévitation minimale afin de réduire la friction.

— Ça ne sent pas la magie.

— À quoi bon se couvrir si c'est pour être trahi par l'odeur ? rétorqua la jeune fille, comme si elle n'avait pas compris le sens véritable de la question.

Pas moyen de relancer le débat pour apprendre le *comment* de l'affaire : ils arrivaient devant le Vieux Donjon, le plus ancien bâtiment du palais, construit depuis si longtemps que sa technique d'édification avait été perdue. Les architectes modernes s'avouaient incapables d'expliquer comment on avait pu déplacer des rocs aussi massifs pour construire cette énorme extension au bord de la rive.

À ce qu'en savait Pyrgus, le Vieux Donjon n'était plus guère utilisé que pour stocker des vivres. Par conséquent, bien qu'il demeurât lié au corps principal de la demeure impériale, il n'était pas aussi surveillé que le reste du bâtiment. On avait estimé depuis belle lurette qu'aucun envahisseur ne réussirait à créer une brèche dans une telle muraille. Avec raison, jusqu'ici. Mais Pyrgus se promit qu'il changerait cette tradition dès qu'il aurait repris sa place.

Le transporteur se posa en toute discrétion sur la grève de pierres. Une étroite langue de galets s'étendait là. Les parois abruptes de la falaise la surplombaient. Elles-mêmes étaient surmontées par les murs imposants du donjon.

Pyrgus leva les yeux vers le sommet de la tour et se crispa. D'où il était, il distinguait des gardes munis de kris. Des armes redoutables. Même ici, Noctifer avait renforcé les rondes pour ne rien laisser au hasard en cette période troublée.

— On ne risque rien tant qu'on reste sur le bateau, dit Nymphe.

— Sauf qu'on va devoir traverser cette plage, supposa Holly Bleu à voix haute.

— Exact. C'est le moment dangereux. Après, nous serons abrités par la falaise. Les gardes ne nous verront pas si nous sommes juste en dessous d'eux. Par contre, s'ils nous repèrent avant, ils nous tireront comme des rats.

— Vous ne pouvez pas nous rendre invisibles ? demanda la Princesse à Ziczac.

— Et puis quoi encore ? répondit celui-ci en haussant les épaules. Chacun son boulot. Moi, je suis un vrai spécialiste. Je ne sais faire qu'une chose. Je ne touche pas à l'invisibilité.

— Le transporteur ne peut pas se déplacer jusqu'à la falaise ? s'étonna Pyrgus.

— Non, expliqua Nymphalis. C'est un bateau – un peu amélioré, mais un bateau quand même. Et il n'y a pas moyen d'étendre la couverture au-delà de sa surface.

— Donc pas moyen d'échapper à la traversée de la plage ? résuma Holly Bleü.

La soldate de la Forêt hocha la tête :

— Nous allons transporter le Sorcier Ziczac et le protéger pendant qu'il travaille. Vous, vous restez ici le temps que le procédé soit mis en place. Puis vous traverserez en courant et vous nous rejoindrez.

— Nous venons avec vous, annonça Bleu.

— Oui, tout à l'heure...

— Non, maintenant.

La jeune fille darda sur la soldate un regard à fissurer les miroirs.

— Deux traversées de la plage sont plus dangereuses qu'une seule, cracha-t-elle. Fin de la discussion.

Nymphalis se tourna vers Pyrgus :

— Est-ce votre décision, Prince ?

– Oui.

Il appréciait et admirait la belle soldate. Mais une longue pratique des relations avec sa sœur lui avait appris qu'il était inutile de s'opposer à elle quand elle était d'humeur massacrante.

99

– **D**ans le Royaume, dit Pêche Bénie à Henry, nombreux sont ceux qui ne connaîtront pas le repos tant que le Prince Pyrgus n'aura pas été rétabli dans ses fonctions. Le Prince Comma est une Fée de la Nuit ? Tant pis pour lui ! Lord Black Noctifer gouverne. Et cela, nous ne pouvons l'accepter. L'ancienne reine, la mère de Comma, est aussi dangereuse qu'un slith*. Son frère est pire, et c'est lui qui gouverne !

La Maîtresse de la Soie frappa du pied et martela la phrase suivante :

– Nous-ne-le-lais-se-rons-pas-faire !

Les visages de ses Sœurs de la Guilde exprimaient cette même détermination. Elles souhaitaient le retour de Pyrgus. Mais avaient-elles entrepris quelque chose pour l'aider ? Ou l'ombre du terrible Noctifer les tenait-elle en respect ?

– Vous savez où sont Pyrgus et Bleu ? J'ai cru comprendre qu'on les avait envoyés en Haleklind...

– Exact.

– C'est où, l'Haleklind ?

– Aux confins de l'Empire.

– Loin d'ici, donc ?

– Tu veux les rejoindre ?

Henry ne répondit pas tout de suite. Il se sentait... au mauvais endroit. Pas à sa place. Il s'était translaté pour participer à la cérémonie du Couronnement. Et ce qu'il avait trouvé, c'était une crise politique majeure dont il n'était pas sûr de saisir les enjeux.

Il imagina rejoindre ses amis en exil. À quoi leur serait-il utile ? Leur serait-il utile, tout simplement ? Tôt ou tard, il y aurait du grabuge. Des batailles rangées. Or, il n'était pas un soldat. Il ne savait pas se battre.

Et combien de temps fonctionnait le sortilège de Léthé ? Sa mère et Alicia ne finiraient-elles pas par se rendre compte de son absence ?

241

Non, il valait mieux pour lui trouver un portail, rentrer chez lui, et... « et ne plus voir Bleu », ajouta-t-il à sa petite liste. Il raya la solution précédente et se décida :

— Oui, je veux les rejoindre. Le plus vite possible.

— Nous t'aiderons à y arriver, promit Pêche Bénie. Pour commencer, nous allons nous occuper de l'entaille que tu t'es faite au visage. C'est bizarre, on dirait que tu t'es coupé avec une lame de broyeur comme on en trouve dans les toilettes !

100

Le plan était simple : attendre que les gardes regardent de l'autre côté, et courir.

Le problème était simple aussi : les gardes ne regardaient jamais ailleurs. L'un d'eux scrutait l'horizon ; un autre les eaux du fleuve ; pendant ce temps, un autre observait la plage sans relâche. Ils arboraient la tenue des gardes du palais, mais Pyrgus n'avait pas le moindre doute : c'étaient des Fées de la Nuit. Ils avaient ce regard paranoïaque, ce mouvement d'yeux saccadé et cette attitude suspicieuse des gens habitués à être bernés en permanence – autant de caractéristiques qui en faisaient d'excellents chiens de garde.

Nymphalis attendit quelques minutes, puis elle déclara :

– Il faut créer une diversion.

– Quelle sorte de diversion ? s'enquit Bleu, méfiante.

– Ce genre, répondit la soldate qui désigna Ziczac et fixa le fleuve.

À cet endroit, le débit était particulièrement vif ; cependant on distinguait encore les faubourgs de la ville sur la rive opposée. Certaines villas avaient leur jetée privée donnant sur le fleuve, où était apponté leur yacht. Pyrgus, qui s'attendait à une diversion classique (un jet de pierre dans l'eau, par exemple), se demanda à son tour ce que mijotaient les Fées de la Forêt.

C'est alors qu'il perçut une mélopée discrète, à peine audible. L'ingénieur sorcier s'était assis en tailleur sur le sol du transporteur ; et, les yeux clos, il s'était mis à fredonner.

– Qu'est-ce qu'il fait ? chuchota le Prince à Nymphe.

– Son boulot de sorcier. Vous n'avez pas de fredonneur, à la Cour ?

Pyrgus secoua la tête. Non, il n'y avait pas de fredonneur à la Cour. Il ne savait même pas ce qu'était un fredonneur. Et il n'avait plus de Cour.

– Sortilège d'illusion ? grommela Bleu.

– En quelque sorte, lâcha sèchement la soldate.

Un garde positionné sur le rempart cria et pointa l'index vers le fleuve. Quelques secondes plus tard, d'autres gardes filaient le rejoindre.

– Qu'est-ce qu'ils voient ? s'enquit la Princesse.

– Un dragon, sans doute. Ziczac aime simuler des dragons. Vu le contexte, il a dû choisir un serpent de mer. À moins que...

La jeune fille gloussa.

– À moins que *quoi* ? insista Bleu, agacée.

– À moins que... qu'il n'ait fredonné des... des sirènes nues ! réussit à proférer Nymphe entre deux hoquets. Ziczac a un côté farceur !

– On y va ! décida la Princesse sans se dérider.

Pyrgus s'en amusa. Sa sœur n'était pas souvent de mauvaise humeur ; mais quand elle l'était, elle ne l'était pas à moitié !

Il leur fallut moins d'une minute pour traverser l'étroite langue de galets. Ziczac suivit le mouvement, et ne cessa de fredonner qu'au moment où ils furent à couvert, protégés par le récif.

– Je leur ai fait une boule de feu géante et éblouissante ! s'exclama-t-il avec un grand sourire. Comme s'ils avaient vu le soleil. Elle leur laissera des traces sur la rétine. Ces soldats doivent être des Fées de la Nuit. Donc particulièrement photo-sensibles.

– Photo..., commença Pyrgus.

– Sensibles à la lumière, traduisit Nymphe.

– Ils vont voir des petits points lumineux pendant au moins cinq minutes, poursuivit l'ingénieur magicien. Ça va les occuper... et nous laisser assez de temps pour entrer dans le palais.

Le Prince posa sur Ziczac un regard plein de reconnaissance. Avec un sorcier de sa trempe, la mission avait de bonnes chances de réussite. Ils n'étaient peut-être plus qu'à quelques minutes de retrouver Apatura Iris.

101

« Tu es sûr de ce que tu fais, Cyril ? » demanda Blafardos à son vyr pour la millième fois.

Il se trouvait de nouveau devant le manoir de Lord Black Noctifer. Et il était é-pui-sé.

Le voyage jusqu'au fond de la Forêt avait été encore plus éprouvant que le précédent. Le wangaramas l'avait guidé à travers un chemin venteux et mal dégagé, où flottait une forte odeur de sliths. À présent, ils avaient émergé devant un paysage de rosiers plantés en buissons serrés autour de la magnifique pelouse du palace.

Blafardos regarda au-delà du vaste parterre d'un vert immaculé. S'il se décidait à le traverser – s'il choisissait de prendre le risque inouï de le traverser –, il resterait à découvert un long moment. Sans aucune cachette ni échappatoire. Il jeta un coup d'œil au-dessus de lui. Pas de haniels en vue. Restait le pire : les gardiens de Noctifer. Des tueurs qui tiraient avant de poser des questions et commettaient régulièrement des bavures afin de prouver que leur réputation n'était pas usurpée. Si Cyril avait bluffé, Jasper ne ferait pas trois pas avant d'être percé d'un millier de flèches acérées.

« Arrête de douter de moi ! s'agaça le vyr. Et dépêche-toi ! Cossus Cossus t'attend. »

« C'est toi qui le dis, objecta Blafardos. Mais qu'arrivera-t-il si Noctifer me voit ? »

Le wangaramas poussa l'équivalent mental d'un grognement :

« Oui, qu'arrivera-t-il ? Réfléchis deux minutes ! Il ne sait pas ce que nous avons tramé. Pour lui, tu es toujours un fidèle serviteur. Pas très doué, mais fidèle. Supposons néanmoins que tu le rencontres – ça n'arrivera pas, l'expression correcte serait donc : *"Imaginons* que tu le rencontres". Tu n'auras aucune difficulté à lui expliquer que tu es venu prendre de nouvelles instructions. Si ? »

« Non », reconnut l'homme.

Cependant, la peur de Noctifer le poussa à ressortir un argument qu'il avait avancé à maintes reprises dans des discussions similaires. Sans succès jusqu'à présent.

« Moi, je préférerais aller ailleurs et attendre dans mon coin la cérémonie du Couronnement de Comma », reprit-il.

Soudain, il eut l'impression qu'on lui crachait *dans* le crâne. Cyril venait de soupirer.

« Écoute, Jasper, mais écoute bien parce que j'ai l'impression de t'avoir déjà expliqué ça une dizaine de milliers de fois. Tu as du pain sur la planche. Quand le grand jour sera venu, il faudra qu'on te prenne pour Lord Black Noctifer. Dois-je te rappeler que tu n'étais pas excellent à ce jeu-là lorsque tu travaillais avec le Maître-des-masques ? »

« C'était juste une histoire de démarche. Je n'ai jamais été très bon pour imiter les gens. Maintenant, tu es là pour m'aider. »

« Oui, pour t'aider à marcher. Point barre. Fin de l'histoire. Dois-je te rappeler que Noctifer ne passe pas son temps à marcher ? Il *fait* d'autres choses, parfois. Par exemple, il rencontre des gens qu'il connaît. Il leur parle d'une certaine façon. Il les salue par leur nom. Ton rôle a changé. Black voulait que tu te contentes d'assister à la cérémonie du Couronnement de Pyrgus. Tu n'étais censé saluer personne. Protégé par ta garde rapprochée, tu avais le droit – et même le devoir – de jouer au grincheux et au mauvais perdant. Rien de plus normal : tu aurais été témoin du triomphe de ton pire ennemi. »

« Mais je... »

« Je n'ai pas fini. Cette fois, tu vas assister au couronnement de Comma. Tout le monde sait bien que ce gamin n'est qu'un pantin dont tu tires les ficelles. C'est donc ton triomphe que tu vas célébrer. Les gens te féliciteront. Tu vas être très entouré. Il va te falloir te pavaner et te laisser cajoler par des tas de personnalités dont tu ignores l'essentiel à l'heure qu'il est. Crois-moi, il ne s'agit plus de passer quelques heures en compagnie de Wainscot. Tu vas avoir besoin de la moindre seconde qui nous reste pour être au point. »

« Mais je... »

« Je n'ai pas encore fini. C'est Cossus en personne qui te conseillera. Il te restera à t'entraîner. Donner des ordres à des domestiques, par exemple. »

« Je *sais* donner des ordres. »

« Je n'ai toujours pas fini. Des démons de haut niveau attendent Black. Donc toi. Tôt ou tard, tu auras à traiter avec eux. Je sais que, pour le moment, les portails sont fermés. Cependant, Noctifer s'est fait creuser des trous de l'Enfer. Tu pourras donc t'entraîner avec ces créatures avant la réouverture des portails. Remarque, je n'ai pas encore parlé de... »

– Tu as assez parlé, le coupa Blafardos à voix haute. Et rassure-toi, tu as gagné.

Cette conversation mentale ne l'avait pas convaincu : elle l'avait découragé. Lui qui rêvait simplement de s'asseoir sur un trône couvert d'amples tissus pourpres... La route qui le séparait de son heure de gloire était encore longue.

Trop longue, à son goût.

Si un haniel le mangeait pendant qu'il traversait la pelouse, ce serait un soulagement.

102

Le Vieux Donjon, Pyrgus connaissait. Depuis longtemps. Il y était venu quand il avait quatre ans. Et il n'avait pas oublié cette expérience traumatisante.

Lors de cette visite mémorable où il avait accompagné son père, il avait éclaté en sanglots. Apatura avait mis longtemps à le consoler. Lorsqu'il avait demandé à son fils ce qui l'avait tant effrayé, Pyrgus avait répondu : « Les fantômes. »

L'endroit n'avait pas changé. Il paraissait toujours hanté. Pyrgus se trouvait au milieu d'une pièce immense, protégée par des murs en rocs massifs. Les autres membres du commando ne s'étaient pas encore matérialisés.

Dans cette partie du Vieux Donjon, les salles étaient si énormes que les un peu moins énormes rayonnages destinés à stocker les vivres paraissaient minuscules. La lumière était rare. La pierre grise absorbait les rayons qui filtraient de minces soupiraux encrassés. L'espace avait été aménagé comme nulle part ailleurs dans le palais : des plateformes se superposaient tous les dix mètres, réunies entre elles par des escaliers aux marches étroites. L'ensemble donnait l'impression d'avoir affaire à un labyrinthe en trois dimensions.

Bleu émergea du mur. Elle regarda autour d'elle et frissonna.

– Tu n'étais jamais venue ? lui demanda Pyrgus.

– Non. Toi, tu sais comment on sort ?

– Je ne suis pas sûr. Ça fait un bail que je n'avais pas mis les pieds ici.

Les trois soldats de la Forêt émergèrent à leur tour, les sens aux aguets, prêts à parer à toute attaque.

Puis Ziczac sortit de la muraille. Il observa la pièce immense, un sourire amusé sur le visage.

– Délicieusement archaïque, lâcha-t-il. C'est fascinant... Je n'avais jamais vu cela !

– Vous pouvez nous conduire au cœur du palais, Prince ?
s'enquit Nymphe.

– Je crois. Les portes seront sans doute fermées, car il y a des
réserves. En théorie, les sortilèges de serrure à reconnaissance
automatisée devraient me reconnaître. Je ne pense pas que Noctifer se soit déjà attaché à les modifier. De toute façon, s'il y a
un souci, Ziczac nous fera passer la porte, non ?

– Pas forcément, intervint l'intéressé.

– Pardon ?

– Je m'explique : nous ne pouvons passer qu'à travers des
surfaces épaisses.

– Donc si on voulait franchir un mur trop fin ou une porte
pas assez grosse...

– On en mourrait sur-le-champ, compléta l'ingénieur.

Pyrgus grimaça :

– Absurde !

– Ah, je suis content que vous soyez d'accord avec moi ! J'ai
du mal à comprendre le phénomène. Non, d'ailleurs, je ne le
comprends pas du tout. Mais le principe est clair : il faut traverser des surfaces plus importantes que soi-même. Les murs
extérieurs de ce donjon sont gigantesques. Je n'ai aucune inquiétude à leur sujet : c'est une vieille tradition. Par contre, les murs
qui donnent sur le palais, je ne suis pas certain qu'ils aient suivi
les mêmes principes de construction.

– En cas d'urgence, nous pourrions tenter le coup ? demanda
Holly Bleu.

– Bien sûr. Au risque de rester coincés dans la paroi.

– Pour toujours ?

– Oui, dit Ziczac. Mais c'est surtout la première minute qui
est ennuyeuse.

– Pourquoi ?

– Parce que, après, on s'en fiche, vu qu'on est mort.

103

C'était bon d'être de retour en ville. Sulfurique n'avait jamais rêvé de passer sa vie à la campagne, à écouter pousser les brins d'herbe. La tranquillité des bois était trop tranquille ; son silence trop silencieux ; son vide trop vide. Le vieillard avait besoin de la foule, du brouhaha, des cris. Ceux-ci lui avaient tellement manqué qu'il avait l'impression de rentrer chez lui après des années d'absence... alors qu'il ne s'était pas absenté longtemps.

Il salua avec un geste cordial les gardes postés à la Porte du Boiteux – des Fées de la Nuit, constata-t-il. Bien, bien, bien... Lord Noctifer n'avait pas perdu de temps. Aucune Fée de la Nuit n'avait surveillé l'entrée de la ville depuis au moins cinq siècles.

« Tout va bien, ce n'est pas normal », pensa Pyrgus.

Jusqu'à présent, le commando n'avait pas rencontré de difficultés majeures. Le Prince essayait de paraître plus sûr qu'il ne l'était : pas simple de se retrouver dans ce labyrinthe. Néanmoins, la bonne nouvelle était que Noctifer n'avait pas encore modifié les sortilèges commandant l'ouverture des portes intermédiaires. Résultat, celles-ci s'ouvraient en reconnaissant Pyrgus.

Enfin, les sept soldats arrivèrent devant une arche qui rappelait quelque chose au Prince. Cette fois, il n'avait pas le moindre doute.

– Par là, déclara-t-il, on va atteindre les premiers étages du palais proprement dit.

Il passa le seuil. Et les gardes de Noctifer lui tombèrent dessus.

Sulfurique s'arrêta et inspira une grande bouffée d'air pollué. Il avait toujours aimé l'odeur – l'infection, en fait – qui se dégageait de la ville. Ces relents de sueur et de linge sale, cette pointe âcre qu'ajoutaient les remontées d'égout... On ne les retrouvait nulle part ailleurs. Un résultat exclusif obtenu par trois cent vingt-deux mille sept cents âmes parquées dans un délicieux labyrinthe d'allées sombres bordées de logements insalubres. Unique. Tout simplement unique.

Une procession de bateleurs serpentait dans les rues encombrées. Le vieillard s'immobilisa pour profiter des gesticulations des danseurs et des jongleurs aux allures patibulaires. « Des Fées de la Nuit, eux aussi », observa-t-il, ravi. Jamais, par le passé, un tel défilé n'aurait pu avoir lieu en dehors des districts contrôlés par les Fées de la Nuit.

Il poursuivit sa route par le quartier du Havre du Marin – un dédale de chemins tortueux qui conduisait vers le fleuve. Il marcha lentement le long du quai, examinant les pontons jusqu'à ce qu'il trouvât un passeur convenable. Il ne trouva qu'un ruffian costaud et mal rasé. Avec son châle de démonologue pourvu de l'insigne cornu, Sulfurique ne craignait pas grand-chose. On réfléchissait à deux fois avant d'agresser des Fées arborant ces marques.

– C'est vingt-sept écus, grogna l'homme.

Mais il ne protesta pas quand Sulfurique ne lui en tendit que six.

106

Les gardes connaissaient leur métier. Dès qu'ils interceptèrent le Prince, ils lui bloquèrent les bras pour l'empêcher de se saisir de ses armes – une petite épée (dans son fourreau), une baguette à feu (à sa ceinture) et un couteau halek (dans sa botte). Pyrgus ne résista pas. Au contraire, il se laissa entraîner. L'homme qui lui retenait les mains dans le dos relâcha sa prise. Aussitôt, le Prince tenta violemment de se dégager et balança au hasard son coude derrière lui. Un cri lui apprit qu'il avait touché son adversaire en plein dans l'œil. Il était libre.

Libre de se faire massacrer par les autres gardiens qui l'entouraient, l'épée au clair. Pyrgus comprit à leur rictus qu'ils allaient le tuer avec joie.

Mais Nymphalis bondit. Elle bondit si vite que le jeune homme la vit floue. À la main, elle tenait une arme qu'il ne connaissait pas : une lame triangulaire trop courte pour être une épée, trop longue pour n'être qu'une dague, et qui laissait derrière elle une trace d'énergie argentée, à la manière des couteaux haleks.

La jeune fille frappa le garde le plus proche d'un coup de pied chassé monumental. L'homme se plia en deux. La soldate lui trancha la nuque et sauta de côté lorsque le sang jaillit. Puis Nymphalis s'interposa entre deux assaillants et Pyrgus.

Cette fois, le combat était lancé pour de bon.

107

Le fleuve avait toujours été le moyen le plus simple de contourner la ville. Sulfurique s'installa à la proue du bateau et contempla les rives. Les entrepôts des docks laissaient peu à peu place aux bureaux, puis aux vastes demeures résidentielles. Le vieillard frissonna. Il se sentait... Comment se sentait-il, d'ailleurs ? Il se sentait *bien*.

Cela ne lui était plus arrivé depuis longtemps. Il avait fait la paix avec Beleth. Les deux parties avaient conclu un nouveau marché. Ce satané Pyrgus ne serait pas Empereur pourpre. Noctifer avait pris le pouvoir. Les Fées de la Nuit contrôlaient la situation. La vie était belle.

L'avenir de Sulfurique lui-même s'annonçait grandiose. En un rien de temps, il était passé du misérable gourbi de la Veuve Mormo à une vie en Technicolor. Il eut même envie de *parler*, pour le plaisir de parler. De dire juste : « Ça a changé, ces temps-ci » à son passeur. Et il ne se gêna pas.

L'autre posa sur lui un œil morne et grommela un vague :
– Ouais...

Le vieillard ne s'offusqua pas de ce manque d'enthousiasme. Le type était visiblement un bâtard, mi-Fée de la Nuit, mi-Fée de la Lumière. Il se méfiait des membres des deux camps. Cependant, pour exercer son métier, il avait dû faire allégeance aux puissances dominantes du moment. En un sens, le vieillard était son maître. C'était une pensée agréable.

Sulfurique regarda autour de lui. Le fleuve aussi avait changé depuis l'accession des Fées de la Nuit au pouvoir. Le trafic s'était développé. Des bâtiments solides et lourdement armés y circulaient. Sans doute une flotte de pirates.

Jadis, la police fluviale aurait coulé ces navires sans la moindre hésitation. Un soupçon de piraterie leur suffisait. Mais ces fonctionnaires avaient dû céder leur place à leurs pires ennemis, car les navires de guerre étaient nombreux et rutilants.

Le vieillard avisa un grand yacht, ou du moins un bateau *qui ressemblait à un yacht.* En haut de son mât flottait un pavillon bigarré orné d'un morse flamboyant. « Les trulls sont de retour dans ces eaux après quarante ans d'absence ! » pensa Sulfurique, ébahi.

Le long des maisons des bords de fleuve, une avenue donnait sur une vaste place pavée qui conduisait à l'église de Saint-Esprit-de-la-Chauve-Souris, un prophète de la Lumière vénéré pour avoir vécu dans le désert et s'être nourri d'insectes séchés, trempés dans du miel sauvage. « Le pauvre doit se retourner dans sa tombe ! » songea le vieillard en ricanant. Un marché bruyant se tenait juste sur le parvis du monument. Un petit groupe de pèlerins – on les reconnaissait à leurs robes blanches... et à leurs visages déconfits – essayait de se frayer un chemin à travers la foule. Un cracheur de feu, posté devant l'entrée, refusa de différer sa prestation. Quelques semaines plus tôt, on l'aurait massacré pour son insolence. Aujourd'hui, les spectateurs l'acclamaient. Décidément, la situation avait pris une tournure sympathique !

Une secousse tira Sulfurique de sa contemplation. Son bateau venait d'accoster aux docks du quartier de Bon-Marché.

– Ça vous va ? s'enquit le passeur en jetant son amarre.

– C'est parfait, répondit le vieillard en souriant.

Il était ravi. Au point qu'il envisagea d'accorder un pourboire à l'homme. Il n'en fit rien. Fallait quand même pas exagérer.

108

Le Prince dégaina son épée et fit face à une Fée de la Nuit qui avait tenté une attaque dans son dos. Surpris, l'homme baissa la garde une fraction de seconde. Pyrgus se fendit et lui planta son épée dans le ventre.

Du coin de l'œil, le Prince aperçut les soldats de la Forêt. Ils avaient troqué leurs arcs pour des épées, afin d'éviter de blesser leurs amis dans ce combat rapproché. En un éclair, Pyrgus se rendit compte de la chance qu'il avait eue d'être protégé et non attaqué par Nymphalis : celle-ci lui avait porté son coup favori, le coup bas, mais elle lui avait épargné la suite de l'enchaînement (le tranchage de gorge) !

Les Fées de la Forêt se lancèrent dans le combat avec la même efficacité que Nymphalis. Quelques minutes plus tard, les assaillants étaient morts ou mourants. Sur leurs uniformes, dont la plupart étaient rouges de sang, Pyrgus avisa les armoiries de la Maison de Noctifer. Le nouveau maître des lieux n'avait aucune confiance dans la loyauté des forces militaires du palais. Ce qui était encourageant pour Pyrgus : son peuple ne l'avait pas lâché à son premier revers de fortune.

— J'ai une idée, annonça Ziczac en regardant les cadavres. Si vous mettiez les uniformes et les lunettes de ces soldats, vous pourriez faire illusion quelque temps.

— Et vous ?

— Je suis trop petit. J'aurais l'air d'un clown dans ces habits. Vous n'aurez qu'à prétendre que je suis votre prisonnier... ou le sorcier personnel de Noctifer... Vous trouverez bien !

— Bonne idée ! Ces traîtres n'y verront que du feu !

— Veillez à choisir les moins souillés, conseilla Ziczac.

Mais Pyrgus était déjà au travail...

109

Le quartier de Bon-Marché était en ébullition. Sulfurique constata qu'on y traficotait encore plus que d'habitude... ce qui était une performance ! Les têtes pétillantes semblaient intéresser un grand nombre de gens.

Le vieillard serra son châle autour de lui et s'engagea dans la foule. Il était bien ; il fut encore mieux lorsqu'il sentit qu'on s'écartait pour lui céder le passage. L'insigne cornu inspirait encore plus le respect et la crainte que par le passé. Les portails de Hael avaient beau être fermés, les gens craignaient ceux qui savaient commander aux puissances infernales. La plupart se doutaient que les portails ne resteraient pas clos éternellement ; et tous ignoraient que, parfois, c'étaient les démons qui donnaient des ordres à leurs commanditaires...

Le temps que Sulfurique gagne la voie Bouillonnante, son moral avait atteint des sommets que le vieillard n'avait pas souvenance d'avoir connus un jour. Il rentrait chez lui. Dans sa maison. Pour le plaisir, il se récapitula la situation avec délectation : l'Empereur Apatura était mort et enterré (enfin, il fallait l'espérer pour ses proches !) ; le Prince Pyrgus était en exil, le pouvoir confisqué par les Fées de la Nuit, Beleth impuissant... Non, décidément, Sulfurique n'avait rien ni personne à craindre.

Tant mieux. Car il avait des projets. À commencer par la vente de propriété de feu sa femme. Dépouiller ce pauvre Blafardos qui devait croupir en prison. Réactiver sa couverture idéale : la fabrique de colle. Se mettre en quête de...

Le vieillard s'arrêta de rêver. Quelque chose ne collait pas – c'était le cas de le dire. La voie Bouillonnante ne *sentait* pas bon. Ou plutôt, elle empestait moins qu'elle n'aurait dû.

Soudain, Silas s'immobilisa. L'usine Blafardos & Sulfurique de Colle Miraculeuse avait disparu. S'était volatilisée. Effondrée, en fait. Au bout de l'allée, il n'y avait plus qu'un tas de gravats brûlés. Les portes d'acier pendaient sur leurs gonds, tordues. Une brise légère soufflait, chargée des odeurs acides de la grand-rue de la lande où empestaient les mauvaises herbes et chardons.

Incrédule, Sulfurique contemplait le désastre. Quelqu'un avait détruit sa mine d'or. Jamais il n'avait connu activité plus rentable que la production d'hectolitres de colle réputée pour « coller sur tous supports ». Jamais il n'avait gagné plus d'argent qu'avec cette entreprise. Jamais il n'avait été plus tranquille pour dissimuler ses petites activités démonologiques aux indiscrets, et surtout aux Fées de la Lumière.

Le vieillard serra les poings. Celui qui avait fait ça allait payer. Cher. Très, très, très cher.

110

« Les Maîtresse de la Soie ne ressemblent pas aux autres femmes, pensa Henry. Sauf peut-être à Maman. »

Contrairement à Martha Atherton, elles n'avaient sans doute jamais lu *Psycho Mag* et ignoraient sans doute quelles étaient les meilleures méthodes pour éduquer un jeune adolescent – ce qui était une bonne chose. Mais, comme la mère de Henry, elles savaient prendre un petit ton autoritaire qui excluait toute discussion.

Au bout d'un moment, le garçon se rendit compte qu'il leur obéissait à la manière d'un automate. Au début, ses vêtements flamboyants y étaient pour quelque chose. Avec eux, il s'était senti très, très bien. De sorte qu'obéir n'avait plus eu aucune importance. Hélas, depuis, les Sœurs de la Guilde de la Soie lui avaient demandé de les ôter et de les remplacer par des habits moins élégants et plus discrets. Là encore, pas moyen de protester.

– Ce n'est pas le moment de te faire remarquer, expliqua Pêche Bénie en voyant la grimace de Henry. Tu ne dois pas être vêtu en haillons. Surtout pour te rendre en Haleklind : là-bas, les sorciers attachent beaucoup d'importance aux apparences de leurs interlocuteurs. Nous allons te trouver des vêtements discrets mais coupés avec style. Juste une coupe de qualité. Cela vaudra tous les sauf-conduits.

– Merci, dit le garçon sans être certain de comprendre les subtilités de cette stratégie vestimentaire.

– Tu auras besoin de cela pour retrouver le Prince, avança la Maîtresse. Et de ceci aussi...

Elle lui tendit une petite bourse faite dans un matériau brillant.

– Imperméable et résistant aux chocs, annonça-t-elle. Tu y trouveras une carte et de l'or.

– De l'or ?

– Tu ne vas pas te rendre en Haleklind à pied. C'est beaucoup trop loin. Tu seras moins utile aux Altesses Royales si tu arrives auprès d'elles dans un mois. L'or te permettra d'acheter ton billet pour emprunter les transports publics.

Parce qu'il y avait aussi des transports publics ? Dans le Royaume, Henry se sentait autant perdu que s'il s'était retrouvé au beau milieu du désert du Sahara. Il n'était pratiquement pas sorti du palais, sauf pour détruire l'ignoble usine de la voie Bouillonnante... et bien sûr pour assister à la cérémonie de remise de la Dague grise de chevalier.

Il pensa qu'une star larguée dans la nature réagirait comme lui : paniquée à l'idée de prendre les transports publics ; ignorant où se situe l'arrêt le plus proche ; ne sachant même pas à quoi ressemble un arrêt ou comment on s'y comporte.

Ce qui n'empêchait pas d'être poli :

– Je ne peux pas accepter votre don, ça me...

– Tu n'as pas le choix, l'interrompit Pêche Bénie. Crois-moi, dans le Royaume, on ne survit pas longtemps sans argent. Et si cela soulage ta conscience, tu n'as qu'à te dire que tu es le messager de notre Guilde, et que nous te payons pour ce travail.

– Vous voulez que j'apporte un message à Pyrgus et à Bleu ?

– Oui.

– Vous l'avez mis avec la carte et l'or ?

– Non. Nous voulons que tu leur dises que les Sœurs de la Guilde de la Soie restent loyales à Pyrgus Malvae, leur chef véritable, et à sa famille ; et que nous lutterons jusqu'à la mort pour restaurer la Maison d'Iris sur le trône... et pour venger l'abomination que Lord Noctifer a fait subir à feu l'Empereur pourpre.

– Je... je transmettrai, murmura Henry.

Il éprouvait une profonde admiration pour ces femmes. Du peu qu'il avait vu du Royaume et de ce nouveau régime qui n'hésitait pas à jeter en prison quiconque lui déplaisait, il devinait que les Maîtresses risquaient d'ores et déjà leurs vies.

– L'une de nos Sœurs va te guider dans la ville. Noctifer ne soupçonne pas encore la Guilde. Mais tu dois rester très...

Elle se tut. Et demanda :

– Qu'est-ce que c'est ?

« Les ennuis qui arrivent », songea Henry.

Des bruits dans le couloir. Des cris de femmes. La porte de la pièce qui explose. Un autre cri.

Puis le garçon aperçut des soldats en uniformes noirs et des ombres qui couraient. Une boule de feu traversa la pièce et le frappa en pleine poitrine. L'impact fut si violent qu'il souleva le garçon et le projeta contre le mur. Henry sentit que sa tête partait en arrière. Il voulut hurler tant il avait mal. La douleur fut trop forte. Il glissa par terre en silence.

« Ne pas m'évanouir, pensa Henry. Je ne me réveillerais pas. »

Peine perdue. Ses poumons manquaient d'air. La douleur irradiait tout son corps. Ses membres ne lui obéissaient plus.

Le garçon retomba, et le monde disparut.

111

La ruse de Ziczac était bonne. Deux soldats de la Forêt avaient posé une main ferme sur l'ingénieur. Les deux gardes devant lesquels passa peu après le commando déguisé en soldats de Noctifer ne bronchèrent pas. Tandis que la petite troupe s'engageait dans un corridor très froid et obscur, Pyrgus souffla à Nymphalis :

– *Tu* m'as sauvé la vie.

– Ils *t*'ont surpris, pas vrai ?

– Complètement. Sans toi, je serais mort. Merci.

Malgré l'obscurité, le jeune homme crut voir rougir la jeune fille.

– De rien, murmura-t-elle.

– Comment ça, « de rien » ? protesta-t-il avec un large sourire. Tu as sauvé la vie d'un Prince, ce n'est pas « rien » !

– Je voulais dire que...

Pyrgus ne sut jamais ce qu'elle voulait dire car on les attaquait de nouveau.

Un bras le saisit à la gorge. Le jeune homme vit l'éclat d'un stylet effilé briller... puis s'arrêter à un demi-centimètre de son cœur. Il se retourna et s'aperçut qu'il avait été attaqué par une femme. « Décidément, elles sont toutes folles de moi ! » pensa-t-il. Son assaillante le regardait, bouche bée. Sans comprendre à quoi elle jouait, Pyrgus se plia et, d'un revers bas, lui faucha la jambe arrière. La femme tomba en arrière. Sa tête heurta avec violence le mur. Elle était hors de combat pour un moment.

Le jeune homme pivota. Le groupe d'agresseurs n'était constitué que d'agresseu*ses*, presque aussi vives et habiles au combat que les Fées de la Forêt. Cependant, leurs armes étaient trop rudimentaires pour se mesurer à celles de leurs ennemis. Sur ce genre d'assaut, c'était quitte ou double : si l'effet de surprise ne suffisait pas à mettre en déroute l'adversaire, les attaquants étaient sûrs de périr.

Nymphe fut la première à dégainer sa baguette à feu.

– NON ! cria Pyrgus. Pas de sang !

Ces assaillantes étaient des Fées de la Lumière. Elles avaient dû les attaquer... parce qu'ils s'étaient déguisés en gardes de Noctifer. Elles résistaient. La rébellion couvait dans le palais. Cette agression n'était qu'un malentendu. Ses femmes étaient des partisanes de la Maison Iris.

– Arrêtez ! lança le Prince. Vous ne me reconnaissez pas ? Je suis...

Trop tard. Les femmes avaient vu les baguettes à feu et avaient pris la poudre d'escampette.

– Laissez-les ! s'exclama à son tour Holly Bleu. Mais laissez-les, quoi !

« Elle a compris, elle aussi », déduisit son frère.

Les Fées de la Forêt avaient lancé leur poursuite. Dans la précipitation, les soldats n'avaient pas entendu les contrordres. Même Ziczac était parti aux trousses des fuyardes.

– Ta petite chérie est une folle dangereuse ! cracha Bleu en suivant le mouvement.

Pyrgus la suivit en hurlant :

– Arrêtez !

Les femmes franchirent un seuil, où les attendaient d'autres femmes. Ziczac leur jeta une espèce de boule de feu. Pyrgus accéléra, rattrapa son escorte et tenta de s'interposer :

– Arrêtez ! Je... Nymphe, non !

Il saisit le bras de la soldate au moment où elle allait tirer. Derrière lui, la voix de Bleu s'éleva :

– Ce sont les Maîtresses de la Soie ! Rangez vos armes, imbéciles !

Nymphe rengaina sa baguette. Cependant, dans la mêlée générale, Pyrgus était incapable de voir ce que fabriquaient les autres. Il se précipita dans la pièce suivante. Devant le groupe des femmes, un corps. Bleu jaillit de derrière lui et identifia le blessé :

– HENRY ! PAS TOI !

112

— Ces gens sont dangereux, murmura M. Fogarty.

— Pourquoi dis-tu ça ? demanda Mme Cardui.

Ils étaient dans la forêt, assis sur le tronc moussu d'un grand arbre. Devant eux, dans la clairière, les Fées de la Forêt dansaient autour d'un curieux feu de camp, au son hypnotique des tambours et des cornemuses.

— Je n'aime pas leur technologie, chuchota Alan. Trop de sortilèges. Et ces portails vers d'autres planètes... Ces armes qui peuvent percer n'importe quelle armure, si solide soit-elle... Cette capacité à passer à travers les murailles les plus épaisses... Si on additionne l'ensemble, on obtient une puissance de feu contre laquelle le Royaume n'a rien à opposer.

— Pourquoi s'opposer aux Fées de la Forêt ? rétorqua la Femme peinte. Ce sont nos amies. Elles l'ont prouvé.

— Elles sont nos amies à l'heure actuelle, reconnut l'ex-Gardien. Mais demain ? Après-demain ? Dans une semaine ? Un mois ? Une année ? Mettrais-tu ta main à couper qu'elles le seront encore ?

Cynthia ne trouva rien à répondre.

— Tiens, regarde leur feu de camp ! s'exclama M. Fogarty à voix basse. Il réchauffe ; et cependant, tu as vu ces flammes ? Elles sont noires. Noires ! Des flammes noires ! Je sais : c'est pour éviter d'émettre des signaux lumineux qui risqueraient de signaler leur présence à des ennemis ou à des curieux. Comment lutter contre une technologie aussi avancée ?

— Tu te trompes, Alan : les flammes noires, c'est pour ne pas brûler de vrai bois et ne pas risquer de mettre le feu à la Forêt.

— Et alors ?

— Elles ne veulent pas risquer de mettre le feu à la Forêt parce qu'elles l'aiment.

M. Fogarty réfléchit un moment. Puis déclara :

— Je vois où tu veux en venir... Tu penses qu'elles n'ont pas

l'intention de nous déclarer la guerre parce qu'on ne les intéresse pas ?

– Je les connais depuis des années. Personne ne les intéresse.
Elles aspirent juste à vivre en paix dans leur Forêt.

– Alors que nous vaut leur assistance ?

– Les manigances de Noctifer. S'il n'avait pas creusé ses trous
de l'Enfer et ainsi menacé l'équilibre de la Forêt, jamais les Fées
ne nous auraient aidés. Je t'assure, tant que nous les laisserons
tranquilles, elles nous laisseront tranquilles. Reconnais que si
elles avaient voulu nous assaillir, elles n'auraient eu aucun mal
à nous donner une leçon mémorable !

– Moui, peut-être...

L'ex-Gardien s'absorba un court instant dans la contemplation de la chorégraphie.

– Je me demande où ils en sont, grogna-t-il.

– Pyrgus et Bleu ?

– Oui.

– Tu aurais aimé les accompagner ?

– Bien sûr. Mais je vieillis. Il y a ça aussi. La fin approche.
C'est difficile à accepter.

Mme Cardui posa une main sur celle d'Alan, et ils restèrent
un moment silencieux, à écouter la musique plaintive qui montait du feu.

– Dis-moi quel... quel *destin* extraordinaire t'a conduit en
notre Royaume ? s'enquit la Femme peinte.

– Tu le sais déjà, Cynthia.

– Moi ?

– Tes informateurs ont dû te le raconter.

Mme Cardui sourit :

– J'aimerais l'entendre de ta propre bouche, avec tes propres
mots... si ça ne te gêne pas !

M. Fogarty sourit à son tour.

– C'est un enchaînement de coïncidences, murmura-t-il.
Disons que, lorsque j'ai eu quatre-vingts ans, j'ai commencé à
me laisser aller. Normal, à cet âge, non ? La fatigue, un peu...
Et puis, à quoi bon continuer comme avant ? Faire semblant
qu'on n'a pas changé ? On est bien placés pour savoir qu'on a
changé. Je n'étais plus le même. Je vivais seul. Isolé. Perdu. Bref,
ma maison n'était plus impeccablement tenue. Plus du tout. Je
m'en moquais, mais je me suis dit qu'il fallait que je prenne
quelqu'un pour s'occuper du ménage, histoire d'éviter que les

Autorités sanitaires ne me tombent dessus. D'un autre côté, je ne voulais pas d'une vieille bique qui passe juste un coup de plumeau trois fois par semaine en jacassant...

Le vieil homme carra les épaules et continua :

– Bon, donc j'ai rencontré un gamin.

– Henry Atherton ?

– Oui. Il cherchait sa sœur dans une de ces horreurs qu'on appelle un centre commercial. Il s'était arrêté devant une boutique d'informatique. Il s'intéressait à une espèce de machine pour faire de la musique. Il est passé à autre chose très vite – tu sais comment sont les jeunes, de nos jours. Incapables de se concentrer sur quoi que ce soit.

– J'adore quand tu fais ton aigri, avoua Mme Cardui, les yeux pétillants.

– Je ne suis pas aigri. La preuve : je trouvais que ce garçon avait une bonne tête. En plus, il était plutôt costaud. Le travail ne le tuerait pas. Exactement ce dont j'avais besoin. Il n'y avait qu'un problème : sortis du sexe et du boum-boum qu'ils appellent de la « musique », les ados ne s'intéressent à rien. Aucune chance que ce gamin accepte de travailler pour moi. Mais je n'avais rien à perdre. Je lui ai donc proposé ce petit boulot, au cas où.

– Et il l'a accepté ?

– Ouais. Il voulait s'acheter un lecteur MP3.

– Un quoi ?

– Un truc pour écouter de la musique dans la rue, je crois.

– Écouter de la musique *dans la rue* ? Mais pour quoi faire ?

– Tu le lui demanderas si ça te chante. À cause de cet engin, il avait besoin d'argent ; et moi, ça m'arrangeait bien, tu penses !

– Donc notre rencontre tient à un lecteur MP3 ? résuma la Femme peinte avec malice.

– En quelque sorte...

– Que s'est-il passé ensuite ?

– J'ai pris Henry à l'essai. Il était parfait. Il arrivait à l'heure. Ne rechignait pas à la besogne. Ne jacassait pas. Ne volait pas. Ne martyrisait pas mon chat. Tout allait pour le mieux jusqu'au jour où il est venu me voir avec un bocal en verre.

– Vide ?

– Non. Dedans, il y avait une fée miniature.

– Pyrgus !

M. Fogarty acquiesça.

– Voilà comment tout a commencé, conclut-il.

– Et après, poursuivit Mme Cardui, Henry est venu dans le Royaume avec toi, et Pyrgus l'a nommé Lame Illustre et Chevalier de la Dague grise...

– Je ne suis pas sûr qu'il en avait le droit. Ces nominations honorifiques sont à la discrétion de l'Empereur ; or, il n'était qu'Empereur héritier, à l'époque. Mais Pyrgus devait une fière chandelle à Henry, qui l'avait fait revenir de l'Enfer. Je pense qu'il envisageait de confirmer la nomination de Henry après la cérémonie de son Couronnement. J'espère qu'il ne leur est rien arrivé... Quoique ça m'étonnerait. Depuis quelque temps, il n'arrive que des catastrophes...

– Tu exagères, Alan.

– Ah bon ? Cite-moi *un* événement sympathique qui soit arrivé depuis deux semaines ! Je t'écoute !

– Je peux en citer deux ?

– J'en doute, grommela l'ex-Gardien. Enfin, bon, chiche !

– Petit un : tout était perdu, vous étiez en exil et les sbires de Noctifer s'apprêtaient à vous trancher le cou quand, soudain, des inconnus viennent vous sauver ! Pas mal, comme « événement sympathique », non ?

– Mouais, d'accord. Et le petit deux ?

– Il est un peu plus ancien, je te l'accorde... Tu es sûr que tu ne vois pas ?

Mme Cardui fixa le vieil homme, qui ouvrit de grands yeux.

– Non, marmonna-t-il, je vois pas. Désolé.

– Alan... Réfléchis...

– Non, je...

Soudain, à force de regarder Cynthia, M. Fogarty eut une idée. Une idée qui le fit rougir comme une pivoine.

113

Henry avait affreusement mal à la tête. Mais il avait encore beaucoup plus mal aux mains et à la poitrine. La douleur brouillait son regard – aucune importance. Pas besoin de voir pour savoir qu'il n'avait plus de peau sur la chair. Il était écorché vif.

Il voulut grogner pour se soulager un peu ; aucun son ne sortit de sa bouche. Il essaya de bouger ; son corps le lui interdit. La souffrance l'oppressait, intolérable.

Des gens entouraient le garçon. Qui ? Il était incapable de le déterminer. Ils passaient dans son champ de vision, imprécis et fugaces. Leurs voix s'élevaient, s'atténuaient, disparaissaient. Des silhouettes se penchaient sur lui. L'une d'elles ressemblait à Holly Bleu. Peut-être était-ce son imagination. Une chanson qu'il avait vaguement entendue à la radio lui revenait en tête :

> « *J'entends le bruit du bleu.*
> *Chaque son est bleu,*
> *Bleue est cette chanson ; ces mots sont bleus.*
> *Bleu,*
> *Tes yeux sont bleus,*
> *Et autour de moi,*
> *Le bruit du bleu m'enveloppe...* [1] »

Mais peut-être était-ce vraiment Bleu. Dans ce cas, la jeune fille n'était pas morte dans la forêt où il avait aperçu son amie grâce à l'araignée psychotronique. C'était une bonne nouvelle.

« Pourvu qu'elle ne m'en veuille pas d'être arrivé si tard ! » pensa le garçon entre deux décharges de douleur.

---

1. « Blue » (Sebastian Santa Maria) *in :* The Zombies, *New World*, Jimco Records, 1991. (*N.d.T.*)

Des voix l'enveloppaient :

— Il est vivant. Je crois qu'il est vivant.

— Tu sens son pouls ?

— Non, mais...

— Il a ouvert les yeux.

— Ça ne veut rien dire. La boule de feu provoque souvent ce genre de réflexe.

— Je t'assure qu'il a ouvert les yeux !

— Tu sais, le corps réagit plusieurs heures après que le cœur a cessé de battre. La faute aux nerfs.

— Une fois, j'ai vu un mort marcher. Il a fait cinq pas, et...

— Henry n'est pas mort, triple buse !

Cette fois, pas de doute : Bleu était là. Le garçon était sûr d'avoir reconnu sa voix.

Il essaya de lui dire coucou. En vain. Il ferma les paupières – en réalité, elles se fermèrent seules. Il se retrouva enfermé dans le noir de sa nuit et le rouge de ses brûlures. « Je suis en train de mourir, pensa-t-il. Et ça m'est égal. »

— Il vit ! insistait Bleu. Il respire !

— Je ne le vois pas respirer, objecta quelqu'un.

Le garçon sentit qu'on lui enlevait la chemise offerte par les Maîtresses de la Soie. Quelqu'un poussa un cri.

— Normal, dit une voix féminine, plus grave et plus calme que celle de Bleu. Et encore, il s'en sort bien. S'il n'avait pas porté de soie tissée, son cœur aussi aurait brûlé.

— Ça bout ! glapit Bleu. Son sang bout !

— Non, sa chair grésille.

— C'est moins grave ?

— C'est différent. Mais je n'aime pas cela...

De quoi parlaient ces gens ? Pourquoi s'agitaient-ils ? Henry s'en moquait. Il sentait, peu à peu, la douleur s'éloigner et l'obscurité le happer. Au dernier moment, il pensa avec étonnement qu'il était content de mourir. Puis il ne pensa plus.

114

Cossus Cossus accueillit Blafardos en haut des marches de l'entrée principale.

— Ravi de te revoir, Jasper ! lança-t-il.

« Il veut que tu te comportes comme si de rien n'était, signala Cyril. Ne parle pas des vyrs. Noctifer a des espions un peu partout. »

« Comment le sais-tu ? »

« *Via* Bernadette, bien sûr. »

« Bernadette ? »

« La wangaramas qui se trouve dans Cossus Cossus. »

— Tout le plaisir est pour moi, Cossus, répondit Blafardos.

« Je suis venu faire le point avec Lord Noctifer », souffla Cyril.

— Je suis venu faire le point avec Lord Noctifer, répéta Blafardos.

— Sa Seigneurie n'est pas chez lui actuellement. Mais entre, entre ! Il te verra à son retour.

Jasper suivit le Gardien de Black Noctifer à l'intérieur du manoir. Cossus enfila un couloir d'un pas si vif que son invité avait du mal à suivre. Il fut soulagé de voir arriver – enfin – un tube suspendu qui les transporta tous les deux (ou tous les quatre, si l'on comptait Cyril et Bernadette) vers une vaste suite meublée dans le vieux style typique des Fées de la Nuit : stores fermés, luminosité minimale.

— Mes quartiers privés, annonça Cossus. Ici, on peut parler librement. J'ai programmé un golem* pour diffuser des conversations anodines afin de duper les services d'espionnage.

— Tu as programmé un *golem* ?

— Oui.

— Mais c'est... c'est très dangereux ! bégaya Blafardos, qui avait autant peur qu'envie de le rencontrer.

— Très, confirma son interlocuteur.

— Et la loi le défend !

– En effet. Enfin, pour quelque temps encore...

Les deux hommes se sourirent, et le malaise se dissipa.

– Pourquoi ne pas utiliser un sortilège de discrétion ?

– Pour ne pas éveiller la méfiance. Et pour éviter que les espions n'enregistrent cette pièce comme « vide » ; car si Black me demandait de justifier mon emploi du temps, je serais bien embêté après ! Bon, passons aux choses sérieuses : tu veux un verre ?

– Un verre ou un *vyr* ? risqua Jasper.

Cossus fronça les sourcils.

« Arrête ! gronda Cyril, furieux. On n'est pas là pour plaisanter ! »

– Excuse-moi... Oui, je veux bien un verre, s'il te plaît.

Cossus Cossus s'éloigna vers le bar pendant que Blafardos admirait un magnifique tableau représentant une scène de torture de jadis – rien à voir avec les tableaux qu'on appréciait ces temps-ci dans le Royaume : à l'évidence, celui-ci avait été peint par un artiste sachant dessiner. Quand Jasper se retourna, il constata avec stupeur que Cossus avait apporté un plateau avec deux verres... et deux seringues hypodermiques.

– Je n'aime pas les piqûres, prévint Blafardos en reculant contre le mur.

– Allonge le bras. Serre le poing. Tu as de belles veines, tu sais ? Détends-toi. Tu ne sentiras rien.

« NE LE LAISSE PAS FAIRE ! » hurla Cyril.

Trop tard. Cossus avait déjà bondi. Enfoncé son aiguille. Appuyé sur le piston. Une étrange chaleur envahit Jasper. La pièce se mit à tourner autour de lui.

Autour de Jasper, le monde devint flou.

– Que... que m'as-tu injecté ? souffla-t-il.

Cossus eut un sourire bizarre et s'empara de la seconde aiguille.

115

– **F**aites quelque chose ! exigea Bleu. Soignez Henry ! Sauvez-le !

La terreur avait pris possession d'elle. Son père avait connu une mort brutale. Un matin, il était en bonne santé et bien vivant ; au soir, il était mort. Était-ce ce qui allait arriver à Henry ?

– Il a besoin d'une nouvelle peau, dit Nymphe. C'est tout.

– Alors, il faut lui en trouver une !

– Nous n'en avons pas sur nous. Nous ne sommes pas équipés.

– Vous, le sorcier ! siffla la Princesse en se tournant vers Ziczac. Vous ne pouvez pas le tirer d'affaire ?

Le petit ingénieur secoua la tête, la mine navrée. Pyrgus intervint :

– Bleu...

– *Vous* avez lancé cette sale boule de feu ! s'exclama la jeune fille. Vous devez être capable de revenir en arrière... ou d'annuler le sortilège ou de...

– Je ne suis pas guérisseur, l'interrompit Ziczac. Déjà, les sortilèges militaires, je n'y connais pas grand-chose. Alors, les sortilèges de soin...

– Bleu, reprit Pyrgus d'une voix douce, je crains que... que Henry ne soit mort.

116

Sulfurique contemplait la porte d'entrée de son ancienne résidence, dans la voie Bouillonnante. Quelqu'un avait fait sauter
les gonds avec un sortilège d'explosion sans doute pourvu d'un
silencieux pour éviter d'attirer l'attention des voisins.

Le vieillard donna un coup de pied furieux dans le battant
désormais inutile. En son absence, alarmes et pièges magiques
avaient probablement protégé le domicile des visiteurs indésirables. N'empêche, une porte explosée était une invitation
ouverte à entrer. Et à piller.

Il inspecta le rez-de-chaussée. Ses sortilèges d'illusion étaient
intacts. L'endroit avait l'apparence d'un salon poussiéreux,
encombré de meubles bancals. Près de la cheminée, un fauteuil
plus qu'à moitié défoncé. À côté, une tasse vide. De quoi démo-
raliser les cambrioleurs. Du moins ceux qui ignoraient qui habi-
tait ici. Car les autres se seraient doutés que quelque chose
clochait. Un sorcier – qui plus est un sorcier capable d'invoquer
les démons – ne se laisserait pas mourir dans la misère. Par
chance, les gens sont bêtes. Ils se fient aux apparences. Ils
croient que la masure fait le pauvre. C'est ce qui sauve le riche
quand il sait se montrer prudent.

Sulfurique attaqua l'escalier. Sa garde de gobelins l'attendait,
toute gesticulante, dans la bibliothèque. Le vieillard les immobilisa d'un geste, puis il examina la pièce du sol au plafond. Il
s'assura que rien ne manquait – ni objet ni amorces de piège –,
puis monta encore un étage, gagna la garde-robe de sa chambre,
ferma la porte du placard derrière lui.

Un globe lumineux sentit sa présence et diffusa automatique-
ment une lumière tamisée sur des escaliers secrets qui descendaient. Sulfurique appuya sur un bouton, et le fond du placard
s'effaça. D'autres escaliers apparurent. Eux montaient vers son
grenier caché. Ceux qui descendaient n'étaient que des holo-
grammes. Quiconque aurait voulu les emprunter aurait fait une

chute dé plusieurs mètres de haut. Assez pour se briser la nuque sur un sol constellé de pics acérés.

Le vieillard se dirigea vers son grenier. Les mesures de protection exceptionnelles qu'il avait employées avaient préservé sa maison. C'était déjà ça. Mais sa rage croissait de minute en minute. Il avait un furieux besoin de vengeance. Et il était bien décidé à l'assouvir.

117

– La soie peut être utile, signala Pêche Bénie.

Pyrgus était penché sur le corps de Henry, les doigts posés sur le cou du Chevalier à la Dague grise, son si précieux compagnon.

– Je crois que c'est trop tard, déclara-t-il. Je n'arrive pas à trouver son pouls.

– Comment utilise-t-on la soie ? demanda Bleu.

– Quelle importance ? rétorqua Pyrgus, la gorge serrée. Puisque c'est trop tard...

– Il a raison, insista Nymphe. Henry ne...

– La ferme, vous deux ! s'écria la Princesse. Comment utilise-t-on la soie, dans ces cas-là ?

– Nous pouvons la greffer à un tissu vivant, affirma la Maîtresse de la Soie.

– Vous pratiquez souvent ce genre d'opération ?

– Parfois. Ça nous arrive sur de petites surfaces. Pour qu'un vêtement tienne, par exemple. Dans ce cas, la greffe est temporaire, bien sûr. Toutefois, il n'y a pas de raison pour qu'elle ne soit pas permanente... ou pour qu'elle ne couvre pas toute la poitrine.

Nymphalis intervint :

– Il me semble que Henry n'est plus en état de...

– Faites-le, décida Bleu sans écouter la soldate.

– Bien, dit Pêche Bénie. Je dois cependant vous prévenir que... s'il survit à l'opération, il aura l'air bizarre.

– Dans quel sens ?

– La soie fusionnée est multicolore. Impossible de déterminer la teinte exacte ou le motif que prendra le tissu lorsque le processus sera achevé. Il nous faudra envelopper son buste en entier. Grâce à Dieu, son visage n'est pas atteint. Cependant, quand il enlèvera sa chemise, on croira qu'il s'est fait tatouer un énorme arc-en-ciel. Et regardez ses mains ! Nous allons devoir lui tisser des gants... La soie deviendra sa nouvelle peau et reflétera le soleil comme une flaque de pétrole. On ne pourra pas greffer un nouveau derme par-dessus. Tout le monde les verra.

– On-s'en-fiche ! martela la Princesse. Si vous ne le greffez pas, Henry va mourir.

– S'il n'est pas déjà mort..., souffla Nymphe, le regard rivé sur le corps immobile.

Bleu lui sauta à la gorge et serra :

– Un mot de plus, et je te tue ! J'ai ordonné d'arrêter de tirer, et ton sorcier m'a désobéi. Je ne suis pas près de l'oublier, crois-moi ! Alors, maintenant, tu la boucles et tu te rends utile si on te le demande !

La jeune fille abandonna la soldate et se retourna. Deux Sœurs de la Guilde de la Soie étaient déjà penchées sur le blessé. Elles l'enveloppaient dans un cocon de soie si léger et délicat qu'il flottait autour de Henry comme un rideau de tulle.

« Ou comme un linceul », pensa Bleu.

118

Blafardos luttait pour ne pas perdre conscience. Il voulait au moins savoir pourquoi Cossus Cossus l'avait assassiné. Qui l'avait trahi. Et la raison de tant de complications : le Gardien de Noctifer aurait pu envoyer un haniel déchirer l'intrus d'un coup de bec !

Mais Cossus Cossus ne voulait pas sa mort. La seconde aiguille, il la plongea dans son bras à lui.

– À quoi joues-tu ? couina Blafardos en observant le contenu de la seringue.

« À quoi joue-t-il ? » demanda-t-il à Cyril. Le wangaramas ne répondit pas. Ne dit rien. En réalité, il ne disait rien depuis un moment déjà. Et le monde avait cessé de tourner. Sans le bavardage perpétuel du vyr, Jasper avait une sensation de vide dans la tête.

Cossus Cossus retira la seringue et appliqua du coton à l'endroit où il avait piqué pour empêcher le sang de couler.

– Je fais en sorte que nous puissions parler d'homme à homme, déclara-t-il. Comment va ton derrière ?

– Ne fourre pas ton nez dans mon derrière ! glapit Blafardos.

– Je voulais juste savoir si *celui qui se trouve dans ton derrière* a cessé de babiller.

– Oui. Mais je ne répondrai plus à des questions personnelles jusqu'à ce que tu m'expliques ce que signifie ton comportement.

– Il faut que je te parle en privé, répondit Cossus Cossus. J'ai donc envoyé nos vers au dodo.

– Nos vyrs, corrigea machinalement Jasper.

– Tu peux laisser tomber les politesses : ils dorment.

– Tu les as endormis pour toujours ?

– Non. Juste pour une heure. Ça devrait être suffisant. J'ai mis un peu de Léthé dans le produit, si bien qu'ils ne se rappelleront même pas ce qui vient de se passer.

Jasper acquiesça et constata que son tournis avait disparu.

– De quoi tu veux parler ? demanda-t-il, soupçonneux.

– De...

– J'aimerais répondre, Cossus, dit une voix provenant de derrière Jasper.

Blafardos cessa de respirer. Sa gorge se noua. Ses poils se hérissèrent. Ses cheveux se dressèrent sur sa tête. Ou du moins en eut-il l'impression. Un filet de sueur froide lui courut dans le dos. Il ne voulait pas bouger. Ne voulait pas voir qui venait de parler. Il *savait*. Pourtant, malgré lui, il se retourna d'un bloc, tenta (sans y parvenir) de décocher un petit sourire au nouveau venu et balbutia :

– Ra... ravi de... de vous voir, Lord Noctifer !

119

Henry émergea des profondeurs chaudes et noires où il avait sombré. Sa poitrine lui faisait moins mal. Cependant, il se sentait oppressé. Il éprouvait des difficultés à respirer. Il apercevait de la lumière, des formes, mais il était incapable de discerner précisément ce qu'il entrevoyait.

– Je crois qu'il se réveille, dit quelqu'un.

– T'es sûre ?

– Non. Je pense juste que...

– Pyrgus ! Palpe-lui le pouls !

« Pyrgus est là ! » songea Henry. C'était super ! Il l'avait retrouvé. Il voulut lui faire un petit coucou. N'en eut pas la force. Sentit quelque chose – il pensa à une aile de papillon – effleurer son cou.

– Je sens rien, grogna une voix.

Était-ce la voix de Henry ? Elle était lointaine. Réverbérée. Impossible à déterminer.

– La soie prend ? demanda une voix douce.

– Oui... Toutefois, il faut rester prudent sur les suites, Votre Sérénité.

« Sérénité » ? Donc Bleu aussi était toujours là. Il n'avait pas rêvé. Elle ne l'avait pas abandonné. Henry concentra toutes ses forces pour entrebâiller les paupières. Un rayon de lumière l'éblouit.

Des voix de femmes continuaient de rebondir autour de lui et dans sa tête :

– Nous allons lui poser ses gants, à présent. Ses mains sont encore en plus mauvais état que son torse. Il a certainement essayé de se protéger avec elles.

– Il est sauvé !

– La fusion est automatique, Princesse. Elle ne signifie pas forcément que la guérison s'opère.

– Celle-ci dépend du corps, et non des greffons allogènes.

– En clair, il faut que le corps supporte la soie.

– Si c'est le cas, la guérison peut se révéler assez rapide.

Henry tentait de garder les yeux ouverts. Il distingua une silhouette féminine penchée sur son corps. Ce n'était pas Bleu.

Pour la première fois, le garçon comprit qu'il était blessé. Et malade. Il ne voyait pas bien. N'entendait pas bien. Ne respirait pas bien. C'était comme si sa peau avait été trop serrée. Il avait *très* mal aux mains et à la poitrine. Il n'était pas dans son état normal. Il devait avoir eu un accident *et* attrapé en plus une grippe carabinée.

À côté de la femme, Henry crut repérer Pyrgus et tenta de lui sourire. Mais son visage refusa de lui obéir.

– Il a ouvert les yeux, Votre Altesse.

« Mieux que ça ! ajouta le garçon dans son for intérieur. Je commence à sortir du flou. »

– Henry, tu m'entends ? demanda Pyrgus en touchant de nouveau le cou de son ami.

« OUI, JE T'ENTENDS, PYRGUS ! cria Henry en silence. Par contre, je ne peux pas te le dire. »

– Son pouls bat, signala le Prince. Il bat même plutôt fort !

– Cette odeur de cannelle signifie que...

– On s'en fiche ! cria quelqu'un.

La femme et Pyrgus disparurent soudain du champ de vision de Henry... remplacés par... non... si... pas de doute ! C'était Bleu !

– Oh, Henry ! murmura-t-elle avant de l'embrasser *sur la bouche*.

Après, le garçon avait toujours très mal. Il était toujours incapable de parler. Et pourtant, il allait infiniment mieux.

120

Sulfurique constata qu'on n'avait pas touché aux restes de sa dernière invocation. Le charbon de bois... le braséro en métal... le cercle en peau de chevreau... le triangle tracé avec les intestins de l'animal – entrés depuis en état de putréfaction avancée... Rien n'avait bougé.

Le vieillard franchit les débris et ouvrit le placard mural qui contenait son équipement magique. La fiole était là. Beleth n'avait pas menti. Un liquide vert y clapotait. « Pas n'importe quel liquide », pensa Silas avec respect. Une substance qui n'avait pas d'équivalent, plus précieuse que l'or. Inutile à un démon, très efficace dans les mains d'une fée. En plus, ses effets secondaires étaient *vraiment* délicieux.

Sulfurique eut du mal à ne pas se jeter dessus. Mais il savait que, au préalable, il devait se mettre en condition. Beleth lui avait accordé une seconde chance. Il n'y en aurait pas de troisième. Un nouvel échec signerait la fin de sa vie et la perte irrémédiable de son âme.

Moins de cinq minutes plus tard, le vieillard avait rassemblé l'ensemble des éléments dont il avait besoin. Beleth n'avait pas bluffé : tout était là. Silas se sentait très excité, à la manière d'un gamin sur le point de partir en vacances.

Dès qu'il fut prêt, il ôta le bouchon de la fiole avec le pouce et but son contenu. C'était la partie la plus écœurante du processus. Lorsqu'il eut avalé le liquide, Sulfurique ne dut pas patienter longtemps. Pendant un moment, il dégagea un halo verdâtre. Puis il disparut.

121

Henry se mit debout. Il distinguait ce qui l'entourait, à présent. Il se souvenait – avec plus ou moins de précision, selon les épisodes – de ce qui lui était arrivé. Même s'il n'y comprenait pas grand-chose. Il pensa qu'il avait été frappé par un éclair. Peut-être une décharge électrique. Il revoyait une sorte d'énorme boule de feu qui fonçait sur lui. Puis plus rien.

Pas mal d'éléments lui échappaient encore.

1) Comment avait-il réussi à survivre à une décharge électrique ?

2) Pourquoi sa poitrine avait-elle cessé de le faire souffrir d'un coup ? Quel miracle lui avait ôté la gêne qu'il éprouvait quelques instants plus tôt à chaque respiration ?

3) Que fichaient Bleu et Pyrgus ici ? Ils étaient censés être en exil dans l'Haleklind ; et c'était à lui, Henry, d'aller les retrouver.

D'un coup, le garçon se sentit perdu.

En même temps, cela n'avait aucune importance, car :

1) il allait mieux ;

2) Bleu était près de lui ;

3) elle l'avait embrassé SUR LA BOUCHE !!!

– Salut, Bleu ! dit-il.

– Salut, Henry...

– Salut, Henry ! lança Pyrgus à son tour.

Derrière le Prince se tenaient une jeune fille très jolie (quoique un peu moins que Bleu) et deux autres soldats habillés en noir. Pyrgus et Bleu aussi avaient passé un uniforme noir. Tous avaient l'air inquiets et tendus.

Henry inspira un bon coup. Il n'avait plus l'impression qu'il allait tomber d'un instant à l'autre. Il sentait une chaleur agréable dans la poitrine, qui lui donnait de l'énergie.

– Salut, Pyrgus ! Qu'est-ce qui se passe ?

– On n'a pas le temps, lâcha la fille près de Pyrgus. Il faut avancer...

– Henry vient avec nous, décida Bleu.

– Henry, je te présente Nymphalis, déclara le Prince.

– S'il peut nous suivre, je ne vois pas d'inconvénient à ce que..., commença Nymphe.

La Princesse l'interrompit :

– Henry vient avec nous, *qu'il en soit capable ou non.*

– J'en suis capable, affirma le garçon. Content de te rencontrer, Nymphalis.

– On doit trouver mon père, expliqua Pyrgus. Et... Henry ? Henry, ça va ?

Le garçon s'était figé, les yeux comme des boules de billard. Ses mains étaient... multicolores !

122

Blafardos, Cossus Cossus et Lord Black Noctifer étaient assis autour d'une table ovale dans un coin du salon. Jasper quittait le moins possible des yeux le golem de son hôte qui s'agitait autour d'eux.

Car Cossus avait bel et bien un golem. Pour le moment, la créature était chargée de servir à boire. Elle n'en restait pas moins le monstre le plus effrayant que Blafardos eût jamais vu. Debout, dressé de tout son haut, le colosse mesurait plus de deux mètres vingt. Sa peau était grise comme la terre glaise dont Cossus s'était servi pour la pétrir. Ses dents... Blafardos ne les aimait pas du-tout-du-tout-du-tout. Il ignorait de quoi s'était servi Cossus pour les fabriquer ; mais le résultat était spectaculaire. On aurait dit des flèches d'obsidienne[1], et elles faisaient *peur*.

Pourtant, le plus glaçant, ce n'était pas le golem lui même : c'était son comportement. De temps en temps, des mouvements convulsifs l'agitaient. Des sortes de tics qui étaient de très, très mauvais augure. Blafardos les connaissait, bien qu'il évitât autant que possible de s'occuper de la magie noire – jadis, il essayait de déléguer ce genre de besogne à Sulfurique, qui était ravi de s'en charger. Cependant, il avait lu quelque part dans un magazine que lorsque les golems s'agitaient, il valait mieux s'éloigner d'eux au plus vite : ils étaient sur le point de piquer une crise de folie.

La folie était un trait de caractère habituel chez les golems. Il leur arrivait fréquemment d'étrangler leurs créateurs. C'était l'une des raisons pour lesquelles la loi interdisait leur fabrication depuis plus de cinq siècles. En effet, leurs maîtres n'étaient jamais leurs seules victimes. Une fois que les monstres s'étaient

---

1. L'obsidienne est une roche lisse, brillante et noire. *(N.d.T.)*

libérés de leur mentor, ils se lançaient souvent dans un massacre hallucinant. Leur soif de sang était impossible à étancher. Ils tuaient tous ceux qui tombaient sous les énormes pattes qui leur servaient de mains.

L'article qu'avait lu Blafardos affirmait que leur jeu favori était de démembrer les gens. Ils les attrapaient, leur arrachaient une jambe, un bras, puis l'autre jambe, puis l'autre bras, et enfin ils tiraient sur la tête jusqu'à la détacher du tronc. Par chance, les victimes avaient souvent expiré avant cette ultime torture.

Cossus Cossus, lui, avait habillé son golem d'un petit tablier blanc très coquin, avec des franges en dentelle. Ce Gardien était complètement *dingue*.

Jasper eut l'intuition qu'il ne sortirait pas de là vivant.

123

– Alors, qu'est-ce qu'on fait ? demanda Henry.

Le garçon était sous le choc. Pyrgus venait de lui résumer la situation et, accessoirement, de lui révéler qu'on pouvait ressusciter des morts.

– On sort Papa des griffes de Noctifer, déclara Bleu.

– Ton père est dans le palais ? Avec Noctifer ?

– Ils étaient ici tous les deux lorsque Comma nous a exilés.

Comma... Henry ne l'avait rencontré qu'une fois. Un bref instant. Suffisant pour ne pas pouvoir sentir ce gamin. Dire que c'était lui que Noctifer avait placé à la tête du Royaume – ou du moins lui dont il se servait pour tirer les ficelles de l'Empire...

– Ça risque de chauffer, prévint Bleu. Peut-être vaudrait-il mieux que tu restes en retrait.

Henry plissa les paupières. Il ne s'était jamais battu. Sauf avec sa sœur, mais ça ne comptait sans doute pas ! Il n'avait pas peur de recevoir des coups. Simplement, il n'aimait pas ça. Comme il était plutôt costaud, les autres élèves ne s'en prenaient pas souvent à lui.

Cependant, il s'était rendu compte que, dans le Royaume, il ne détestait pas la bagarre. Elle faisait partie de l'aventure. Il l'appréciait presque. Surtout lorsque Bleu était dans les parages.

– Je préfère rester avec toi, répondit-il avec franchise.

– Tu n'as pas d'armes, signala Nymphe.

– Ben, donne-m'en une, rétorqua le garçon.

Nymphalis jeta un coup d'œil à Pyrgus puis tendit son épée à Henry. L'arme était beaucoup plus lourde qu'elle n'en avait l'air, et le garçon, encore affaibli par ses dernières mésaventures, crut même qu'il n'arriverait pas à la porter.

– Tu... tu n'en auras pas besoin ? s'enquit-il, plein d'espoir.

– Je suis entraînée au close-combat.

– Au quoi ?

— Au combat à mains nues. Et puis, j'ai mes flèches elfiques. Tu sais te servir d'une rapière ?

— Oui, je suis un expert ! prétendit Henry, déjà bien content de savoir que « rapière » était plus ou moins synonyme d'« épée ».

Ils avançaient rapidement dans les couloirs du palais sans rencontrer la moindre opposition. Plusieurs Maîtresses de la Soie s'étaient jointes à eux. Elles n'avaient pas d'arme apparente, mais chacun avait appris à ne pas sous-estimer les Sœurs de la Guilde.

Soudain, au détour d'un corridor sombre, sept grandes ombres se découpèrent dans l'obscurité, entourant une forme plus petite. Une silhouette presque enfantine. Comma.

124

Ah ! New York ! Sulfurique éprouvait un immense bonheur d'y être revenu !

Il leva les yeux et contempla l'église de la Transfiguration. Quelle merveille, cette potion que lui avait fait boire Beleth ! Grâce à elle, il s'était translaté sans avoir à s'occuper de portails.

À quelques pas de lui, une femme criait. Elle avait dû le voir se matérialiser brusquement. Mais on était à New York. Sulfurique ne risquait rien. Il sourit à la femme et remercia le dieu du Monde analogue d'avoir inventé les New-Yorkais : des gens pressés, capables de passer en trombe devant une femme paniquée, devant Sulfurique et ses relents de soufre, devant le superbe bâtiment au majestueux dôme vert ; des gens soucieux d'éviter de croiser le regard de leurs semblables, veillant à s'enfermer dans leurs pensées afin de se couper des inconnus qu'ils sont obligés de fréquenter. Des êtres dé-li-cieux !

Si la femme hurlante leur expliquait à quoi elle venait d'assister, ils la prendraient peut-être pour une folle et n'auraient qu'un objectif : se débarrasser d'elle. Mais le plus probable, c'est qu'ils ne la prendraient même pas pour une folle ; ils se contenteraient de se débarrasser d'elle sans se soucier de son état mental. Pas le temps.

L'environnement idéal pour organiser tranquillement un bon petit massacre.

125

Les deux camps s'immobilisèrent d'un coup.

Pyrgus leva la main pour empêcher les siens de tirer. À part Henry que les soldats de la Forêt masquaient, et les Maîtresses de la Soie dont la présence n'avait pas de quoi inquiéter le nouvel Empereur héritier, ils portaient tous les uniformes noirs de la Maison Noctifer. Il y avait une chance, même minuscule, qu'ils ne fussent pas reconnus sur-le-champ.

Comma fixa Pyrgus sans sembler le reconnaître. Le Prince sentit que Nymphalis s'était portée à sa hauteur pour le défendre. Ils avaient un petit avantage numérique. Mais Pyrgus ne voulait pas lancer l'assaut. Si lâche et vendu qu'il fût, Comma restait son demi-frère.

L'un des gardes se pencha à l'oreille de l'Empereur héritier pour lui murmurer quelque chose. Le Prince comprit que leur déguisement avait fait long feu. L'instant d'après, le chef de l'escorte de Comma cria :

– Aux armes !

Bleu bondit devant Pyrgus, et les Fées de la Forêt dégaînèrent.

– Non ! cria à son tour Comma.

– C... comment, non ? s'étonna son capitaine.

– Repos ! confirma l'Empereur héritier.

– Sire, c'est le Prince P...

– Silence ! SILENCE ! SILENCE ! Que je sache, c'est moi qui commande, ici ; et mon ordre est simple : REPOS ! Et toi, Pyrgus, dis à tes gens de ne pas nous attaquer.

– Soit. Mais parle vite.

– Ces gens sont-ils vraiment des soldats de Lord Noctifer ?

– Évidemment ! répondit le Prince, les yeux rivés sur ceux de son frère.

– Vous voyez, gardes ? Bon, vous autres, suivez-moi dans les appartements de notre père.

– Il n'en est pas qu...

– Tais-toi, Bleu, la coupa Pyrgus. Passe devant, Comma. Nous allons avec toi.

Le regard presque suppliant de son demi-frère l'incitait à lui accorder sa confiance. Et puis, les appartements d'Apatura Iris, c'était un bon endroit pour commencer à rechercher leur père !

Marchant d'un pas vif, ils ne tardèrent pas à gagner les quartiers impériaux. Des gardes en uniforme noir étaient massés de chaque côté de la porte. Comma marcha vers eux sans hésitation.

– Ouvrez ! cria-t-il.

Il se tourna vers son escorte personnelle :

– Et vous, restez là où vous êtes. Assurez-vous que personne – sans exception – n'entre ni ne sorte sans mon ordre exprès. Compris ?

Les gardes acquiescèrent.

– Tu pourrais les renvoyer, suggéra le Prince.

– Tais-toi, Pyrgus ! Mes hommes garderont la porte car j'en ai décidé ainsi !

– D'accord. Mais ma suite m'accompagne *dans* les appartements de Papa.

– Bien sûr ! s'exclama Comma à la stupéfaction de son demi-frère. Entrez donc !

126

Le golem servit Noctifer en premier. Sa Seigneurie avait commandé un jus de piment. Son Gardien avait relevé le défi et, par politesse, avait réclamé le même remontant. Pas Blafardos. Il avait besoin de quelque chose de plus fort et avait choisi un gin.

Le golem posa donc un verre étincelant devant lui, le regarda droit dans les yeux, tiqua... puis s'éloigna de quelques pas. Jasper voulut inspirer à fond pour fêter son soulagement. Mais il n'était pas soulagé, car le golem n'était pas la créature la plus dangereuse de la pièce. Et la créature la plus dangereuse était toujours là. Face à lui. Si près...

Blafardos but une gorgée de son alcool avant d'oser effleurer du regard le monstre absolu. Lord Noctifer lui sourit. Ses dents étaient sanguines – il venait de porter son verre de piment à la bouche. Au lieu de le reposer, il le leva et, portant un toast, s'écria :

– Buvons à la Révolution des wangarami !

Et Jasper eut la *certitude* qu'il ne sortirait pas de là vivant.

127

Les appartements de l'Empereur n'avaient rien de spectaculaire. Leur taille était même si modeste que, quand Comma, Pyrgus et les siens eurent tous pénétré à l'intérieur, ils parurent bondés. Le Prince remarqua que Bleu s'était crispée. C'était là qu'elle avait vu leur père pour la dernière fois, le visage détruit par la balle reçue à bout portant. Pas le temps de la réconforter. Comma tirait déjà son demi-frère par la manche et soufflait :

— Je ne pouvais pas renvoyer mes gardes, expliqua-t-il. Le capitaine vous avait reconnus, Bleu et toi. Si je les avais renvoyés, ils seraient allés cafter. J'ai préféré les cantonner ici : ils n'oseront pas désobéir à un ordre direct. Mieux vaut qu'ils restent à la porte. On sait où ils sont... et où ils ne sont pas.

— D'accord, mais...

— N'oublie pas que j'ai interdit de laisser entrer quiconque, Pyrgus, l'interrompit son demi-frère. Sans exception. Ils retiendront ma mère.

— Ta mère ? reprirent en chœur Bleu et Pyrgus.

— On l'a laissée sortir. Juste après votre départ. Elle est libre de circuler à sa guise dans le palais.

— Qui l'a laissée sortir ?

— M... moi, finit par avouer Comma.

— Tu es aussi fou qu'elle ! s'exclama Holly Bleu.

— Vous parlez de Quercusia ? s'enquit Henry.

Il n'était pas à l'aise au milieu de cette mise au point familiale, et il pensait que son intervention pourrait contribuer à détendre l'atmosphère.

— Tu la connais ? s'étonna la Princesse.

— Oui. J'ai parlé avec elle.

La jeune fille frémit :

— Et tu as survécu ?

— Il faut croire ! Elle m'a jeté en prison. Mais ce que je veux d...

– Je suis désolé, Pyrgus, déclara Comma en les ignorant. Je n'avais pas imaginé que les choses tourneraient ainsi. Quand Oncle Black m'a proposé de devenir le nouvel Empereur pourpre, il m'a promis qu'il ne te ferait aucun mal. Il a dit qu'il te donnerait une nouvelle maison, que tu ne voulais pas vraiment être empereur, que tout le monde était au courant, et que si moi je le devenais, je pourrais faire ce que je voulais et donner des ordres, et les gens m'obéiraient en tout point. Mais depuis que je vous ai envoyés en exil, Bleu et toi, la situation a changé et...

Pyrgus le coupa :

– Comma, notre père est à nouveau vivant, tu es au courant, non ?

– Si, bien sûr...

– Bon, il est là ? Peux-tu nous mener jusqu'à lui ?

– Non. Oncle Black l'a ramené avec lui.

– Où ça ?

– Dans sa nouvelle propriété, au cœur de la forêt.

Pyrgus se mordit les lèvres et murmura :

– Dire qu'on était si près...

– On n'a plus qu'à repartir, conclut Bleu.

– Comma, dis à tes gardes de s'en aller, exigea le Prince.

– Non.

– Comment ça, non ?

– Non, parce que si je les renvoie, ils sauront que vous êtes repartis, et ils devineront *où* vous êtes repartis, et ils avertiront Oncle Black, et il vous attendra là-bas...

Bleu soupira et essaya de faire preuve de patience :

– Mais si tu ne les renvoies pas, on est coincés ici !

– Non, dit l'Empereur héritier en lui décochant un sourire.

– Encore non ? s'emporta-t-elle.

– Hé ! T'énerve pas ! Tu ne vas quand même pas me reprocher de te révéler qu'il existe un *passage secret* !

Pyrgus fronça les sourcils :

– Un... un passage secret ? Je connais ces appartements comme ma poche, et je n'y ai jamais vu de passage secret...

– Vérifie ta poche, dans ce cas, rétorqua Comma, car ici, il y a vraiment un passage secret ! Regarde !

Il posa ses mains sur le manteau de la cheminée et appuya sur un bouton invisible. La cheminée glissa sur le côté avec un grincement sourd. À la place apparut une petite pièce donnant sur un escalier en pierre qui s'enfonçait sous terre.

— Il y a un passage au bout, affirma Comma. Il débouche à l'orée des bois et va jusqu'à la pointe de l'île. Tu y trouveras même un bateau, si tu en as besoin.

Le Prince observa son demi-frère. Le crapaud crétinoïde avait disparu. Un petit garçon intelligent avait pris sa place.

— C'est génial ! s'écria-t-il. Si tu fermes l'entrée derrière nous et ne dis mot à personne, nous serons sortis de l'île sans que les gardes s'aperçoivent de quoi que ce soit !

— Oui... mais non, lâcha l'Empereur héritier.

Bleu se mordit les lèvres pour ne céder ni à la colère ni au fou rire nerveux.

— Pourquoi encore « non » ? demanda-t-elle.

— Parce que je ne fermerai pas l'entrée derrière vous, mais derrière *nous*. Je vous accompagne.

128

L'église avait été rénovée en profondeur depuis la dernière fois que Sulfurique s'était translaté. Cependant, le flot de fidèles qui en sortait suggérait qu'on y célébrait toujours une messe quotidienne. Un instant, le vieillard fut tenté d'aller jeter un coup d'œil à l'intérieur (la magie blanche l'amusait). Il y renonça. Il accomplirait d'abord son travail. Il ferait un peu de tourisme après. Pour le moment, il devait déterminer comment exécuter sa mission. Il se doutait juste que ce ne serait pas facile.

Jadis, il aurait marché jusqu'au nord, vers Mott Street ; puis il aurait tourné à droite, direction le Bowery. C'était exclu. Le Bowery n'était plus ce qu'il était. On y trouvait toujours des zonards, bien sûr. Pas certain toutefois qu'il en dénicherait deux d'utilisables. Vu le temps qu'il faisait, ils étaient mieux dehors. Ils descendaient du vin bon marché vendu dans des cubis en carton. Sulfurique risquait de passer la journée à prendre des échantillons avant de trouver un individu utilisable. Et, après ça, il devrait les tuer. C'était si fatigant...

Non, mieux valait commencer par dépenser un peu de l'argent de poche que lui avait donné Beleth, établir un plan de marche et procéder sans se presser.

Le vieillard traversa la route et se dirigea vers Doyers Street et ce quartier qu'il appelait son « cher vieux coin sanguin ». La foule était moins nombreuse, comme si les gens avaient senti les horreurs qui avaient été commises ici par le passé. Sulfurique avançait, une moue innocente sur son visage fripé, humant l'air à grandes bouffées – oh ! cette puanteur lourde, ces remugles urbains délicieusement corsés par les fumées et les gaz carboniques ! Comme il les aimait !

C'est dans cet état proche de l'extase qu'il s'enfonça dans le labyrinthe des rues et des allées qui s'étendait au-delà de Doyers.

129

Devant la nouvelle demeure de Lord Noctifer, Nymphe était immobile près de Pyrgus.

– On aurait dû attendre les renforts, Prince, lui chuchota-t-elle.

Le jeune homme tourna la tête vers elle. Elle avait un petit nez mignon tout plein, légèrement retroussé à l'avant. En voulant lui répondre, il avait frôlé sa joue. Elle aussi était très belle. Douce et tentante. Une joue qu'on ne devait pas se lasser d'embrasser.

– L'effet de surprise n'attend pas, rétorqua le Prince en tâchant de se maîtriser. On était d'accord dès le début là-dessus : petit effectif, rapidité d'exécution.

– La situation a évolué, non ? Tant qu'on était au Palais pourpre, c'était jouable. Tu pouvais disposer de soutiens. Et tu en as trouvé. Mais nous sommes dans le parc du manoir de Lord Black Noctifer. Crois-moi sur parole : tu ne trouveras pas l'ombre d'un ami, ici. En plus, tu ne connais pas ton chemin. Tu n'as aucune idée de ce sur quoi tu vas tomber.

– Nous portons les uniformes de Noctifer, rappela Pyrgus.

– Sauf Ziczac, Comma et Henry.

– Nous pouvons toujours prétendre qu'ils sont nos prisonniers.

Les Maîtresse de la Soie étaient restées au palais sur l'ordre de Pyrgus. Elles savaient se défendre ; toutefois, elles n'étaient pas pour autant des guerrières. En plus, le Prince comptait sur elles pour fomenter quelques coups fumeux contre les soldats fidèles à Noctifer pendant son absence. Les autres membres du commando s'étaient directement rendus dans la propriété de Noctifer.

– On aurait pu s'arrêter en chemin, objecta Nymphalis. On a presque *traversé* le campement de la reine Cléopâtre.

– Je l'ignorais, figure-toi. De toute façon, c'est trop tard.

Il se rendait compte qu'il n'était pas très aimable. La présence de la belle Nymphalis le déconcentrait (comme l'aurait déconcentré son absence, sans doute !). Il avait une mission à accomplir. Son destin et celui du Royaume étaient en jeu. Or, il n'arrivait même pas à imaginer ce qui allait advenir lorsqu'il retrouverait son père. Pas le moment de se laisser distraire.

– Ce n'est pas trop tard, répondit la jeune fille. Le campement n'est pas très loin. Vous n'avez qu'à rester là, et regarder ce qui se passe. Quand je reviens, on passe à l'assaut.

– Cléopâtre ne voudra pas.

– Si. Elle veut fermer ces trous de l'Enfer à n'importe quel prix.

Pyrgus réfléchit. La proposition était tentante. Il n'était pas favorable à une attaque massive – une mauvaise solution à ses yeux. Car lui ne voulait pas seulement combler les trous infernaux. Il comptait aussi récupérer son père. Cependant, si Nymphe repartait chez elle, elle pourrait prendre Comma avec elle. Pyrgus ne serait pas fâché d'être débarrassé de son demi-frère. Il les avait aidés, d'accord. Pour autant, le Prince ne pensait pas grand bien de ce traître.

De plus, il était obligé de l'admettre : des renforts ne seraient pas inutiles. Qu'ils déclenchent un assaut ou pas, ils étaient en territoire ennemi. Et sur les terres de leur pire adversaire. Ils risquaient gros. Or, en l'état, ils n'étaient pas vraiment redoutables.

Au moment où Pyrgus allait communiquer sa décision à Nymphalis, des gardes en uniforme sortirent dans l'ordre et la discipline. Direction leurs baraquements. La voie était libre.

– Maintenant ! souffla-t-il.

Et sans attendre la réaction de son amie, il courut vers le manoir, plié en deux.

130

La panique avait un avantage : Blafardos se moquait désormais du golem. Il referma sa bouche qui béait depuis un moment et essaya de s'éclaircir la voix... ce qui ne l'empêcha pas de parler d'une voix suraiguë.

— Vous connaissez cette histoire de révolution ? couina-t-il.

Black Noctifer haussa une épaule. Les commissures de ses lèvres remontèrent de quelques millimètres. Ces signes ne trompaient pas, chez lui : l'homme jubilait.

— Les vers se révoltent depuis des années.

— Les vyrs, corrigea machinalement Jasper.

— Je vois que tu as beaucoup parlé avec ton wangaramas ! ironisa Noctifer.

— Oh, pas tant que ça... Enfin, c'est surtout lui qui parlait...

Black eut un geste désinvolte :

— Les vers se révoltent depuis des siècles. À chaque génération, leur plan devient plus stupide et plus désespéré...

— Vous comptez en générations ? s'étonna Blafardos.

— Ils ne vivent pas vieux. Le temps qu'ils mettent en place leur « plan », la moitié des conjurés est morte, et il leur faut tout recommencer... convaincre de nouveaux gogos... tisser des réseaux inédits...

Il sourit plus franchement. Puis son rictus disparut. Son visage s'obscurcit et son regard hypnotisa Blafardos :

— Tu ne t'es pas laissé tenter, hein ?

— J... jamais, Seigneur je vous le jure.

— Je l'espère, Jasper. J'ai d'autres projets pour toi...

131

– Tu es complètement fou, Prince ! protesta Nymphalis. Tu
te rends compte, si les gardes s'étaient retournés ? Ils t'auraient
massacré !

– Ils ne l'ont pas fait, objecta Pyrgus d'une voix calme. Et
nous n'avons pas de temps à perdre.

Les autres membres du commando l'avaient rejoint au sprint.
Le Prince regarda Henry. Il semblait tenir le coup, bien qu'il
eût frôlé la mort de très près. Les Maîtresses de la Soie étaient
des guérisseuses hors pair !

Ils contournèrent le manoir ensemble, de manière à se placer
le plus loin possible de l'aile des baraquements où les soldats
de Noctifer s'étaient engouffrés. Ils atteignirent l'arrière de la
demeure sans être inquiétés par une patrouille. Peut-être un
coup de chance... ou peut-être un effet de logique : à cet endroit,
le mur était si haut et si épais que le propriétaire avait sans
doute estimé qu'une attaque à cet endroit était très improbable.
Comme pour le Vieux Donjon. Mais, cette fois, Pyrgus allait en
profiter.

– Qu'en pensez-vous ? demanda Pyrgus à Ziczac.

L'ingénieur sorcier avisa un gros bloc rocheux qui semblait
sortir du mur.

– Intéressant, répondit le petit homme avec un sourire gourmand. Structure typique qui ne laisse guère de place au doute...
Savez-vous si Lord Noctifer a construit des caves ?

– Évidemment ! s'emporta Nymphalis. Des caves et des trous
de l'Enfer. C'est pour cette raison que Sa Majesté nous envoie
aider le Prince Pyrgus.

– Cependant, vous n'êtes pas certain qu'il les ait aménagés à
partir d'une cavité naturelle ? insista le magicien d'un ton toujours égal.

– Non, dit Pyrgus.

– J'en ai pourtant la conviction, moi, affirma Ziczac.

L'Empereur pourpre

- Et alors ?
- Alors vous pensez nous faire passer *sous* l'édifice, n'est-ce pas, monsieur Ziczac ? intervint Bleu.
- Bien deviné, Princesse. Telle est en effet mon intention. Les cavités naturelles de ce type sont en général très épaisses. Nous ne risquons pas de rester coincés.
- Vous en seriez capable ? s'enquit Pyrgus.
- Oh, oui. Oh, oui, oui, oui ! Je sens que cela va m'amuser. Nous allons devoir pénétrer selon un axe vertical (et non latéral, comme d'ordinaire), puis nous déplacer horizontalement. Ça exige de la dextérité... mais c'est dans mes cordes. Par contre, il va falloir que vous ne bougiez pas un petit cil, et que vous vous teniez tous par le bras.
- Donc nous ne pourrons pas utiliser nos armes si nous sommes attaqués ? conclut Nymphalis avec une pointe d'agressivité.
- Ce n'est pas grave, dans la mesure où l'objectif est de *ne pas* être attaqué.

La soldate grimaça :
- Qu'en pense le Prince Pyrgus ?

Le Prince Pyrgus n'en pensait rien. Il n'avait pas la moindre idée de ce dont parlait l'ingénieur. Il ne connaissait rien aux déplacements latéraux, verticaux ou horizontaux. À la rigueur, il reconnaissait qu'il s'en moquait. Chacun son objectif : pour lui, récupérer son père ; pour le sorcier, les amener à l'intérieur du château de Noctifer. De plus, Ziczac avait prouvé ses capacités en leur permettant de se glisser dans le Palais pourpre. Et lui-même n'avait pas d'autre stratégie à proposer. Par conséquent...
- J'approuve la proposition de Ziczac, déclara-t-il.

Nymphalis eut une mimique résignée.

Bleu se plaça près de Henry :
- Ça va, toi ?
- Super !

Le garçon tenait le coup. Il aurait néanmoins aimé comprendre ce qui se tramait. Qu'allait-il se passer dans une seconde ? Pourquoi devaient-ils se tenir par le bras ? Il garda ses questions pour lui, de peur de passer pour une poule mouillée. Ou pour un imbécile. Ou pour une poule mouillée *doublée* d'un imbécile.

Mais Bleu devina ses doutes.
- Ziczac va nous faire passer à travers les murs, expliqua-t-elle.

– Par magie ?

La Princesse acquiesça et le prit par le bras.

– Trop bien ! s'écria le garçon.

Ziczac vérifia si l'ensemble du commando se tenait comme convenu. L'instant d'après, tout devint noir.

132

Sulfurique trouva l'escalier étroit qu'il cherchait. Les marches se dissimulaient entre une grosse boutique de souvenirs et une minuscule épicerie spécialisée dans le commerce des œufs au vinaigre.

Au premier étage, un gorille était assis sur un fauteuil en bois. Il tuait le temps en parcourant le journal et en caressant l'arme qu'il portait dans la poche revolver de sa veste ouverte.

Il leva un sourcil, reconnut Sulfurique, rabattit son journal et renifla :

– Ho ?

– Yo, répondit le vieillard en émettant une sorte de bruit de succion comme il avait entendu les gens le faire dans la rue.

Il tenait à faire « local » pour brouiller les pistes. Ici, personne ne savait exactement d'où il venait. Et c'était mieux ainsi.

Le gorille rabaissa son sourcil puis, d'un geste du pouce, déplia de nouveau son journal et indiqua l'étage supérieur.

Deux adorables fillettes, qui gloussaient derrière leurs mains, le conduisirent à travers les bureaux de M. Ho. Celui-ci émergea d'un profond fauteuil en cuir. Il fumait du résineux dans une longue pipe en terre. Il avait les yeux cernés comme les Fées de la Nuit, mais pas les pupilles fendues si caractéristiques de cette confrérie. Il ôta la pipe de sa bouche et accorda à son visiteur un sourire naïf.

– Bonjour, monsieur Sulfurique ! lâcha-t-il.

– Monsieur Ho, bonjour, répondit le vieillard.

Il jeta un coup d'œil sur la pièce, heureux de constater que l'homme était toujours bien approvisionné en livres et accessoires divers.

– Excusez-moi si je ne me lève pas en signe de respect pour votre âge vénérable et si avancé, dit le marchand. Je souffre d'une intoxication extrêmement sévère, et...

Nouveau sourire naïf.

— Cela n'a pas d'importance, monsieur, grinça Silas.

— Un thé ? proposa M. Ho. Ou une pipe de tabac ?

— Ni l'un ni l'autre, merci. Puis-je m'enquérir de la santé de vos petites-filles ?

— Elle est excellente ! Je suppose que la vôtre aussi : je vois à certain anneau que vous vous êtes marié depuis notre dernière visite. Oserai-je, à mon tour, vous demander des nouvelles de votre bienheureuse épouse ?

— Elle est morte.

— Ah... L'héritage ?

— Coquet.

Nouveau sourire naïf.

— Vous venez le dépenser ici, alors ? devina M. Ho. J'en suis très flatté. Que vous plairait-il d'acquérir pour honorer la mémoire de la défunte... et l'argent qu'elle vous laisse ?

— Un grimoire, lâcha Sulfurique.

— Le *Lemegeton* ?

— Non.

— L'intégralité du *Clavicule* ? Ou peut-être le *Grimoire Verum* ? Ou solliciterai-je mes assistantes pour qu'elles vous dénichent le *Lyvre des Merveyes du Monde* ?

Les deux interlocuteurs éclatèrent de rire. C'était une blague habituelle, entre eux, mais elle était toujours aussi efficace. Le *Lyvre des Merveyes du Monde* était un ouvrage de magie blanche. Pas vraiment le genre de Sulfurique.

— Non, non, monsieur Ho. Je veux le *Grimoire d'Honorius le Grand*.

Le rire de M. Ho s'étrangla dans sa gorge.

— Vous... vous êtes sérieux, monsieur Sulfurique ? souffla-t-il.

— Très.

— Je n'ai pas ce titre.

— Pourriez-vous l'avoir ?

— Le prix serait astronomique.

— Ai-je l'habitude de marchander ?

— Non, non... Et néanmoins, j'ai peur que vous ne m'ayez pas compris. Ce livre est exceptionnel. Tout le monde le veut. Il coûterait donc, non pas *une* fortune, mais *plusieurs* fortunes.

— Vous n'avez rien à craindre : j'ai une carte de crédit gold platine.

— Montrez-la-moi, s'il vous plaît, exigea M. Ho.

Il prit le rectangle de plastique que lui tendait Sulfurique, l'observa, caressa la bande magnétique au dos, flaira l'objet, le porta à sa bouche et le mordit avec précaution.

Nouveau sourire naïf.

– Cela m'a l'air en ordre, constata-t-il.

– Alors ?

M. Ho dressa l'index droit et dit :

– Une heure, monsieur Sulfurique. Accordez-moi une heure.

133

Le commando déboucha dans un couloir sans toit. Les parois très hautes ainsi que le sol semblaient constitués de blocs d'obsidienne. Cependant, en lieu et place du plafond s'ouvrait un immense espace puis, dans l'obscurité, un dôme de pierre à la voûte spectaculaire, comme si on avait construit le couloir autour d'une caverne gigantesque.

– Je n'aime pas ça..., murmura Pyrgus.

C'était l'avis général. Ils restaient tous figés. Regardaient autour d'eux pour se repérer. Tâchaient d'évaluer quelle direction prendre. On pouvait s'engager dans le couloir des deux côtés. De l'un, il tournait à droite ; de l'autre, à gauche. Une espèce de plateforme flottait au-dessus du commando, abritée par une plaque de verre opaque.

– Je n'ai pas le sens de l'orientation, prévint Henry.

«Encore moins après être passé à travers des barrières de pierre», pensa-t-il. La tête lui tournait un peu.

– Sortilège de suspension ? s'enquit le Prince en désignant la plateforme à Ziczac, qui confirma d'un hochement de tête.

L'endroit était plutôt sombre, mais pas noir. Il y avait donc une source de lumière, même si elle était difficile à déterminer. Pas de globes visibles. Pas de torches ornementales aux murs.

– Flippant, admit Bleu à son tour. Mais tu peux quand même me lâcher, maintenant, Henry.

Le garçon rougit, libéra le bras de la jeune fille... et trouva une diversion pour masquer sa gêne :

– Vous entendez ?

Chacun bloqua sa respiration.

– Un bruit d'eau qui court ! s'exclama Pyrgus.

– Oui. Il doit y avoir un courant souterrain.

– Où sommes-nous ? demanda Nymphalis à Ziczac.

– Sous le manoir. Dans la caverne naturelle que nous avions repérée.

– Pourquoi Noctifer a-t-il construit un couloir ici ?

– Peut-être que cette partie de sa construction n'est pas finie, suggéra Bleu.

– Non, dit Pyrgus. Ça m'a l'air achevé. Mais quelque chose cloche : je ne comprends pas pourquoi ils ont utilisé ce verre volcanique... Ziczac, pouvez-vous nous faire franchir ces murs ?

– J'ai peur que non. Ils ne me paraissent pas assez épais.

Henry ouvrit de grands yeux. La Princesse posa une question avant lui :

– Donc on est coincés ici ?

– À moins de revenir à notre point de départ... ou de passer à travers les murs. À tout hasard, je peux tester l'épaisseur de cette paroi.

– Je m'en occupe, décida Pyrgus en dégainant le couteau halek caché dans sa botte.

– Connaissez-vous la triangulation mystique ? lui demanda Ziczac.

– Euh... non.

– Alors laissez-moi m'en occuper. L'endroit le plus propice serait juste après le coin. Mieux vaut que vous restiez à l'écart.

Il avança de quelques pas vifs... puis s'arrêta abruptement.

– Il y a un champ de force, ici, signala-t-il.

Il tendit les mains avec précaution.

– Je ne vois rien, avoua Henry.

– Moi non plus, dit l'ingénieur, mais je le *sens*.

– Recule, Ziczac ! exigea Nymphe.

– Ne t'inquiète pas. Ce n'est qu'une barrière. Nous n'aurons aucune difficulté à la franchir s'il le faut. Voyons d'abord si nous sommes aussi bloqués de l'autre côté.

Il repassa devant eux et tourna l'autre coin.

L'instant d'après, quelque chose craqua. Puis un cri bref retentit. Malgré l'opposition de Pyrgus, Nymphe, Comma et Bleu coururent vers l'endroit où avait disparu l'ingénieur.

Là, un trou d'un mètre cinquante de largeur s'ouvrait dans le sol. Ziczac était au fond, les yeux fixes, sept pics de métal fichés dans le corps.

134

– Je veux te montrer quelque chose, mon cher Jasper, dit Noctifer.

Il était dans sa période « sirupo-mielleuse ». La plus pénible, de l'avis de Blafardos.

– Volontiers, Votre Seigneurie, répondit-il en tâchant d'avoir l'air intéressé.

Black se leva :

– Venez avec nous, Cossus.

Le Gardien inclina la tête légèrement. Il savait que Lord Noctifer ne lançait jamais d'invitation : il donnait des ordres.

Les trois hommes quittèrent les appartements de Cossus Cossus. Les nerfs de Blafardos étaient tendus à l'extrême. « Un ennui de moins », pensa-t-il cependant lorsque la porte se referma sur l'immonde golem.

Noctifer leur fit descendre de très nombreuses marches. Et Blafardos ne se sentit pas le moins du monde rassuré lorsqu'il constata où ils se rendaient. Ils étaient dans un donjon. Des cellules entouraient une salle de torture construite dans le style des grandes demeures. L'endroit était sinistre – ce n'était rien de le dire. Black avait l'art de passer de la fausse cordialité à l'intimidation la plus efficace !

Noctifer prit une clef sur un clou, ouvrit la porte d'une cellule, recula d'un pas et, d'un signe de tête, ordonna à Blafardos d'approcher. Jasper obéit. Il découvrit une petite cellule sombre, sans fenêtre, et d'où s'exhalaient les remugles d'un corps en putréfaction. Quel dommage de finir ainsi sa vie ! Et tout ça pourquoi ? Parce qu'il avait cédé aux rêves de gloire qu'un crétin de superlombric avait éveillés en lui.

Soudain, Blafardos s'immobilisa. Dans un coin, il avait aperçu une silhouette. C'était elle, la source de cette puanteur.

– Alors, tu reconnais ce type ? s'exclama Noctifer d'une voix joviale.

Jasper prit le risque d'avancer d'un pas. Il vit à quoi ressemblaient ceux qui osaient s'en prendre à Black : un vieil homme décharné, le visage émacié et cousu de partout, hagard, victime de la torture quotidienne et des privations de sommeil, de nourriture, d'eau... Il comprit le symbole. Noctifer lui montrait cette loque humaine pour le mettre en condition avant de lui demander d'avouer sa trahison. Mais quel imbécile d'avoir écouter le vyr ! Quel fou d'avoir cru qu'il était de taille à défier Lord Noctifer !

– Non ? reprit celui-ci. Tu ne vois pas ? Lève la tête !

Blafardos crut que Black s'adressait à lui. Erreur : il parlait à la créature, qui, lentement, s'exécuta.

Jasper n'en crut pas ses yeux. Ce déchet, cet immondice pourri, cette infection à peine vivante, c'était l'homme dont le Royaume avait tant pleuré la mort – Apatura Iris en personne.

135

Bleu ferma les yeux. Mais l'image du corps de Ziczac percé de sept pics métalliques la poursuivit derrière ses paupières closes.

— Tu sais où on est, n'est-ce pas ? lui dit Pyrgus.

— Oui. Dans un labyrinthe obsidional.

— C'est quoi, un labyrinthe obsidional ? demanda Comma, le regard fasciné par la dépouille de l'ingénieur.

— Un jeu dangereux. Le labyrinthe est bourré de pièges mortels, d'illusions létales, de démons sanguinaires, d'animaux sauvages, et j'en passe et des meilleurs. On y introduit un candidat, et s'il en sort vivant, il a gagné.

— Tu... tu appelles ça un *jeu* ? s'exclama Nymphalis, stupéfaite.

— C'est illégal depuis plusieurs siècles au moins, précisa le Prince.

Holly Bleu intervint :

— Apparemment, ça n'a pas empêché Noctifer de réactiver la tradition et de se construire un labyrinthe privé. Je suis quand même surprise qu'aucune rumeur n'ait transpiré.

— Noctifer ne plaisante pas avec ses ennemis, lâcha Pyrgus en fixant Ziczac. Il sait inspirer la terreur. Avec lui, jaser peut coûter gros... Personne n'a intérêt à provoquer sa colère. Bon, que fait-on du corps de Ziczac ?

— Je vais le chercher pour l'enterrer dignement, décida Nymphalis.

— Pas question ! dit Holly Bleu.

— Ziczac était mon ami et je ne le laiss..., commença la soldate.

La Princesse l'interrompit d'un geste :

— Dans les labyrinthes obsidionaux de bon niveau, la plupart des pièges sont à double amorce.

— Pardon ?

— Il y a plusieurs déclencheurs. Le deuxième est parfois plus subtil que le premier. Voire plus dangereux. Par exemple, tu peux déclencher une nuée de gaz toxique en descendant dans une fosse chercher un ami blessé...

– Pourquoi tant de perversion ?

– Parce que, sinon, c'est moins intéressant. Si on est très, très attentif, on peut repérer la plupart des pièges. Afin de ne pas tomber dedans, soit on les évite, soit – si c'est trop compliqué de les éviter – on les déclenche volontairement pour ne pas être surpris. Une fois que les pics sont tombés, ou qu'on a tué le monstre, on croit être sorti d'affaire, et là, pof ! on marche sur une pierre spéciale... et on meurt, parce que le piège en cachait un autre.

– Tu as l'air de t'y connaître, Sérénité...

– Bleu connaît plein de secrets incroyables, signala Comma, les yeux toujours fixés sur Ziczac.

– J'ai appris ça en cours d'histoire de la civilisation.

Nymphalis ne lui répondit pas. Elle réfléchissait.

– Nous allons devoir laisser notre ami ici, finit-elle par conclure. La Princesse a raison. Nous ne pouvons pas mettre encore plus en danger l'expédition. Il est mort dignement en soldat.

– Sauf qu'il n'était pas un soldat, chuchota Henry.

– Il était plus qu'un soldat, corrigea Bleu. Il était notre guide, notre passe-murailles. Sans lui, adieu la discrétion ! Pour investir le manoir de Noctifer, il va falloir recourir à la manière forte...

– À condition que nous survivions au labyrinthe, dit Comma, hypnotisé par la mouche bleue qui se promenait sur la pupille de Ziczac.

L'Empereur héritier songea qu'il avait enfin compris ce qu'était la mort – un moment où les mouches peuvent danser sur vos yeux sans que vous ayez envie de fermer les paupières.

136

Le livre que Sulfurique tenait dans ses mains était une merveille. Il avait été écrit sept cent cinquante ans plus tôt sur du cuir de mouton. Il l'ouvrit au hasard avec précaution.

Trinitas...
Sother...
Messias...
Emmanuel...
Sabahot...
Adonay...
Athanatos...

Silas avait envie de crier de joie. Il tenait entre les mains le grimoire que Beleth lui avait demandé. Le livre le plus diabolique qui eût jamais circulé. Le dernier ouvrage d'authentique magie noire disponible dans le Monde analogue.

— C'est ce que vous souhaitiez, monsieur Sulfurique ? s'enquit M. Ho.

— Oui.

— Et avec ça, qu'est-ce que vous prendrez ?

— Une grande feuille de parchemin vierge.

— Pas de problème.

— Et un cafard noir.

— Je vous en trouverai un.

— Et trois pintes de sang humain.

— Quel groupe ?

— G... groupe ?

— Oui, quel groupe sanguin préférez-vous, pour que je le commande à la Banque du sang ?

Ils avaient des Banques du sang dans le Monde analogue ? Quelle idée maligne ! Moins de victimes... et pas mal d'argent à se faire ! Sulfurique pensa que cela vaudrait peut-être le coup de s'y mettre, quand il serait de retour au Royaume et que sa situation se serait stabilisée...

– Aucune importance tant qu'il est frais, dit-il.

– C'est une affaire qui coule... euh, qui roule, monsieur Sulfurique !

Nouveau sourire naïf.

– Il vous fallait autre chose ? demanda M. Ho.

– Une salle *privée* où étudier ce texte fascinant, exigea Silas.

– Tout de suite.

– Et un endroit pour transporter mes acquisitions demain ou après-demain au plus tard.

– Je peux vous proposer une église abandonnée, avec son cimetière intact. Cela vous conviendrait-il ? J'ai repéré ce produit rarissime dans les petites annonces immobilières.

– Loin d'ici ?

– Non, un taxi vous y conduirait.

– Parfait.

– Je vous prends l'ensemble sur la carte ?

Ce fut au tour de Silas de sourire. Il était toujours sidéré par certains comportements des habitants du Monde analogue : ils préféraient ce ridicule petit bout de plastique à de l'or. « Ils sont impayables ! » pensa Sulfurique, ravi de son jeu de mots.

– Oui, monsieur Ho, dit-il. Prenez l'ensemble sur la carte, ne vous gênez pas !

137

– **O**n est coincés, grommela Pyrgus.
– Oh, déjà ? s'étonna Comma, presque guilleret.

S'il avait compris la gravité de la situation, l'Empereur héritier ne le montrait pas le moins du monde.

– On ne peut pas continuer dans ce sens, déclara Nymphalis en posant son regard sur lui. Certains d'entre nous ne seraient pas capables de franchir ce trou. Mais on ne peut pas non plus continuer de l'autre côté...

– Pourquoi pas ? demanda Bleu.

– Il y a un champ de force, tu te souviens ? Ziczac l'avait décelé. C'est pour cela qu'il avait décidé de passer par ici.

– Justement.

– Comment ça, « justement » ?

– Suivez-moi !

La Princesse conduisit le commando d'où il venait... et plus loin dans la même direction. Aucune opposition. Aucun champ de force. Nymphe l'observait sans comprendre ce tour de passe-passe : par quel miracle avaient-ils réussi à franchir une barrière qui avait repoussé un ingénieur magicien de la trempe de Ziczac ?

– Nous sommes dans un labyrinthe obsidional, rappela Bleu. Et vous venez d'en avoir une illustration. Le champ de force – dont Ziczac avait remarqué qu'il n'était pas infranchissable – n'était qu'un attrape-nigaud destiné à nous faire partir dans l'autre sens. Un piège classique. Quand on rencontre un obstacle, la réaction logique consiste à repartir vers le côté opposé... où un mécanisme fatal est prêt à se déclencher au premier passage.

– Pourquoi ne pas l'avoir dit *avant* ? s'exclama la soldate de la Forêt. Ziczac serait en vie !

– Je ne savais pas que nous étions dans un labyrinthe obsidional. Crois-moi, je tenais autant que toi à ce que Ziczac nous accompagne.

– « Autant que moi » ? Qu'est-ce que tu en sais ? Tu ne le connaissais même pas !

La Princesse haussa les épaules :

– Je n'en sais rien, tu as raison. On ne fait pas un concours...

– Bleu, intervint Pyrgus, tu es sûre que, par là, nous ne risquons pas de déclencher le même genre de piège que celui dont Ziczac a été victime ?

– Je suis sûre du contraire.

– Alors, on est cuits ?

– Pas forcément. Ce jeu a des règles. Le joueur doit avoir une chance de survivre. Ça maintient un intérêt. En partant vers le piège fatal, Ziczac avait signé son arrêt de mort.

– Lord Noctifer a pu changer les règles, fit observer le Prince.

– C'est possible, reconnut sa sœur. Il ne m'a pas envoyé un messager pour me promettre qu'il avait respecté le principe du labyrinthe. Mais le coup du champ de force dissuasif, c'est typique d'un vrai labyrinthe obsidional. En plus, quand Black veut simplement *tuer* quelqu'un, il connaît des méthodes plus radicales. Un labyrinthe a une autre fonction. S'il s'est fait construire un jeu pareil, il en a sans doute respecté les principes de base. Et puis...

– Et puis *quoi* ?

– Et puis on n'a pas le choix. Donc, en avant !

– Qu'en penses-tu, Prince ? demanda Nymphe par pure provocation.

La tension entre les deux jeunes filles était plus que perceptible. Pyrgus ne voulait être désagréable ni avec sa sœur ni avec la soldate. Il devait mobiliser sa troupe et créer un sentiment de solidarité entre eux. Sans quoi, leur expédition risquait de faire long feu.

– Écoutez, dit-il, on est ensemble dans cette aventure. Ensemble. Chacun a ses compétences *et* ses limites. Tâchons de les accepter. Nous avons déjà perdu un homme remarquable parce que nous ignorions où nous avions atterri. Maintenant, nous le savons. Et la situation ne me semble pas désespérée, car nous avons des atouts. Le plus grand atout, le voici : nous formons une équipe. Ces labyrinthes se jouent seuls, en général. Si nous avançons ensemble, si nous réfléchissons ensemble, si nous nous soutenons les uns les autres, nous franchirons cet obstacle, je vous le garantis.

Il se tourna vers les deux soldats de la Forêt :

– Comment vous appelez-vous ?

– Ochlodes.

– Palaemon.

– Ochlodes et Palaemon, vous avez eu l'occasion de prouver que vous étiez des combattants aguerris et courageux. Nous serons peut-être appelés à combattre d'ici à ce que nous sortions du labyrinthe, mais je vous incite à réfléchir encore plus que d'habitude. J'ai le sentiment que votre tête vous sera davantage utile que vos muscles.

Il fixa Nymphe, Bleu et Comma.

– Cela vaut pour vous aussi... et pour moi, ajouta-t-il. Il faut penser avant d'agir. Être attentif à chaque bizarrerie. Progresser lentement. Ne jamais se fier aux apparences. Anticiper. Et...

– ... nous disperser, compléta Holly Bleu.

Pyrgus fronça les sourcils.

– En restant groupés, expliqua la Princesse, nous risquons de tomber en même temps dans le même piège. Mieux vaut nous éloigner un peu. Comme ça, nous pourrons aider ceux qui en auront besoin.

– Si ça vaut encore la peine, précisa Comma.

Sa demi-sœur le foudroya du regard. Puis les joueurs s'espacèrent autant qu'ils le pouvaient sur la largeur du couloir. Ils progressèrent dans le labyrinthe, les sens aux aguets. Une minute ne s'était pas écoulée quand Palaemon marcha sur une brindille.

Une lame jaillit de la paroi. Le soldat bondit. L'acier tranchant lui arracha un bout du lobe de l'oreille gauche. Le sang se mit à couler en abondance. Mais c'était un détail : sans ses réflexes innés propres aux Fées de la Forêt, Palaemon aurait été décapité.

138

– Tu le reconnais ? répéta Noctifer.

Blafardos acquiesça, incapable de prononcer un mot. La stupeur l'avait rendu muet. L'Empereur pourpre était vivant ! Et Black le tenait au cachot ! Une nuée de questions l'assaillit, dont les plus insistantes étaient :

1) Pourquoi l'Empereur n'était-il plus mort ?

2) Pourquoi Lord Noctifer le tenait-il au fond d'un cachot ?

3) Pourquoi le lui montrait-il à *lui*, Jasper Blafardos ?

Il jeta un coup d'œil à Cossus Cossus, qui lui rendit son regard, impassible. Blafardos baissa la tête. Il ne voulait pas revoir Apatura. L'état de décomposition de l'Empereur était insoutenable. Et il ne voulait pas voir non plus le sourire de Black. Il en avait peur.

– Tu comprends ce qu'il s'est passé ? demanda Noctifer.

– N... non...

– L'Empereur a ressuscité ! glapit le Régent. Res-sus-ci-té ! Le premier abruti venu pourrait le constater !

« Je ne suis pas le premier abruti venu ! » pensa Jasper. Mais ce n'était pas le moment d'exaspérer davantage son hôte.

– B... bien sûr, s'empressa-t-il de bégayer. J'avais compris qu'il s'agissait d'une résurrection...

Aussitôt, il sentit qu'il était tombé dans le panneau. Avec Noctifer, c'était quasi impossible de savoir quand tenir sa langue, quand parler... et que dire. Dès qu'il vous adressait la parole, vous étiez en danger de mort. Un instant, Blafardos rêva d'être un chaton pour pousser un miaulement plaintif.

– Voilà le problème, lâcha Noctifer. Un coup d'œil, et on a compris ce dont il s'agit. Une résurrection. Et qu'est-ce qu'il faut, pour ressusciter, hein ? Qu'est-ce qu'il faut, Jasper ?

– Euh... que quelqu'un vous ressuscite ?

– Il faut MOURIR, Jasper !

Black dégaina une baguette de sa poche intérieure et s'en servit pour tapoter l'Empereur, qui rampa un peu plus loin.

– Or, il ne faut pas qu'Apatura soit mort, continua Noctifer. Nous affirmons qu'il était simplement plongé dans le coma et qu'il en est sorti afin de prendre quelques décisions essentielles pour l'avenir du Royaume. Jusque-là, nous avons fait illusion parce que nous l'avons gardé caché l'essentiel du temps. Nous n'avons laissé que quelques personnes comptées voir son visage. Dis-moi franchement, mon bon Jasper : crois-tu que, en l'état, ce zombie est susceptible d'être présenté au grand public, par exemple à l'occasion d'une cérémonie de Couronnement ?

Blafardos hésita. Quelle était la bonne option ? Oui ? non ? peut-être ? je sais pas ? je donne ma langue au golem ? Un mot de travers, et il serait bon pour la prison à vie et les sortilèges de torture perpétuelle...

Il jeta un nouveau coup d'œil à Cossus Cossus, qui resta impassible. Pourquoi le Gardien refusait-il de lui venir en aide ? Était-il lui aussi terrifié par Noctifer ?

Black s'impatienta :

– Alors, Jasper ?

– Oui..., proposa Blafardos.

Puis, voyant l'éclair furibond qui zébrait le regard de Lord Noctifer, il se reprit :

– Non ! Je voulais dire non !

– Non, bien sûr que non ! En une seconde, n'importe qui verra le subterfuge. Et, comme la résurrection est illégale, toute proclamation faite par un ressuscité serait frappée de nullité. Cela m'ennuie, mon cher Jasper. Tu n'es pas sans savoir que la situation des Fées de la Nuit s'est sensiblement améliorée depuis quelque temps. Hélas, si la supercherie était découverte, nous nous retrouverions moins bien lotis qu'avant... ce qui me chagrinerait, je ne te le cache pas.

– Que comptez-vous faire ? murmura Jasper.

– Il n'y a qu'une manière de corriger ce petit problème. Laquelle, mon bon ami ?

– Je... je ne vois pas.

– Un transfert de vyr, triple idiot !

– Ah, oui...

– Et de préférence un transfert de vyr mûr, expérimenté, à l'efficacité avérée.

– B... bien sûr. Un vyr.

« Mais pourquoi il me parle de ça ? » se demandait Blafardos, intrigué... et pas rassuré.

Noctifer souffla bruyamment :

– Tu vois, Jasper, si tu ne m'avais pas rendu de minuscules services par le passé, je t'aurais jeté aux sliths depuis belle lurette !

– C'est juste que... je ne saisis pas en quoi je puis vous être utile dans cette affaire, Votre Seigneurie.

Le Régent émit un rire grinçant :

– Toi ? En rien. Par contre, ton wangaramas, si. Il va être très utile à l'Empereur.

– Je suis flatté que...

– Non, Jasper, non. Inutile de faire semblant : ce que je viens de t'annoncer *n'est pas* une bonne nouvelle. Je t'ai amené dans cette partie de mon manoir pour que nous récupérions Cyril. Et je crains que cette petite opération ne te soit pas très profitable...

139

– Je m'inquiète pour le gamin, dit soudain M. Fogarty.

– Henry ? demanda Mme Cardui.

– Non. Pyrgus. Il devrait être là depuis longtemps.

– Tu crois ?

– Le plan consistait à s'introduire dans le palais, à récupérer feu l'Empereur et à filer au plus vite. Ça ne prend pas des siècles, si ?

– L'opération peut se révéler plus longue qu'il n'était prévu, mon cheeer, déclara Mme Cardui. Le palais est vaste. Pyrgus doit d'abord trouver son père avant de l'exfiltrer.

– Je ne suis pas sûr que Pyrgus ni son père soient encore dans le palais.

– Le Prince a dit qu'il avait aperçu la silhouette de son père à une fenêtre lors de son départ en exil.

Alan leva l'index et rectifia :

– Non, il a dit qu'il *pensait* avoir aperçu une silhouette qui *ressemblait* à celle de son père. Mais même s'il avait bel et bien vu son père à ce moment précis, cela ne signifie pas pour autant que son père était appelé à vivre dans le palais. Dans un cas pareil, il nous faut essayer d'imaginer comment pensent les autres parties en jeu.

– Alors, comment pensent-elles ? demanda la Femme peinte, une pointe d'amusement dans la voix.

– Examinons d'abord le cas d'Apatura Iris. S'il avait survécu pour de bon à l'attentat et qu'il se soit réveillé d'un long coma, où serait-il allé vivre ?

– Au Palais pourpre, bien sûr.

– Exact. Mais nous savons qu'il n'est plus lui-même. Il n'est qu'un pantin soumis aux ordres du sorcier qui le contrôle pour le compte des Fées de la Nuit. Imaginons donc que je sois Lord Black Noctifer en personne. Une fois que j'ai montré l'Empereur à la famille royale, quel intérêt aurais-je à le garder au palais ?

— Aucun, je suppose..., dit Cynthia, conciliante.

— Tu supposes bien. Car moi, Black Noctifer, j'essaie de clamer partout que l'ancien Empereur est sain de corps et d'esprit – c'est mon seul moyen pour m'approprier son empire. Personne n'y croira jamais si Apatura est aperçu au palais en train d'errer comme le zombie qu'il est.

— Alors, que ferais-tu, mon cheeer Black ?

— Je cacherais l'Empereur chez moi, déclara Alan, tant que je n'aurais pas trouvé une astuce pour lui redonner vraiment forme humaine. Or, j'ai deux chez-moi. L'un à la ville, l'autre au fond de la forêt. Si je veux dissimuler l'Empereur, j'ai intérêt à le faire dans l'endroit le plus discret.

— Donc, si je te suis bien, l'Empereur a de fortes chances d'être détenu dans le nouveau domaine de Lord Noctifer tout près d'ici ?

— Oui.

Mme Cardui garda le silence un instant.

— Pourquoi ne pas l'avoir dit avant ? demanda-t-elle.

— Je n'en étais pas convaincu. Depuis le départ du gamin, j'ai utilisé mes neurones... et voilà.

— Que comptes-tu faire, Alan ?

M. Fogarty se mordit les lèvres et répondit :

— La seule chose qui soit en mon pouvoir : parler à la Reine.

140

L'église était beaucoup plus loin que ce qu'avait laissé entendre M. Ho. Aucune importance : le chauffeur acceptait les cartes de crédit.

Sulfurique contempla le bâtiment. Il sentit poindre à nouveau en lui un sentiment de victoire et de jubilation. L'endroit était parfait. À l'abandon. Isolé. Abrité par un rideau d'arbres, ce qui garantissait une certaine discrétion. Et entouré d'un cimetière qui n'était plus guère entretenu. M. Ho n'avait pas menti.

Ce n'était pas une surprise : M. Ho ne mentait jamais. Tant qu'il avait accès au petit rectangle magnétique fourni par Beleth, le marchand était irréprochable. Mais le vieillard n'aurait pas voulu être de ses ennemis.

À côté des caveaux décrépis et des pierres tombales où le nom du défunt avait disparu, grignoté par le temps et les intempéries, le vieillard avisa quelques sépultures garnies de fleurs fraîches. Sans doute des défunts récemment enterrés. En temps normal, il en aurait profité. Il y avait toujours des tas d'expériences amusantes à pratiquer sur des corps à peine putréfiés. Cependant, il n'était pas là pour s'amuser. Et il n'avait pas besoin de cadavres pour accomplir sa mission. D'après le grimoire qu'il avait en sa possession, les morts étaient superflus dans le Monde analogue.

— Mon brave, ayez la gentillesse de transporter mes affaires à l'intérieur ! lança-t-il au chauffeur.

— Rêve ! répondit l'homme.

Sulfurique toisa avec mépris l'obèse transpirant qui se tenait devant lui. L'individu dégageait une odeur corporelle répulsive. Et pourtant, son comportement ressemblait à celui des humains les plus respectables : il obéissait à la seule logique ridicule du papier. Celle-ci semblait universellement admise dans ce monde. Les gens s'échangeaient des « billets » (des bouts de papier froissés, en réalité) et prétendaient que c'était de l'argent. Encore plus ridicule que la carte en plastique !

Sur le billet que Silas sortit de son portefeuille était inscrit le chiffre 100. Ce qui signifiait sans doute qu'on pouvait le troquer contre cent... cent... cent quoi ? Sulfurique n'était pas sûr de lui. Cent moutons, peut-être. Ou cent vaches. Ou cent lingots d'or. Le plus amusant, c'est que les gens ne paraissaient pas s'en soucier. Les humains se contentaient de collectionner ces papiers et de faire des échanges. Plus ils en avaient, plus ils étaient contents et respectés. Une fois qu'on avait compris cela, on pouvait se comporter comme un authentique Terrien sans attirer l'attention sur soi, même quand on débarquait du Royaume des Fées après de longues années d'absence.

Le vieillard agita le billet sous le nez du gros type et répéta :

– Mon brave, ayez la gentillesse de transporter mes affaires à l'intérieur...

Il ajouta avec un sourire :

– ... et je vous donnerai ceci.

– Ben fallait l'dire avant, monseigneur ! grommela le chauffeur en se dirigeant vers le coffre de son taxi pour prendre les paquets.

Silas était aux anges : ç'avait marché ! Ç'avait *encore* marché ! Ces bouts de papier étaient décidément magiques ! Tout guilleret, le vieillard suivit son porteur vers l'église. Puis le chauffeur repartit dès qu'il eut récupéré ses cent quelque-chose.

Resté seul, Sulfurique pénétra dans l'édifice. D'après M. Ho, le caractère sacré de l'édifice avait été annulé par les autorités ecclésiastiques. « En fait, ils ont surtout laissé ce truc tomber en ruine », pensa Sulfurique. Ce n'était pas pour lui déplaire : il aimait l'ambiance qui se dégageait des bancs de messe rongés par les vers, des murs attaqués par les termites, des vitraux brisés par des jets de pierres, des statues dans leurs niches en plâtre décapitées par des profanateurs, des tuiles tombées dans la nef, et de l'autel poussiéreux derrière lequel il découvrit une chasuble élimée, ornée d'or et d'argent. Exceptionnel.

Sulfurique traîna dans le narthex ses affaires que le chauffeur avait laissées sur le parvis avant de repartir. Il ferma la grande porte et entreprit de se préparer. Un gros travail l'attendait. Et Beleth n'était pas du genre patient.

Silas consulta son grimoire puis marcha jusqu'à l'autel. Tout commençait par une solide préparation mentale, destinée à mettre son esprit dans les meilleures dispositions. Pour la première fois de son existence, le vieillard entreprit donc de confesser ses péchés à voix haute.

« J'en ai pour un bon bout de temps », pensa-t-il.

141

La lame filante qui avait failli coûter la vie à Palaemon avait rendu Pyrgus et sa bande encore plus prudents. Ils avaient retenu les leçons de ce qui avait failli tourner à l'accident tragique : rester constamment en alerte ; ne pas relâcher l'attention même une fraction de seconde ; envisager que chaque pas risquait d'être le dernier. La plupart des pièges étaient mortels. Rares étaient les amorces destinées simplement à blesser.

Cependant, avec beaucoup de précautions, on parvenait à sentir le danger. Les joueurs (malgré eux) n'en étaient qu'au premier niveau. Les véritables difficultés étaient devant eux.

Henry le savait. Et cela n'arrangeait pas son humeur. Le garçon était énervé et effrayé.

Il était énervé par Bleu. La Princesse lui avait ordonné de rester près de Comma. Et l'Empereur héritier aimait à traînasser à l'arrière : il estimait que le risque y était moins grand. Résultat, Henry se retrouvait loin de la jeune fille.

En plus, il était effrayé parce que... parce que cet endroit aurait flanqué la frousse à Arnold Schwarzenegger en personne. Le danger de mort était permanent. La preuve, Ziczac n'était plus là. Et le pire, c'est que le danger était impalpable. Virtuel. Inutile d'espérer l'affronter une bonne fois pour toutes, et lui régler son compte, qu'on n'en parle plus. L'attente de la catastrophe était épuisante.

Ils atteignirent un large escalier en pierre, faiblement éclairé par des torches fixées à intervalles réguliers le long des murs. « Les flambeaux n'ont été installés que pour donner une ambiance de crypte gothique », estima Henry. L'effet était saisissant. Et intrigant. D'ordinaire, dans le Royaume, des globes lumineux assuraient l'éclairage. Mais il n'y avait pas que ça. Ces torches n'étaient pas *normales* :
1) elles ne dégageaient pas de fumée ;
2) leurs flammes avaient la même taille.

Étaient-elles entièrement artificielles ? Ou les flambeaux eux-mêmes n'étaient-ils qu'un sortilège d'illusion – une espèce de papier peint en trois dimensions ?

La voix de Bleu tira le garçon de ses réflexions.

– Pyrgus ?

Le Prince marchait devant, à côté de Nymphe. Il n'avait pas l'air le moins du monde tendu. S'ils sortaient vivants de ce jeu idiot, Henry se promit de lui demander : « Tu avais un peu peur, dans le labyrinthe, ou pas du tout ? »

– Quoi ? grogna le jeune homme en s'immobilisant.

– Il y a une statue en bas des marches ?

– Je vois pas aussi loin.

– Si c'est le cas, tu me le dis aussitôt ?

– Entendu.

Henry reprit son observation et constata que les torches étaient toutes identiques. Pas juste les flammes. Les porte-flambeaux aussi. Si on les regardait, ils semblaient vieux. Le fer paraissait rouillé et érodé à certains endroits. Mais quand on regardait le suivant, il était rouillé et érodé exactement aux mêmes endroits.

Une coïncidence ? Peu probable. Ces torches n'étaient peut-être pas enveloppées d'un sortilège d'illusion. Mais...

– Il y a une statue, Bleu, annonça Pyrgus.

– A-t-elle la main tendue ?

– Oui.

– Je le savais ! s'exclama la Princesse en se portant à la hauteur de son frère.

– Il y a une pièce circulaire au pied des marches, ajouta Nymphe. La statue est au milieu.

– Je la vois, maintenant, déclara Holly Bleu. Arrêtons-nous une minute.

Henry se figea le premier. Il venait de constater que l'une des torches était légèrement différente des autres. Quand on se trouvait aussi près que lui, on pouvait voir que la rouille n'était pas située au même endroit. Pourquoi ? Pourquoi les autres étaient-elles identiques ? Pourquoi pas celle-ci ? Que signifiait sa différence ?

Il n'y avait qu'une façon de le savoir. Henry allongea le bras. Au moins, s'il s'agissait d'un sortilège d'illusion, il serait fixé.

Sa main se posa sur quelque chose de solide. Ce n'était pas un sortilège. Le porte-flambeau existait ; mais il était rouillé à

un endroit différent et reposait sur des gonds. « Un levier ! »
pensa Henry, tout excité. Il avait découvert un levier !

— On ne doit pas s'arrêter, Bleu ! protesta Pyrgus. Le temps
presse, et...

— Que personne ne s'approche de la statue ! ordonna la jeune
fille.

— Qu'est-ce que cette statue a de spécial ? s'enquit Nymphe.
Et comment avais-tu deviné qu'elle serait là ?

— Laissez-moi une minute, et je suis sûre de nous sortir d'ici !
promit la Princesse sans répondre directement. Noctifer a créé
son labyrinthe à partir d'un modèle historique que j'ai étudié !

— Donc tu connais l'emplacement des sorties ? demanda le
Prince.

Holly Bleu acquiesça :

— Je crois. J'ai quelques souvenirs, donc des repères. La statue, par exemple. Elle est déplaçable. On peut la faire tourner.
En réalité, il *faut* la faire tourner.

— Dans quel sens ?

— Ça dépend si elle a le bras tendu ou pas.

— Que se passe-t-il si on la tourne dans le mauvais sens ?

— Le joueur meurt.

— Et s'il la tourne dans le bon sens ?

— Il libère une sortie.

— Tu es certaine de ton coup ?

— Je le pense. Donnez-moi le temps de me remémorer
l'astuce, et je tenterai le coup.

« Je ne veux pas que tu prennes ce risque », songea Henry.
Inutile de le dire à voix haute : Bleu ne l'écouterait pas. En
revanche, si le levier qu'il avait découvert libérait une trappe
qui permettait de sortir du labyrinthe, la jeune fille n'aurait pas
besoin de risquer sa vie.

Il tira sur la torche au moment où Holly Bleu s'avançait pour
rejoindre la pièce où se dressait la statue. Aussitôt, un grondement s'éleva. Des pierres craquèrent, une grosse partie de l'escalier s'effondra, et le commando fut projeté dans le vide.

142

Lord Noctifer avait appelé cela une « salle d'attente ». Blafardos n'était pas dupe. L'ameublement était minimal ; la porte fermée à clef. La vérité, c'est qu'on avait conduit Jasper dans un *cagibi* – une cellule de prison, pour appeler les choses par leur nom –, afin de le garder « au calme » avant la grosse opération chirurgicale qui l'attendait.

Pour ne rien arranger, Cyril s'était réveillé moins excité que frénétique. Il se doutait qu'il avait été endormi par une drogue quelconque, bien que le sortilège de Léthé eût effacé de sa mémoire le détail des derniers événements – ainsi que l'avait prévu Cossus Cossus. Comme il n'avait pas réussi à rassembler tous les éléments qu'il souhaitait dans l'esprit de Blafardos, il essayait d'amadouer son hôte afin d'obtenir un complément d'information.

« Jasper, enfin, tu es mon ami ! s'exclamait Cyril. Et je suis ton ami ! Nous sommes ce qu'on appelle des amis *intimes*, non ? Tu sais ce qui est arrivé, non ? Tu n'as pas oublié, toi, n'est-ce pas ? »

« Non », reconnut Jasper.

« Alors ? » insista le vyr.

« Alors quoi ? »

« Alors pourquoi tu ne me racontes pas ? »

« Parce que. »

« Je vais faire de toi le nouvel Empereur pourpre ! lui rappela le wangaramas. Tu me dois bien cette faveur ! »

« Non. »

« Comment ça, non ? »

« Non, je ne te dois rien. »

« N'as-tu donc aucun sens de l'honneur ? Aucune loyauté – si ce n'est à mon égard, du moins à celui de la Révolution ? »

« Ta Révolution, c'est du flan, lâcha Blafardos. Ça fait des siècles que vous fantasmez dessus... pour rien. »

Soudain, le silence retomba dans la tête de Jasper.

« Qui t'a appris ça ? » finit par demander Cyril.

« Pas toi, en tout cas », signala Blafardos.

« Parce que, cette fois, c'est différent ! Impossible que ça rate ! »

« Désolé, mais ce sera sans moi. »

« Explique-toi ! » supplia le vyr.

« Notre ami Lord Black Noctifer a décidé que j'allais être opéré pour qu'on te transfère dans le corps d'Apatura Iris. »

« L'Empereur pourpre ? Mais on l'a ressuscité ! »

« Justement. Grâce à toi, ce mort vivant aura l'air plus vivant que mort. »

« Tu ne peux pas laisser cette horreur arriver ! Tu sais que je ne survivrai pas à cette opération ! Ne prétends pas le contraire ! »

Blafardos se doutait que les chances de Cyril étaient minces, en effet. Et il s'en fichait royalement.

« Voyons, Cyril, dit-il cependant, tu n'en mourras pas. Noctifer perdrait trop gros... même si je ne comprends pas bien pourquoi il n'introduit pas un autre vyr dans la narine de l'Empereur. »

« Ça ne marcherait pas avec un ressuscité. Pour ces cas-là, une transplantation wangaramique s'impose. »

« Bon, Cyril, je suis inquiet pour toi. Crois-moi, je suis sincère. On n'a pas toujours été d'accord, et j'estime que, souvent, tu as abusé de ma patience. Néanmoins, dans l'ensemble, tu as été un compagnon parfois amusant, souvent intéressant, toujours digne d'intérêt. S'il était de mon ressort de t'aider, je le ferais sans la moindre hésitation. Hélas, il n'en est rien. Je suis prisonnier de ce vil Black comme toi. J'espère que tu ne périras pas au cours de cette transplantation. Mais si par malheur cela arrivait, j'aimerais que tu... »

« Oh, garde ta pitié pour toi, Jasper ! grogna Cyril. Tu as de bonnes chances d'y rester, toi aussi ! »

143

– ... **Et** à ce moment-là, je lui ai piqué ses chaussettes, dit Sulfurique. C'est tout.

Le vieillard laissa sa voix résonner dans l'église délabrée. Il était satisfait à plus d'un titre.

D'abord, il était venu à bout de cette tâche harassante qu'avait constituée sa confession.

Ensuite, celle-ci lui avait rappelé d'excellents souvenirs – il était obligé de raconter ses péchés, pas de se repentir.

Enfin, il était prêt. Il allait pouvoir passer à la suite.

Il y avait mis le temps nécessaire. Par moments, il s'était impatienté. Forcément. Mais la paix de l'esprit était essentielle pour pratiquer le rituel qu'il comptait exécuter à présent. Elle constituait la base, la substance, le cœur de la magie à venir. À côté, le reste des préparatifs – y compris les mesures de sécurité qui les entouraient – pouvait presque passer pour superflu.

Silas était un as en magie noire. Et les as savaient qu'on ne pratiquait pas de rituels importants sans respecter les conditions vitales, si contraignantes fussent-elles. Il se rendit dans le narthex. Récupéra ses affaires. Prit le sac qui contenait un coq noir qu'il avait pris soin de collecter lui-même. Il lui fit dévorer l'énorme cafard de même couleur sélectionné par M. Ho, sortit l'oiseau du sac et s'apprêta à le décapiter d'un coup de dent pour marquer le cercle protecteur. Sauf que l'animal se débattit, donnant des coups de bec tant et si bien que Sulfurique dut le lâcher puis se précipiter après lui dans une frénésie de plumes et de cris.

En vain.

Silas n'avait rien d'un sportif. Quatre pas de course, et il fut hors d'haleine. Il ahanait, suait à grosses gouttes et se sentait au bord de l'apoplexie. Il abandonna la poursuite. L'essentiel, c'était la confession ; le sang humain que M. Ho lui avait

L'Empereur pourpre

procuré ferait office de sacrifice. Pas la peine de se mettre la rate au court-bouillon pour si peu !

Sulfurique repoussa les débris qui jonchaient le sol afin de se libérer un plan de travail. Quand il eut fini, il prit un morceau de craie dans son sac ; et, avec la perfection que procurait une longue pratique, il dessina un grand triangle équilatéral dont l'un des sommets était dirigé vers l'autel. Il vérifia vite fait les protections symboliques minimales qu'il avait adoptées – elles ne lui avaient pas été d'une grande utilité contre Beleth, mais le grimoire affirmait lui aussi leur efficacité, alors... –, puis leva un bras et, dans l'autre, saisit son grimoire ouvert à la bonne page.

– « Libère-nous de la peur de l'Enfer ! lança-t-il en lisant mot pour mot l'oraison du livre d'Honorius le Grand. Ne laisse pas les démons détruire mon âme quand je les conjurerai dans le Trou et leur ordonnerai d'accomplir mes quatre volontés. Lorsque je les invoquerai, que le jour demeure lumière ; et que le soleil et la lune brillent à leur habitude. Quelque terribles, difformes et monstrueux que soient ces démons, qu'ils prennent des formes plaisantes et familières lorsqu'ils seront entre mes mains. Protège-moi des créatures aux visages trop effrayants, et permets qu'ils m'obéissent lorsque je les appellerai des entrailles de l'Enfer ! »

Il reposa le livre. « Du baratin », pensa-t-il. Pas étonnant : c'était souvent le cas avec les grimoires du Monde analogue. Quelle importance, l'apparence ? La difformité ne fait pas le démon. Celui-ci était et restait une créature dangereuse, quelle que soit sa forme – petite ou grande – ou son apparence – hideuse ou insupportable. Les Fées ont cet avantage sur les Terriens que, la plupart du temps, elles vont droit au but et évitent les ronds de jambe, même vis-à-vis des puissances infernales. Mais c'est dans le Monde analogue qu'on trouvait quelques-uns des rituels les plus redoutables. Il fallait les respecter à la lettre, sous peine d'échec.

Sulfurique se saisit d'un sac de sang et le posa au centre du triangle. Le Monde analogue avait des aspects écœurants. Des poches pleines de sang ! L'idée n'était pas venue aux sorciers les plus vicieux du Royaume. M. Ho lui avait même proposé une option « sang jaune », pour changer, entièrement constituée d'une partie du sang qui prenait, en grand nombre, une teinte jaune. Silas avait failli vomir.

330

Il disposait d'un athame* effilé dans sa trousse basique de sorcellerie. Cette dague n'avait aucun intérêt dans le Royaume – sauf pour poignarder un ennemi, bien sûr –, mais elle était utile dans le Monde analogue, où les charges magiques étaient plus faibles. Silas finit par la dénicher au milieu de son attirail. Il s'en servit pour tracer dans les airs les signaux marquant le début de la cérémonie. Dans son grenier, ils se seraient matérialisés, laissant dans l'espace une trace d'énergie. Ici, il fallait les visualiser en imaginant que le bout de l'athame laissait une traînée bleutée. Pas facile de travailler de la sorte ; mais le sorcier avait décidé d'avancer à son rythme.

Lorsqu'il eut terminé la première partie de son rituel, il plaça la poche de sang au centre de la figure qu'il venait de tracer, la perça, puis l'inclina, laissant couler goutte à goutte le sang sur le sol de l'église.

– Trinitas ! lança-t-il d'une voix forte. Sother ! Messias ! Sabahot ! Athanatos ! Pentagna ! Agragon !

Les sons puissants s'élevaient. Résonnaient. Se mélangeaient.

En quelques minutes, leurs vibrations commencèrent à produire leur effet à l'intérieur du triangle.

– Ischiros ! poursuivit Silas. Otheos ! Visio ! Flos !

Le sang coulait plus en abondance, à présent. Il sinuait vers le sommet du triangle dirigé vers l'autel. On aurait dit un serpent.

À présent, Sulfurique ne parlait plus. Il chantonnait. Il psalmodiait. Il modulait chaque syllabe de chaque nom. La liste des démons devint une litanie qu'il entonnait avec de plus en plus de ferveur :

– Origo ! Salvator ! Novissimus !

Il sentait que son pouvoir – que *le* pouvoir – était comme emprisonné dans le triangle équilatéral dessiné par ses soins. Brusquement, il eut un doute, un tout premier doute – une crainte, en réalité : en sautant certaines procédures de protection, n'avait-il pas péché par excès de confiance ? Il espéra que non, car, désormais, il n'y avait pas de retour en arrière possible. La machinerie magique était lancée.

– Primogenitus ! Sapientia ! Virtus ! Paraclitus !

Le serpent de sang s'étira encore, se cabra presque. Il paraissait sur le point de mordre. L'Orchestre de Beleth se mit à accompagner la mélopée. Simple fredonnement au début, il devint vite un grondement terrifiant de cymbales, de gongs, de timbales et de cuivres menaçants. Sulfurique dut crier pour terminer sa liste démoniaque :

– VIA ! MEDIATOR ! MEDICUS ! SALUS ! AGNUS ! OVIS ! VITULUS ! SPES !

Soudain, le serpent de sang se décida et frappa le sol avec une violence sidérante.

Le portail claqua. S'ouvrit devant l'autel. Et une horde de démons en jaillit.

144

« **M**ais dis-lui non ! répétait Cyril, paniqué. Mais dis-lui donc N-O-N ! »

Sa supplique était superflue. Blafardos était aussi affolé que lui.

— Non, criait-il, je veux pas, j'ai dit non, jamais, laissez-moi tranquille, me touchez pas avec vos sales mains, je suis pas d'accord, vous avez entendu, pas-d'ac-cord, je suis sérieux, on arrête de jouer, lâchez-moi, vous ne pouvez pas m'obliger à me faire opérer contre mon gré...

— Si, répondit simplement Noctifer.

L'homme observait cette crise de panique avec un amusement grandissant. Quand il en eut assez, il fit signe à deux solides gaillards en uniforme noir, qui maîtrisèrent Blafardos et lui tinrent les bras dans le dos.

« Combats-les ! insista Cyril. Te laisse pas humilier si vite. Je vais t'aider à leur démonter la face ! »

« La ferme ! lui intima Blafardos. Je ne nous sortirai jamais de là si tu ne te tais pas sur-le-champ ! »

Incroyable : le vyr se tut. Passé un instant de surprise, Blafardos envisagea les scénarios qui s'offraient à lui. Aucun de ceux qui lui sauvaient la peau n'était réalisable. Il n'y avait que deux possibilités :

1) se laisser entraîner comme un agneau sacrificiel et subir l'opération mortelle ;

2) gigoter et crier jusqu'à ce que les gardes l'assomment et l'entraînent sur le billard.

Dans les deux cas, il allait y passer. Et vite.

Lord Noctifer paraissait étonné :

— Pourquoi t'excites-tu soudain, mon bon Jasper ? Il s'agit d'une procédure fort simple...

— ... qui va me tuer ! compléta Blafardos.

Black le terrifiait toujours, peut-être même plus que jamais. Cependant, Jasper était assez désespéré pour oser être insolent.

– « Qui va te *tuer* » ? répéta Noctifer en fronçant un sourcil. D'où tires-tu cela ?

Blafardos s'arrêta de trembler presque immédiatement.

La phrase de son maître avait fait tilt en lui. Black avait raison. Il tenait cette information du wangaramas. Lequel avait failli à plusieurs reprises par le passé. Peut-être Jasper s'était-il laissé influencer par l'état de dégradation de l'Empereur pourpre, et par l'ambiance peu accueillante de la « salle d'attente ». En réalité, peut-être l'opération n'était-elle pas très dangereuse. Peut-être Noctifer ne souhaitait-il pas sa mort. Et peut-être l'humble serviteur qu'il était disposait-il d'une bonne stratégie pour trouver grâce aux yeux de son seigneur, s'il acceptait de passer au bloc sans plus de protestations.

C'était un scénario qu'il n'avait pas envisagé jusque-là. Un scénario improbable qui avait une qualité appréciable : lui laisser un peu d'espoir. Et Blafardos en avait besoin. Depuis que le vyr l'avait persuadé de devenir l'Empereur pourpre, Jasper sentait qu'il dévalait une pente vertigineuse, et il n'avait qu'une envie : s'accrocher au premier arbre venu, même par le bout du petit doigt, avant de basculer au fond du précipice.

« Tu te trompes ! affirma Cyril avec force. Il va te tuer ! Tu n'as pas le droit d'abandonner maintenant ! Tant d'efforts pour mour... »

– Vous avez raison, Votre Seigneurie, dit Blafardos à voix haute. Si je peux vous être utile avec cette opération, je serai ravi qu'il en soit ainsi.

Les gardes jetèrent un coup d'œil à Black, qui opina. Ils lâchèrent les mains de leur prisonnier.

« NON ! NON ! NON ! NON ! NON ! » protesta le wangaramas.

Mais c'est de son plein gré que Jasper gagna la sortie d'un pas vif, presque triomphal.

145

Cléopâtre dépeçait un daim lorsque M. Fogarty alla la trouver. Ses bras verts étaient couverts de sang jusqu'au coude ; et de grosses gouttes de sang maculaient ses jambes, entre lesquelles elle serrait la dépouille.

— Ce n'est pas le travail de vos domestiques ? s'étonna le vieil homme.

La Reine de la Forêt le fixa avec ses extraordinaires yeux d'or.

— Ça ne marche pas de cette façon, ici, répondit-elle en enfonçant son couteau plus profondément dans la carcasse. On se répartit les tâches. Pas dans le Monde analogue ?

Les deux interlocuteurs se sourirent.

— Sa Très Gracieuse Majesté n'a jamais dû lever le petit doigt, Votre Majesté.

— Pas « Votre Majesté » : Cléopâtre ou Cléo. Dans la Forêt, les titres sont inutiles quand on a été présentés.

— Cléo, reprit donc M. Fogarty en s'asseyant sur une souche d'arbre, j'ai peur que notre commando de choc n'ait des ennuis.

La Reine abaissa son couteau et fixa son hôte sans poser de question. Elle attendait. Elle savait attendre. Alan appréciait cette qualité.

— Je ne crois pas que feu l'Empereur pourpre soit dans le palais, poursuivit-il. Il y a de fortes probabilités pour que Noctifer l'ait emmené avec lui, à deux pas d'ici, dans ce nouveau domaine dont vous vous méfiez. Mais je connais Pyrgus. Il a dû s'en rendre compte. D'après moi, il est en train d'essayer d'entrer chez Noctifer.

Au fond de lui, le vieil homme estimait que Pyrgus et sa suite s'étaient *déjà* introduits dans le manoir de Noctifer, ce qui leur valait d'être en ce moment aux prises avec les vigiles.

Bizarrement, la Reine ne lui demanda pas comment il en était venu à cette conclusion.

— Mes gens m'auraient avertie si leur mission avait été modifiée, objecta-t-elle. Ils étaient censés s'introduire dans le Palais pourpre, prendre l'Empereur avec eux et le ramener ici, rien de plus.

— Ils n'ont peut-être pas eu le loisir de vous tenir informée, suggéra M. Fogarty.

— S'ils étaient chez Noctifer – dans sa nouvelle demeure, j'entends –, ils seraient passés par ici.

— Sauf que Pyrgus mène l'expédition, Cléopâtre.

— Et alors ?

— Ce garçon est imprévisible. Têtu, imprévisible et pressé. Il ne leur aura jamais laissé le temps !

Pas terrible, comme argument. Alan en avait conscience. Par contre, il ignorait ce qu'il attendait de la Reine, *même au cas où elle le croirait.*

— Le sort du Prince vous inquiète, murmura la Reine.

— J'ai été son Gardien, et...

— Vous n'avez pas à vous justifier. Je suis inquiète, moi aussi. Ma fille fait partie de l'expédition.

— Votre fille ?

Le doute n'était pas permis : il n'y avait que deux filles dans l'expédition. Holly Bleu et...

— Nymphalis est votre *fille* ? s'exclama Alan.

— Oui, dit Cléopâtre en se levant. Et mon cœur de mère me pousse à croire votre intuition, Gardien.

— Que comptez-vous faire ?

— Emmener mon armée pour donner l'assaut au domaine de Lord Black Noctifer. L'heure est venue de prendre des risques et de passer aux choses sérieuses...

146

Blafardos était dégoûté. Sa sortie grandiose avait été gâchée car, une fois qu'il avait franchi le seuil, il ignorait où il devait se rendre. Il s'arrêta donc quelques pas plus loin. Les gardes le rejoignirent et posèrent une poigne puissante sur son épaule.

— Allons, conduisez-le à la salle d'opération, mes braves ! lança Noctifer.

Blafardos tourna la tête vers lui. Son assurance avait un peu faibli au simple énoncé du mot « opération ».

— Je suis content que tu sois revenu à la raison, Jasper, lui dit Black. Mais tu as tort de t'inquiéter. Tout va bien se passer.

Cyril ne protesta même pas.

147

Noir général. Partout.

— Ça va, Pyrgus ? demanda Nymphalis.

— Bleu, tu es là ? murmura Henry.

— Je suis sur un truc qui bouge, annonça le Prince. Ça a l'air vivant.

— Le truc, c'est moi, lui apprit Comma.

— Oui, je suis là, Henry, répondit à son tour la Princesse. Je n'ai pris qu'un coup sur la tête. Quelqu'un a de la lumière ?

— Moi, j'ai un étinceleur, déclara l'Empereur héritier. Si Pyrgus veut bien enlever ses fesses de mon dos...

Nymphe fut plus rapide. Son visage émergea brusquement de l'obscurité, illuminé par un globe de lumière portable. Il flotta devant elle quand elle le lâcha, dégageant un halo qui persistait après son passage.

Les membres du commando étaient dans un vaste couloir. Des tuyaux métalliques couraient le long des deux parois. La chaleur était étouffante. Un rythme régulier faisait vibrer le sol.

Bleu porta la main à sa bouche :

— Oh, Nymphe, tu...

— Oui, je l'ai vu, la coupa la soldate.

Pyrgus suivit leur regard. Ochlodes était allongé sur le sol, les mains serrées sur son arc, la tête pliée *en arrière*. Il était mort, la nuque brisée.

148

Sulfurique paniquait de plus en plus. Pourquoi ne pas avoir pris la peine de tracer convenablement un cercle de protection ? Il en aurait eu pour... quoi ? dix secondes ? vingt secondes ? À présent, il était trop tard, et il allait devoir contrôler une horde de démons. Il leva la main droite et traça des doigts une série d'ordres visuels. Ses marques auraient dû se matérialiser dans l'air sous forme de flammes. Mais rien n'apparut.

Il se concentra et réessaya. Inutile. Dans le Monde analogue, visualiser était impossible. Il fallait *imaginer*.

Les démons gambadaient dans l'église. Ils sautillaient de-ci de-là sur le sol jonché de débris. Ils grimpaient sur les murs lézardés. L'un d'eux escalada une paroi pour réduire en miettes la statue d'un saint patron dans sa niche. Sulfurique attrapa un morceau de parchemin et se mordit le gras du pouce avec force. Lorsque le sang perla, il dessina à peu près ces signes cabalistiques sur le papier :

— Donne-moi la puissance qui me permettra d'assumer les signes que j'ai tracés sur ce papier ! s'écria-t-il avec un rictus (la morsure avait été très douloureuse). C'est avec mon sang que je les ai dessinés, afin d'être investi du pouvoir adéquat pour exécuter mes volontés.

« Honorius le Grand avait un style archinul », estima Sulfurique, avant de terminer :

— Fais en sorte que ces inscriptions limitent le pouvoir de ces démons sur moi, qu'elles les effraient, qu'elles les contiennent et les rendent tremblants quand ils les verront ou s'en approcheront.

Bon, là, ça devait suffire.

Le vieillard agita le parchemin devant lui, et présenta les signes cabalistiques aux démons qui s'avançaient.

— Vous voyez ça ? cria-t-il. Vous le voyez ? Alors, obéissez-moi : calmez-vous et mettez-vous en rang, les uns derrière les autres.

Les démons l'ignorèrent. Quelques-uns se faufilèrent par un vitrail brisé, près de la voûte, et disparurent.

— Revenez ! hurla Sulfurique. Revenez IMMÉDIATEMENT !

Ils n'étaient qu'à quelques kilomètres de New York. S'ils apparaissaient dans Times Square, il y aurait des émeutes. Puis des massacres. Et ces massacres-ci n'intéressaient pas le vieillard.

— Si vous ne revenez pas sur-le-champ, si vous ne m'obéissez pas tous au doigt et à l'œil, je détruirai ce parchemin, et...

Aussitôt, les démons cessèrent de s'agiter. Dans le calme, ils entreprirent de se diriger vers l'un des côtés de l'autel. Ceux qui étaient encore sur les parois verticales en descendirent sans protester. « La magie a du bon », conclut Sulfurique... avant de comprendre qu'il n'y était pour rien. Une silhouette immense, massive et pourvue de cornes gigantesques se contorsionnait pour émerger du portail.

— Tu aurais pu le faire plus grand, grommela Beleth.

Jamais Blafardos n'était venu jusqu'ici. La demeure de Noctifer gardait encore pour lui bien des secrets – et s'il avait couru des rumeurs sur ce qui l'attendait, elles n'étaient pas parvenues jusqu'à lui. Des langues trop pendues avaient évoqué les cryptes sinistres qu'il était en train de traverser sous bonne garde. Cependant, le mystère commençait après. Que cachait ce passage obscur ? Et ces sons clairs de gouttes d'eau qui tombaient sur le sol, faisant voler en éclats l'écho des bruits de pas monotones se réverbérant à l'infini ?

Un simple escalier. Un escalier tout bête qui descendait vers ce qui ressemblait à une énorme caverne naturelle.

Blafardos avisa le labyrinthe obsidional à ses pieds et détourna aussitôt le regard. Mieux valait l'ignorer. Ce genre d'aménagement était passible de lourdes peines. Les gens qui avaient surpris les noirs secrets de Noctifer avaient la curieuse habitude de disparaître systématiquement et de ne plus jamais donner de nouvelles. Jasper regarda donc *autour* de lui. Mais une pensée terrifiante l'avait frappé. Noctifer allait le précipiter dans son labyrinthe pour s'amuser. Et après...

Non. Impossible. Si Black l'avait voulu, il l'aurait déjà fait. Il aurait demandé aux gardes de jeter son prisonnier dans ce lieu de mort. Il aurait peut-être d'abord joui de sa peur (juste un petit instant). Puis il l'aurait placé dans le dédale létal sans perdre plus de temps. Le chef des Fées de la Nuit devait avoir trop de préoccupations pour jouer des tours pendables à son serviteur.

Blafardos se demanda, dans ce cas, où était la salle d'opération.

– Au-dessus de toi, dit Noctifer.

– Pardon ?

– La salle d'opération que tu cherches... Elle n'est ni en dessous ni à côté. Elle est au-dessus.

Jasper leva la tête.

Le Prince des démons paraissait pourtant plus en forme que lorsque Sulfurique l'avait vu pour la dernière fois.

Ce qui, à l'évidence, n'était pas une bonne nouvelle pour Sulfurique. La corne brisée du monstre avait repoussé. Sa peau avait pris une teinte rouge vif, comme si ses entrailles avaient été en feu. Le monstre semblait aussi avoir encore grandi. Et il avait des serres. C'était nouveau. Silas en était sûr.

– Honorius n'avait pas prévu que tu resterais sous ta forme spectaculaire, expliqua-t-il pour justifier la taille de son portail. Ou alors, il n'en a pas tenu compte...

– Tant pis, grommela le démon en s'étirant voluptueusement. Ton engin est petit, mais il fonctionne. L'essentiel est là.

– Donc on est quittes ? s'empressa de demander Sulfurique. Je peux m'en aller ?

Il ne l'aurait jamais avoué en public, mais il ne se sentait pas si bien que ça dans le Monde analogue. De nombreux principes magiques n'y fonctionnaient pas. Or, sans magie, qu'était-il ? Un vieillard impuissant. À la merci du premier venu. Si incroyable que cela semblât, ici, l'argent de Beleth avait un effet plus impressionnant que les rituels ancestraux de magie noire. Et beaucoup d'habitants paraissaient délirants. Rares étaient ceux qui respectaient et craignaient les grands sorciers.

Sulfurique était pressé d'abandonner les habitants du Monde analogue à leur sort et de ne pas avoir à s'occuper dans le détail de ce que Beleth comptait faire subir aux New-Yorkais.

– Quittes ? demanda le Prince des démons.

Sa voix grave rebondit d'une paroi à l'autre. Silas se crispa. Les ennuis allaient recommencer. La preuve : le monstre souriait.

– Non, non. Nous ne sommes pas quittes, Silas. Loin de là...

151

La plateforme flottante descendit, et les gardes y jetèrent Blafardos. Là, le prisonnier fit face à la scène la plus effrayante qu'il eût jamais connue.

Même si on pouvait y trouver certains aspects rassurants. La propreté, par exemple : toutes les surfaces métalliques étincelaient ; le sol avait été poli récemment ; et le linge, posé sur les tablettes jouxtant le lit libre, était immaculé.

Il y avait deux couchettes côte à côte. Sur l'une était allongé Apatura Iris, le dernier Empereur pourpre. Ses membres avaient été entravés. Il avait les yeux ouverts, immobiles, fixés vers le plafond. Bien que l'homme ne bougeât pas un cil, Blafardos devinait qu'il n'était pas sous anesthésique. Plus tard, l'Empereur y aurait sans doute droit. Noctifer se souciait de la santé de celui qui restait la clef de sa révolution.

Entre les deux couchettes se tenait un chaman – en tout cas, un homme qui avait revêtu la tunique des chamans. Il avait les yeux si sombres qu'il était impossible de déterminer s'il s'agissait d'une Fée de la Nuit ou d'une Fée de la Lumière sans scrupule. Ses mains énormes respiraient la puissance.

– Voici Nuée Jaune de Montagne, déclara Noctifer. Notre chirurgien psychique.

– Enchanté, prétendit Blafardos.

– Monte, ordonna Black.

Jasper grimpa sur sa table d'opération. Il put ainsi voir de très, très près ce qui l'effrayait tant : les... comment appelait-on cela ? Les instruments. Les outils. Bref, ce dont le chirurgien psychique comptait sans doute se servir pendant les minutes suivantes. Il y en avait beaucoup. Et aucun objet ne rattrapait l'autre. Blafardos avisa notamment un appareil pour recoudre les blessures ; une scie sauteuse en forme de ciseaux, qui permettait d'amputer n'importe quel membre introduit entre les lames tranchantes ; un tiroir compartimenté, destiné à recevoir les résidus humains – et où étaient en effet rangés des mains, des pieds, des doigts, des orteils, des oreilles, et un nombre inquiétant d'yeux, rangés par couleur.

« J'espère qu'ils vont tout te faire subir », susurra Cyril.

Blafardos l'ignora. Ou du moins, essaya de l'ignorer. Il avait assez à s'occuper avec sa propre peur pour ne pas se soucier des menaces du wangaramas.

On lui avait ordonné de se déshabiller. Il avait froid. Un peu parce que la couchette était glacée.

Un peu seulement.

Il tenta de penser *positif* : on ne l'avait pas rasé. Peut-être ne se servirait-on pas des engins de torture qui l'entouraient. Tu parles d'une bonne nouvelle ! Certes, les chirurgiens psychiques ne recouraient pas systématiquement à ce fatras. Les meilleurs d'entre eux se contentaient de vous plonger les mains dans le corps et de farfouiller dans vos entrailles à la recherche de ce qui les intéressait. Cela paraissait horrible ; hélas, dans les faits, « horrible » était un euphémisme. Jasper avait lu quelque part que, selon une expertise officielle, cette technique médicale était dix-sept fois plus douloureuse pour le patient que s'il avait eu les testicules broyés dans un étau sans sortilège anesthésique.

Blafardos se tortilla pour trouver une position confortable. Il aurait aimé être couvert. Par une bonne grosse couette, de préférence. Il tremblait de froid, de honte (il n'avait jamais été très fier de son corps) et de peur anticipée : il imaginait déjà Nuée Jaune de Montagne plonger ses mains dans ses intestins pour en extraire le vyr avant de le placer directement dans l'abdomen de l'Empereur pourpre. Rapide, efficace, épouvantable.

Il aurait préféré ne pas y penser. Il avait une nausée d'une rare intensité. Le wangaramas aussi – ce qui donnait à Blafardos l'impression que son cerveau s'apprêtait à baigner dans du vomi de petit chien.

Alors, il pria. Pria pour que Noctifer ne lui eût pas menti. Pour que, si effrayant que cela parût, l'opération eût lieu au plus vite et...

Une nouvelle vision d'horreur interrompit ses pensées : Noctifer venait de se pencher vers lui et souriait.

– On commencera dès que le sorcier anesthésiste sera arrivé, annonça-t-il.

152

– Non mais dites-moi que je RÊVE ! s'époumona Sulfurique. J'halluciiine ! On devait être quittes ! Je vous ai ouvert un portail pour le Monde analogue. Il fonctionne. Vous êtes arrivé à New York. Une horde de démons converge vers nous. Vous pouvez agir à votre guise. Vous êtes libre de vos mouvements – la plupart des gens du coin ne croient pas que le diable existe. Vous pourriez vous faire élire président sans que ces imbéciles de Terriens comprennent *ce que* vous êtes !

– C'est toi, l'imbécile ! tonna Beleth. Pourquoi perdrais-je mon temps dans ce misérable petit monde ? Seul le Royaume des Fées m'intéresse, pour le moment. Et si je veux parvenir à mes fins, je dois pouvoir compter sur l'ensemble des portails...

– Sauf qu'ils ne fonctionnent plus. J'imagine que si vous aviez eu les moyens de les réparer, vous l'auriez déjà fait, à l'heure qu'il est.

– Tu n'es pas plus malin que ceux que tu traites d'imbécile, Silas, rétorqua le Prince des démons. Seuls les portails directs sont fermés. Les démons ne peuvent plus atteindre le Royaume des Fées, c'est exact. Mais il y a d'autres moyens de s'y prendre.

– Par exemple ? s'enquit le vieillard, intrigué.

– Un voyage en deux temps, avec une escale au milieu.

Soudain, Sulfurique comprit où Beleth voulait en venir. Il attendait de lui qu'il ouvrît un deuxième portail... puis d'autres encore, peut-être. Des dizaines de portails entre le Monde analogue et le Royaume des Fées. Et sans doute quelques-uns de plus entre le Monde analogue et Hael...

C'était si simple ! Il aurait dû y penser avant. Si Beleth voulait envahir le Royaume des Fées – et Dieu sait qu'il y tenait, n'eût-ce été que pour se venger –, il avait besoin de ces portails. Grâce à eux, il pourrait envoyer ses troupes *via* le Monde analogue. Et, comme personne ne soupçonnerait l'existence de ces nouveaux portails, Beleth et ses démons auraient le temps de dévaster l'Empire avant que quiconque comprît ce qui se tramait !

Oh, le beau désastre qui s'annonçait ! Oh, la catastrophe de première importance ! La fin du Royaume était proche, assurément. À une condition : que Beleth répondît de façon convaincante à la question qui taraudait Sulfurique.

– Je devine ce que tu attends de moi, déclara le vieillard. Mais qu'est-ce que je gagnerais, dans l'affaire ?

153

Tous les regards convergeaient sur le cadavre.

– On ne peut pas le laisser là, murmura Pyrgus.

– Si, trancha Nymphe. Ochlodes était un soldat de métier né dans la Forêt. Il savait que s'il venait à tomber, nul ne toucherait à son corps, hormis les arbres qui prendraient soin de lui. Ainsi, son âme deviendrait une partie des bois.

– Mais... tu ne voulais pas abandonner Ziczac ! objecta le Prince

– Ziczac n'était pas un soldat.

– Il n'y a pas d'arbres, ici, fit observer Henry.

– Pas aujourd'hui ; qui sait s'il n'y en aura pas demain ? répliqua la soldate. Il faut respecter les croyances des défunts...

– Surtout quand on n'a pas le choix, intervint Bleu.

– Même si on a le choix, corrigea Nymphalis.

La Princesse haussa les épaules :

– Si ça peut te donner bonne conscience...

– Nous sommes toujours au second niveau, Bleu ? s'enquit Pyrgus, pressé de changer de sujet de conversation.

– Non, dit sa sœur. Ni au second niveau, ni à aucun niveau, à ma connaissance.

– Alors où sommes-nous tombés ?

– Dans un tunnel de service, déclara Comma.

Cette fois, les regards convergèrent vers l'Empereur héritier.

– Ben oui, quoi ? reprit celui-ci. Regardez les tuyaux brûlants qui courent sur les murs. Je parie que si nous suivons ce boyau, nous tomberons sur une salle qui contrôle certains mécanismes du labyrinthe. Ce serait typique d'Oncle Noctifer.

– Pourquoi ? risqua Henry.

– Question d'économie. Utiliser des mécanismes coûte moins cher que les sortilèges d'illusion.

– Qu'en penses-tu, Pyrgus ? demanda Holly Bleu.

– Je trouve bizarre qu'il n'y ait pas de globes lumineux, s'il s'agit vraiment d'un tunnel de service.

– Peut-être que ce n'est pas un tunnel important, suggéra son demi-frère. Peut-être que c'est juste un passage entre deux tunnels importants. Pas la peine d'investir dans des globes de lumière, dans ce cas...

Le Prince se tourna vers sa soldate préférée :

– Nymphe, une suggestion ?

– Non, une interrogation : comment sommes-nous arrivés ici ?

– C'est ma faute, avoua Henry.

Bleu voulut le dissuader de parler, mais le garçon avait besoin de se confesser.

– Pendant que nous descendions l'escalier, j'ai remarqué que les torches étaient fausses, dit-il.

– Ça veut dire quoi, « fausses » ? siffla Nymphalis, agacée.

– Pas logiques. Bizarres. Écoute, je suis nul en magie. Je ne connais pas les termes techniques. Tout ce que je sais, c'est que j'ai saisi la torche la plus bizarre, j'ai tiré dessus, nous sommes tombés... et j'ai... j'ai... j'ai tué Ochlodes.

Le silence accueillit sa révélation.

– Tu as actionné un levier ? demanda Pyrgus.

– Oui.

– Et ce levier a ouvert une trappe...

Le Prince semblait songeur. Pas énervé. Ou haineux. Bleu non plus ne paraissait pas scandalisée.

– Donc nous sommes bel et bien dans un tunnel de service, conclut-il. Les architectes ont dû prévoir son existence pour permettre des interventions, en cas de dysfonctionnement. Pour cela, ils se munissent d'une échelle ou d'un sortilège de suspension...

– Et d'un globe lumineux portable, ajouta Comma, l'air ravi.

Henry se mordit les lèvres. Il ne s'attendait pas à cette réaction. Il pensait plutôt avoir à se défendre contre des insultes et des promesses de vengeance. Mais la fin de la vie n'était pas perçue de la même manière dans le Royaume féerique et dans le Monde analogue.

– Bien, reprit Pyrgus, il ne reste plus qu'à vérifier définitivement si Comma a raison. En attendant, ne relâchons pas notre vigilance. S'il ne s'agit pas d'un tunnel de service, d'autres pièges nous attendent ; en revanche, si l'hypothèse de Comma est avérée... Henry nous a sortis du labyrinthe, et nous devons lui en savoir gré.

Le garçon battit des paupières. Il avait provoqué la mort d'Ochlodes, et son ami le traitait en sauveur ! Il éprouvait des sentiments contradictoires. Troubles. Dérangeants. Pourtant, la morale de l'histoire était simple : il n'était pas d'ici. Il n'était pas fait pour vivre dans le Royaume. Il n'était pas assez courageux. Pas assez dur.

— Si c'est un tunnel de service, dit Comma à son tour, cela signifie que la sortie est proche !

Le commando s'avança dans le couloir, prêt à parer à toute éventualité. Dans le noir, derrière eux, une mouche s'était posée sur les paupières grandes ouvertes du cadavre d'Ochlodes.

154

Un très, très vieux sorcier arriva dans la salle d'opération et regarda autour de lui, la mine perdue.

– Ah, voici Colias ! s'exclama Noctifer. Content de voir que tu as pu venir, l'ami !

Un éclair de panique passa sur le visage du sorcier :

– Navré, Votre Seigneurie, j'avais oublié le jour du rendez-vous, et je...

Il dévoila ses deux dents jaunâtres dans un rictus crispé, et agita une main tremblante en guise d'excuse.

– Mais je suis là, à présent, Votre Seigneur... Votre Seigneur...

– ... rie, compléta Black.

– C'est ça, oui, Votre Rie...

– Voici ton anesthésiste, Jasper ! commenta le chef des Fées de la Nuit. Tu ne diras pas que je ne prends pas soin de toi, pas vrai ? Un anesthésiste personnel... Tu as de la chance !

« De la chance ? » répéta mentalement Blafardos. Voilà exactement l'expression qui ne correspondait pas à sa situation !

Le regard du nouveau venu était à ce point chassieux que le bougre ne devait rien y voir. Son nez gouttait – à tous les coups, il allait lui donner son rhume. Les extrémités de ses mains vibraient à intervalles réguliers, et des répliques secouaient son corps en écho. Sa tunique dégoûtante était usée jusqu'à la trame – mais, à ce stade, on ne parlait plus de tunique : le terme approprié était « harde », « loque » ou « poubelle ». C'était ça, un anesthésiste ? Un type censé l'empêcher de souffrir alors qu'il n'était pas capable de se souvenir de la date d'une opération aussi importante... ni de sauvegarder sa propre denture ?

– NON ! s'écria Jasper, qui voulut se relever.

Des lanières de cuir brisèrent son mouvement et lui scièrent poignets et chevilles.

– Nous t'avons entravé pour ton propre bien, expliqua Noctifer. Tu ne voudrais pas faire un faux mouvement pendant que le chirurgien sera au travail, n'est-ce pas, Jasper ?

« Tu vas mourir, promit Cyril. Tu vas mourir dans d'atroces souffrances, et tu ne pourras même pas dire que tu ne savais pas, car je t'avais prévenu. Ah ! si seulement tu m'avais écouté... »

Blafardos ne releva pas.

Black se tourna vers le chirurgien :

– Êtes-vous prêt, Nuée Jaune de Montagne ?

L'homme acquiesça.

À cet instant, Jasper comprit à quel point il était le grand perdant de cette histoire.

Depuis l'enlèvement raté de Holly Bleu, il était devenu la victime de la révolution de Noctifer. Il avait croupi en prison. On l'avait « libéré » pour le transformer en assassin. On l'avait muté en double de Noctifer. On avait annulé sa mission sans se soucier le moins du monde de son sort. Et, dans l'immédiat, on se souciait davantage d'un misérable lombric bien au chaud dans son abdomen que de lui.

Le wangaramas survivrait, c'était une certitude. Il était trop précieux pour mourir. De plus, personne n'allait fouir dans les entrailles du vyr – quand bien même un lombric aurait eu des entrailles, ce que Jasper ignorait *et ce dont il se moquait*.

Quant à l'Empereur pourpre... Apatura Iris était *mort*. On ne pouvait pas le tuer une seconde fois. Sauf si Nuée Jaune de Montagne lui plantait par accident un pieu dans le cœur, ou s'il le décapitait par pure maladresse. Non, le seul à risquer sa vie, c'était lui. Jasper Blafardos. Et il trouvait ça profondément injuste.

– Êtes-vous prête, Votre Majesté ? demanda Noctifer avec une mimique moqueuse à l'adresse d'Apatura Iris.

L'Empereur ne répondit pas. Et pour cause : Blafardos avait remarqué que si ses pupilles bougeaient juste un peu, le zombie ne respirait pas le moins du monde.

Lord Black Noctifer décocha un large sourire à l'ensemble des intervenants et déclara :

– Dans ce cas, nous pouvons commencer.

155

C'était incroyable. Des Fées de la Forêt émergeaient de partout. Des essaims de soldats se formaient sur les branches des plus gros arbres ; d'autres bataillons se regroupaient par rangs de deux ou trois sur les canopées d'énormes spécimens. Tous se dirigeaient vers le niveau du sol. Ils semblaient jaillir par centaines, descendre par milliers, et se retrouver dans les clairières par dizaines de milliers, armés d'arcs, de javelots, de lances, d'épées, de leurs redoutables éclairs elfiques, de canons à glace, de disrupteurs, de brise-pierre, et de bien d'autres armes magiques dont le principe et l'identité échappaient à la compétence de M. Fogarty.

Il pensa aux foules de Dunkirk... en plus silencieux. Cependant, malgré la retenue générale, un bourdonnement montait de la Forêt. On aurait dit qu'une ruche géante venait de s'éveiller. Mais ce qui s'agitait sous ses yeux était plus qu'une simple ruche : c'était une armée organisée, considérable, apte à renverser n'importe quel royaume. Quand ces gens-là comprendraient que le monde ne s'arrêtait pas à leur chère forêt ; quand, parmi eux, des voix malintentionnées (ou lucides) s'élèveraient pour exciter les Fées en leur faisant miroiter des conquêtes faciles ; alors, aucun trône ne serait plus en sécurité. Les jours de la plus puissante des monarchies et ceux de l'empire le mieux établi seraient comptés.

Et cependant...

– La Reine a fait ça parce que j'ai eu une *intuition*, murmura Alan, sidéré.

– Tu t'emballes, mon cheeer, répondit Mme Cardui tendrement. Cléopâtre échafaude des stratégies pour attaquer Noctifer depuis des semaines, à présent. Elle se tenait prête, *au cas où*. La seule chose qui la retenait, c'était cette vieille peur d'attirer l'attention. J'imagine qu'elle espérait que Pyrgus s'en sortirait de manière à éviter aux Fées de la Forêt de se dévoiler. Pour autant, elle n'y croyait pas plus que ça. Elle se doutait que ce petit commando serait un peu léger. Tu as pesé dans la balance, et cela a suffi : à mon avis, elle n'attendait qu'une occasion pour passer à l'action, et elle en a eu assez de ronger son frein. Pour tout dire, je m'étonne qu'elle se soit contenue aussi longtemps...

– Pas moi, grogna l'ex-Gardien. C'était son intérêt de résoudre cette affaire dans la discrétion. Maintenant, elle doit agir. Les trous de l'Enfer sont en serv...

– Ces histoires de trous de l'Enfer ne sont qu'un prétexte, affirma la Femme peinte. Contrairement à ce qu'elle déclare, la Reine des Fées de la Forêt n'est pas tourmentée *que* par les démons. Elle n'a pas du tout apprécié que Noctifer détruise des hectares de forêt pour y bâtir son nouveau domaine. Quand elle a su qu'il s'était approprié ce vaste terrain et qu'il avait ordonné qu'on le rase, elle a craint qu'il ne lance une mode. Imagine si chaque Fée fortunée – de la Nuit ou de la Lumière – venait s'installer dans ce qui, longtemps, avait été le domaine réservé des Fées de la Forêt !

– Comment sais-tu que...

– Elle m'a demandé conseil, à l'époque. Nous en avons discuté plusieurs fois.

– Et que lui as-tu conseillé ?

– De ne pas se précipiter... de voir comment évoluait la situation... bref, d'attendre.

M. Fogarty observa les soldats qui continuaient d'apparaître de partout.

– Faut croire qu'elle en a eu assez d'attendre, dit-il.

156

Le commando conduit par Pyrgus amorça un virage... et une lumière vive les éblouit. Le globe lumineux qui flottait devant Nymphe était devenu inutile. Pyrgus et Nymphe dégainèrent, cependant que Comma jubilait :

– Je vous l'avais dit ! Je vous l'avais bien dit !

Quand leurs yeux s'habituèrent, les aventuriers constatèrent que, en effet, ils étaient dans une salle de contrôle. Aucun doute là-dessus.

Pourtant, Henry n'en avait jamais vu de pareilles. Des liquides multicolores coulaient dans des batteries de tuyaux transparents. De gros boîtiers métalliques étaient alignés contre un mur, chacun muni d'un interrupteur ou d'un levier.

Dans un coin, un vaste bureau formant un arc de cercle ressemblait à une table de régie : des rangées de boutons, de curseurs, de diodes qui clignotaient, passant du vert au rouge, de compteurs où oscillait une aiguille, de cadrans où défilaient des chiffres lumineux... Au-dessus s'alignaient de nombreux écrans qui, connectés à l'équivalent féerique des caméras de surveillance, affichaient des morceaux du labyrinthe. L'un d'eux, remarqua Henry, montrait l'escalier béant dont il avait déclenché l'effondrement en tirant sur l'attache-torche.

– Tu avais raison, lança Pyrgus à Comma. C'était un tunnel de service.

– Et voilà la salle de contrôle..., murmura Holly Bleu, fascinée. Nous pourrions saboter toute l'installation de Noctifer !

– Je te le déconseille, dit Nymphe.

La mine furieuse, la Princesse pivota vers la soldate :

– T'en as pas ras le bol de me contredire systématiquement ?

Nymphalis haussa les épaules :

– Je ne suis pas sûre de te contredire systématiquement. Mais, en l'occurrence, je pense qu'il vaudrait mieux ne pas jouer avec le feu.

– Je crois qu'il y a quelque chose, là-bas..., signala Henry.

Il venait d'apercevoir un mouvement, dans l'ombre, entre deux boîtiers métalliques. Une pensée effrayante le saisit : et s'ils s'étaient laissé berner par les apparences ? S'il ne s'agissait pas d'un tunnel de service ? S'ils étaient tombés dans une autre partie du labyrinthe, propre au domaine de Noctifer, destinée à rendre dingues les joueurs qui croyaient trop vite en avoir fini ? Le moindre bouton, ici, le moindre levier, risquerait de déclencher un piège à l'intérieur même de cette fausse salle de contrôle (en supposant que c'était bien cela...). Des monstres pouvaient se dissimuler derrière les tuyaux ou dans chaque boîtier ! Henry serra la garde de son épée pour se rassurer. Sans grand effet : une arme, quand on est incapable de s'en servir, à quoi bon ?

Les autres membres du commando avaient suivi son regard. Un bref instant – quoi qu'il eût paru fort long à Henry –, il ne se passa *rien*. Le garçon craignit d'avoir laissé vaguer son imagination. Il était très tendu, après tout. Peut-être que...

– Il y a quelque chose dans ce coin ! confirma soudain Bleu.

– En effet, souffla Nymphe qui avança d'un pas de manière à se placer entre la forme et Pyrgus... qui contourna sa garde du corps.

– Qu'est-ce que ça peut bien être ? demanda Comma avec gourmandise.

En dépit des accidents mortels de Ziczac et d'Ochlodes, il avait traité ce labyrinthe comme un jeu ; et, cette fois encore, il ne semblait pas le moins du monde effrayé.

– On dirait une araignée géante, suggéra Henry.

Mais quand la chose émergea de l'obscurité, il comprit qu'il ne s'agissait pas du tout de ça.

157

Sulfurique s'amusait comme un petit fou. Depuis que Beleth était arrivé, les démons obéissaient au doigt et à l'œil aux ordres qu'on leur donnait. Leur Prince leur avait demandé de construire un deuxième portail, et illico ! Eh bien, ils s'étaient mis aussitôt au travail.

Le résultat dépassait l'imagination. Le portail démoniaque était le plus spectaculaire que Silas eût jamais contemplé. Et de loin !

1) Ce portail était *gros*. Suffisamment large pour occuper toute la nef et autoriser le passage de dix personnes à la fois, quand la plupart des portails ne permettaient que deux translations simultanées au maximum. Les démons avaient investi l'ensemble de la nef. L'invasion de Beleth prenait forme.

2) Ce portail s'édifiait *vite*. Les démons travaillaient à une allure infernale. D'étranges structures en bois apparaissaient en un clin d'œil, puis étaient insérées les unes dans les autres aussi promptement. Des murs de brique se montaient comme par magie. Des pierres se retrouvaient entassées en une seconde à l'endroit convenable. Des fils de cuivre serpentaient autour de la construction. Des générateurs circulaires en métal prenaient leur place sans qu'un mot fût échangé entre les créatures.

3) Ce portail était *nouveau*. Beleth avait dû l'inventer dans Hael, avant d'ordonner à ses serviteurs d'en construire un semblable ici-bas.

Avec succès.

Trois démons tirèrent un câble de l'intérieur de l'église et l'attachèrent au nouveau portail sans la moindre hésitation. Puis ils coururent se jeter aux pieds de Beleth :

– Fini, Votre Gloire !

Le Prince se pencha pour appuyer sur un interrupteur. Un arc de lumière bleu courut le long du câble, depuis le narthex jusqu'au portail. Quand l'arc atteignit le chœur de l'église, il frémit et parut s'éteindre. L'instant d'après, un formidable champ de force magnétique de couleur verte apparut entre les piliers. Et d'impressionnantes rangées de démons en armure commencèrent d'apparaître.

158

Palaemon dégaina. Nymphalis porta la main à son arc. Henry cria :

– NE TIREZ PAS ! NE TIREZ PAS !

De toute façon, c'était trop tard pour tirer. Le tapis de poils s'était déjà enroulé autour du garçon. Impossible d'atteindre l'intrus sans tuer Henry en même temps.

– C'est Flipflop ! s'exclama le garçon en caressant la créature. C'est Flipflop !

Pyrgus éclata de rire :

– Repos ! C'est juste un endolg ! Salut, bonhomme...

Il gratouilla le nouveau venu. Les soldats de la Forêt rangèrent leurs armes sans se presser.

– Flipflop ! murmurait Henry, partagé entre sourires et larmes. Je croyais que tu avais disparu pour toujours ! Qu'est-ce que tu fabriques ici ?

– Ce que je fais depuis qu'on se connaît : je viens sauver ta peau.

159

– **M**aintenant, nous sommes quittes, déclara Beleth.

Sulfurique regardait les soldats disparaître dix par dix à travers le portail géant. Il assistait, incrédule, à ce qui dépassait en horreur ses meilleurs cauchemars. Il n'aurait pas voulu être à la place de Noctifer. Car le Prince des démons n'envisageait pas une mission vengeresse. Il préparait une invasion à grande échelle. Black allait être la-mi-né. Et ce ne serait que le début.

Silas n'avait qu'une hâte : rentrer chez lui au plus vite pour assister à ce massacre qui promettait d'être délectable.

– Donc je suis libre d'y aller ? demanda-t-il à Beleth, qui avait adopté sa forme rouge, musculeuse et effrayante.

« Lui non plus ne veut pas rater le spectacle », constata Sulfurique.

– Ce que tu devais faire pour moi est terminé, répondit le Prince. Tu es libre de disposer.

– Je peux passer par là ? demanda Silas en désignant le portail.

– Si tu veux.

Sulfurique rassembla ses affaires puis s'intégra au milieu d'une rangée de soldats. Au moment où il allait passer le seuil vert, il se rendit compte qu'il ignorait *où* menait précisément le portail.

160

Henry dévora chaque mot du récit que fit Flipflop. Quand la grande chasse avait balayé les égouts, elle avait entraîné l'endolg bien au-delà du refuge du garçon. Flipflop avait été projeté le long du couloir jusqu'à un tournant sur la droite. Là, un remous plus violent l'avait projeté contre une paroi, et il avait perdu connaissance.

— Pas facile de noyer un endolg, expliqua-t-il avec sérieux. Une bouffée d'air nous suffit en temps normal ; et nous sommes capables d'extraire un peu d'oxygène de l'eau, à la manière des poissons. Si nous restons trop longtemps sous l'eau, nous finissons par y mourir ; mais il faut y mettre le temps...

— Qu'est-ce qui t'est arrivé, après ?

— Quand je me suis réveillé, j'étais sorti des égouts et je flottais dans le fleuve.

— Woooh... Et après ?

— Ben, j'ai nagé jusqu'à la rive, qu'est-ce que tu crois ? Sauf que la rive la plus proche... c'était celle de l'Île pourpre. J'ai commencé par me sécher au soleil. Nous autres endolgs, nous n'avançons pas vite quand nous sommes mouillés.

— Et tu es revenu ici ?

— Comme tu le vois. Faut bien que quelqu'un t'aide.

— Tu en as, du courage ! Si Quercusia t'avait repéré...

— Cette triple buse m'a déjà oublié. Elle a la capacité de concentration d'une laitue. Et puis, le risque était minime : ils l'ont de nouveau enfermée.

— Ils ont remis Maman en prison ? s'étonna Comma, qui paraissait plus soulagé que révolté.

— Oui, confirma Flipflop.

La créature avait glissé sur le sol et se redressait légèrement pour parler aux humains.

— Pourquoi ? s'enquit l'Empereur héritier.

– Je sais pas trop. D'après une rumeur, l'ordre est venu de Cossus Cossus, le Gardien de Lord Noctifer.

– Black a dû trouver qu'elle lui causait autant d'ennuis à lui qu'à ses ennemis, suggéra Pyrgus.

– Elle est timbrée, rappela Bleu. Depuis des années. On ne peut pas laisser une folle furieuse se promener dans la nature et donner des ordres. Je ne comprends pas que tu aies pu la relâcher, Comma !

– Elle n'est pas folle, répondit le garçon, qui ne semblait pas totalement convaincu. Vous n'aimez pas sa personnalité, c'est pas pareil.

– En tout cas, voilà un problème de réglé ! s'exclama Pyrgus.

– Raconte ce qui s'est passé quand tu es revenu dans le palais, Flipflop ! reprit Henry.

– Les Sœurs de la Guilde de la Soie m'ont expliqué ce qui t'était arrivé, dit l'endolg. Comme je savais que tu ne dénicherais pas l'Empereur pourpre dans le palais...

– Tu le savais ? l'interrompit Pyrgus. Comment ?

– J'avais entendu des gardes dire qu'ils avaient emmené Apatura Iris dans le nouveau domaine de Noctifer. J'ai pensé que vous finiriez par l'apprendre, donc je suis venu ici.

– Ici-dans-le-labyrinthe ? intervint Holly Bleu.

– Non, ici-dans-le-nouveau-domaine-de-Noctifer. Je me suis perdu et j'ai abouti dans les conduits d'aération. Je m'apprêtais à faire demi-tour quand je vous ai vus sur les écrans de contrôle.

Henry l'applaudit :

– Bien joué, Flipflop !

– J'ai suivi votre parcours, continua l'endolg, et j'ai éteint les pièges que j'ai pu, lorsque je voyais une diode s'allumer à votre approche... J'avoue que ça m'aurait agacé que vous me remerciiez en me tuant !

– Tu connaîtrais pas la sortie du labyrinthe, par hasard ? lança Nymphalis sans relever. Enfin, autrement que par les conduits d'aération...

– Si. Suffit de pousser cette porte.

161

– Ça, c'est ce que j'appelle de la *classe* ! s'enthousiasma M. Fogarty.

Il avait le sourire éclatant d'un gamin à qui on vient d'offrir la dernière console de jeux en vogue. Deux colossales Fées de la Forêt le transportaient dans une chaise à porteurs tapissée de soie. À en juger par leur pas vif – ils couraient presque ! –, ils devaient utiliser un sortilège d'allègement.

Le sol de la forêt vibrait sous les pieds de milliers d'hommes vêtus d'un uniforme vert. Sur chaque visage, on lisait la même volonté et le même calme.

– Ils sont beaucoup, observa Mme Cardui assise à son côté.

L'ex-Gardien osa un petit jeu de mots :

– Et ils ont l'air *déterminés* à *exterminer* les vermines de la Nuit ! Ils comptent raser la demeure de Noctifer, non ?

– Si. Mais je les trouve un peu nombreux pour ça... Bien sûr, Noctifer doit avoir des gardes, et pas des débutants. N'empêche, ces défenseurs vont se retrouver à cent contre un, ça me paraît excessif...

Alan fronça les narines :

– Si je comprends bien, la reine Cléopâtre veut frapper vite et fort. Elle compte sur la fulgurance de son attaque pour l'emporter en moins de temps qu'il n'en faut pour l'écrire. Ensuite, elle est décidée à démolir le domaine pierre par pierre – elle ne peut pas le brûler à cause des arbres. Le manoir était là avant ; juste après l'attaque, il n'en restera rien. Après quoi, l'idée, c'est que ses soldats disparaissent dans la nature et laissent derrière eux une aura de mystère. Elle espère qu'une demeure démontée en un après-midi par des puissances inconnues découragera les autres amateurs de domaines sylvestres.

– Hum, peut-être...

– Tu n'es pas convaincue, Cynthia ?

– Si, mon cheeer, si, mais...

– Mais, cette fois, c'est toi qui t'inquiètes ?

– Disons plutôt que je redoute la suite.

– Tu es encore plus méfiante que moi !

La Femme peinte décocha un petit sourire à Alan :

– Quand quelqu'un met en marche une force aussi considé-rable, il est rare qu'il s'en tienne à une seule action d'éclat.

– On ne va pas tarder à savoir si tu as raison d'être sur tes gardes, annonça M. Fogarty. Sauf erreur de ma part, nous voilà tout près de la demeure de Noctifer...

162

Colias, le sorcier anesthésiste, laissa choir deux cônes et en brisa un troisième avant de réussir à administrer son sortilège. Seuls les dieux savaient ce qui clochait chez cet homme. Et encore...

Dans le Royaume des Fées, l'anesthésie n'est pas une science exacte. En fait, ce *n*'est *pas* une science, même si certains praticiens s'entourent de mystère et de mots compliqués. Leur métier est pourtant d'une simplicité enfantine : il suffit de craquer un cône automatique et de le diriger dans la direction adéquate. Un singe bien dressé obtiendrait d'aussi bons résultats que le plus expérimenté de ces charlatans.

Blafardos regarda le nuage d'étincelles sinuer à travers la pièce et descendre d'abord vers l'Empereur pourpre puis vers lui. Il inspira à fond lorsque les minuscules particules de lumière approchèrent de ses narines. Encore quelques instants, et son âme quitterait provisoirement son corps, voguant sur des nuages de béatitude tandis que le chirurgien retirait le vyr. Bientôt, tout serait terminé. Plus de Cyril. Plus de...

« Plus rien, oui ! susurra Cyril dans son crâne. Tu vas mourir, je te le promets ! »

Cependant, le wangaramas avait perdu la partie, et il le sentait. Sa colère manquait de conviction.

Blafardos, quant à lui, se sentait gagné par une certaine sérénité. Dès qu'il serait débarrassé du wangaramas, Noctifer serait de nouveau son débiteur. Jasper n'aurait plus besoin de le fuir. Il pourrait même obtenir de Black ce qu'il désirerait – dans la mesure du raisonnable, certes, mais ce « raisonnable »-là promettait d'être *très* intéressant.

Il ne restait plus qu'à attendre.

Il attendit.

Une minute plus tard, son âme n'avait pas encore quitté son corps.

Il attendit.

Toujours pas trace de béatitude nuageuse. Il devait se détendre. Cela renforcerait l'efficacité du sortilège.

Il attendit.

Une pensée inquiétante perturba son calme fragile. Ce vieil incapable qui avait gâché trois cônes avant de réussir à en craquer un dans les règles de l'art... c'est sûrement lui qui avait fabriqué ses sortilèges !

– Bon, assez attendu, déclara Noctifer. À vous de jouer, Nuée Jaune de la Montagne.

Blafardos se planta les ongles dans la paume, pour vérifier où en était l'anesthésie ; il eut mal. Il voulut s'asseoir ; les languettes de cuir qui retenaient ses membres l'en empêchèrent. Il tenta de crier qu'il n'était pas prêt, qu'on n'avait pas assez attendu, que l'anesthésiste était un incompétent ; la frayeur avait paralysé ses cordes vocales, et il ne put émettre qu'un gargouillis ridicule... et presque inaudible.

Le chirurgien psychique passa à l'action. Avec une vitesse paniquante, il plongea ses mains dans l'abdomen d'Apatura Iris et déchira l'abdomen impérial pour préparer le chemin du vyr.

L'Empereur HURLA.

163

Le commando et Flipflop se trouvaient dans une vaste grotte naturelle, mais à l'extérieur du labyrinthe obsidional, cette fois. Pyrgus regarda autour de lui, l'estomac noué. Autour de lui, d'immenses plateformes, suspendues par un technosortilège sensoriel, flottaient sous le plafond. Elles étaient reliées à un réseau de passerelles en suspension.

L'une d'elles était vaste et pourvue de murs transparents. Il s'agissait à l'évidence d'une chambre d'observation d'où des spectateurs privilégiés (ou pervers, selon le point de vue) pouvaient regarder les joueurs se faire massacrer dans le labyrinthe.

– Il y a quelque chose, là-dedans, annonça Holly Bleu à mi-voix.

D'un coup, le Prince se rendit compte à quel point ils étaient vulnérables. Jusque-là, le soulagement d'être sorti du labyrinthe infernal avait dominé. À présent, l'heure était au constat objectif : Pyrgus et ses amis étaient très exposés. Ils formaient un petit groupe bien visible sur le sol de la caverne. Si les hommes de Noctifer les découvraient, ils les massacreraient en quelques minutes.

– Il faut nous protéger, Prince, lui dit Nymphalis, qui avait donc eu la même idée que lui au même moment.

– Il faut surtout sortir d'ici, renchérit le Prince. Noctifer ne garde probablement pas mon père en sous-sol. Mais... quelqu'un voit-il une sortie ?

– Il y a un escalier en pierre, au fond à droite, signala Henry.

– On y va, décida Pyrgus. Faites le moins de bruit possible et ne vous arrêtez de courir sous aucun prétexte. Toi, Henry, prends Comma par la main.

Ils s'élancèrent vers l'escalier. Ils étaient presque arrivés à destination quand un cri à glacer le sang résonna dans la grotte.

– Papa ! s'exclama Bleu. C'est Papa !

164

ENSEMBLE

Ensemble, ils sautèrent sur la même navette d'élévation. Les navettes de base étaient conçues pour trois personnes. Au-delà, un écriteau menaçait : l'alarme se déclenchait et l'entrée de l'ascenseur magique se bloquait jusqu'à l'arrivée des services de sécurité.

Cependant, après avoir entendu le cri, personne n'hésita. Un moment, la navette sembla redescendre sous leur poids. Puis elle parut en prendre son parti. Ses parois coulissèrent. Vibrèrent. Et la navette fusa dans les airs. Comma poussa un gémissement inquiet. Mais quelques secondes plus tard seulement ils se retrouvèrent devant une plateforme flottante à la croisée de deux passerelles.

*

HOLLY BLEU

La Princesse se plaça en tête du cortège.

La première passerelle conduisait vers la plateforme d'observation. Vide.

La seconde permettait d'accéder à une salle dont la porte ouverte laissait voir une scène terrifiante.

Apatura était allongé sur une table d'opération. Abdomen ouvert. Sanguinolent. Une étrange Fée de la Nuit, aux épaules solides, était penchée sur lui. Le sang de l'Empereur pourpre lui avait sauté au visage... entre autres.

À côté d'eux, un deuxième homme, attaché à une autre table d'opération. Bleu le reconnut. C'était Jasper Blafardos. Son pire ennemi. Et elle qui croyait s'en être débarrassée depuis qu'il avait été condamné à une peine de prison incompressible !

Derrière, un vieillard en tenue de magicien – en *haillons* de magicien eût été plus juste –, une expression de stupéfaction sur le visage.

Près de lui se découpait la maigre silhouette familière de Lord Black Noctifer en personne.

C'était tout. Pas le moindre garde dans les parages. Ce que tramait le maître des lieux devait sans doute rester secret.

– Occupez-vous de Noctifer ! cria Pyrgus. Je m'occupe de Papa !

Une rage meurtrière s'empara de Bleu, qui se précipita sur Noctifer.

★

NYMPHALIS

La soldate de la Forêt banda son arc et, sans hâte, décocha une flèche sur l'homme penché au-dessus de l'Empereur pourpre. Le trait toucha son but : en plein dans la gorge. L'homme agrippa la hampe avec ses mains. Gargouillant, flageolant, il sentit une deuxième flèche se ficher dans sa nuque. Par contre, il ne sentit pas la troisième, qui lui perça la colonne vertébrale. À ce moment-là, il était déjà mort.

Nymphe se tourna ensuite vers Noctifer. Mais elle ne put pas tirer : le corps de Holly Bleu faisait écran.

★

HENRY

Le garçon resta sur la touche. Et cela le rendit furieux. Il n'avait pas d'arme appropriée à ce genre de situation.

Si seulement on lui avait fourni une vraie arme – une mitraillette, un bazooka, un lance-roquettes, n'importe quoi ! Il ne serait pas resté planté comme un lâche dans son coin, pendant que tous les autres s'agitaient pour sauver l'Empereur des griffes de Noctifer...

★

PYRGUS

Le Prince bondit dans la salle d'opération improvisée. Aussitôt, le vieux sorcier en haillons sortit un énorme éclair de feu et le lança vers lui.

Le Prince se jeta au sol. La masse de feu siffla à ses oreilles, chanta dans ses cheveux... et finit sa course droit dans la poitrine de Palaemon.

★

PALAEMON

La foudre frappa le soldat de la Forêt en plein cœur. Il tomba à la renverse et s'enflamma sur-le-champ. Son corps ressemblait à un volcan : une masse de feu jaillissait de sa poitrine comme de la lave en fusion.

Quand le feu s'éteignit, deux soubresauts agitèrent le cadavre, puis plus rien. Les yeux de Palaemon restèrent grands ouverts, fixés au plafond.

★

COLIAS

Le sorcier anesthésiste adressa un rictus méprisant à Pyrgus qui le regardait, hébété.

– Cette fois, glapit-il, je ne te louperai pas !

Il portait la main à sa tunique quand il sentit une flèche se planter dans son estomac. Ses genoux fléchirent aussitôt. Il leva les yeux. Vit une jeune fille qui lui souriait comme il avait souri au Prince. Puis il aperçut un trait flou qui filait se ficher dans son front.

Quand il mourut, sa grimace de menace lui tordait toujours le visage.

165

Dès qu'il avait entendu les intrus, Noctifer s'était mis à courir.

Et Holly Bleu s'était jetée à ses trousses. Elle avait tiré son épée à courte lame. Elle allait le tuer. Une fois pour toutes. Quelles que fussent ensuite les conséquences politiques de son acte. Ce type était une plaie. Un crachat au visage du Royaume. Elle allait laver l'affront. Dans le sang.

Henry n'hésita qu'un infime instant avant de courir après Holly Bleu.

Nymphalis reposa son arc, dégaina un couteau effilé et courut après le garçon et la Princesse.

Mais Black avait un avantage sérieux sur ses poursuivants. Il connaissait le terrain. Il avait jailli hors de la salle d'opération. Direction la passerelle qui conduisait à la pièce d'observation en suspension au-dessus du labyrinthe. Il progressait très vite. Moins vite cependant que Nymphalis, qui avait déjà distancé ses compagnons de poursuite.

– Laisse-le-moi ! cria Bleu. Je veux lui régler son compte toute seule !

Ils avaient gagné la course. Ils le tenaient. Il n'y avait pas d'issue à la pièce d'observation. Nulle part où l'ennemi public numéro un du Royaume risquait de s'enfuir. Une impasse. La fin de l'histoire.

C'est alors que Bleu avisa la navette d'élévation. Contrairement à celle qui les avait amenés, celle-ci était reliée à la chambre d'observation.

– La navette ! lança la Princesse.

– Vu ! répondit Nymphalis.

La soldate accéléra encore. Elle atteignit la pièce d'observation deux pas à peine derrière Noctifer. Elle prit son élan et s'interposa d'un bond entre la navette et Black. Aussitôt, le fuyard fit un geste de la main, et la jeune fille recula en se tenant le bras. Du sang coulait entre ses doigts.

Noctifer sauta à son tour. Nymphe tenta de le retenir. En vain.

Bleu et Henry se ruèrent dans la salle.

– Où... il est... passé ? demanda la Princesse, hors d'haleine. La navette... Elle est où ?

– Comment ça, « elle est où » ? gronda Nymphalis en se retournant.

Ses yeux s'écarquillèrent :

– Elle... elle a disparu !

– Il l'a recouverte ! s'exclama Bleu. Il a recouvert la navette. Il devait y avoir une commande d'imperceptibilité et... il est parti...

Elle en aurait hurlé de rage.

Henry se pencha au-dessus de la rambarde. En bas, tout en bas, la petite silhouette de Noctifer dévalait les escaliers de pierre.

Nymphalis aussi avait dû l'apercevoir car elle dit :

– Il va donner l'alarme, Princesse. Nous devrions retourner auprès du Prince.

– Tu... tu as raison. Ton bras, ça va ?

La soldate eut l'air surprise de la question :

– Oui, c'est pas grand-chose, merci...

– Alors, allons rejoindre Pyrgus, décida Bleu.

« Oui, dépêchons-nous de le rejoindre ! pensa Henry. Et surtout, surtout, filons d'ici tant qu'il est temps ! »

166

Holly Bleu, Henry et Nymphalis revinrent dans la salle d'opération en courant. Pyrgus se tenait debout, immobile, devant la couchette où gisait son père. La Princesse se figea sur le seuil.

– Qu'est-ce qui se passe, Pyrgus ? demanda la Princesse.

Pyrgus ouvrit la bouche, mais les mots lui firent défaut. Il désigna la pièce d'un geste. Du sang partout. Des cadavres çà et là. Comma roulé en boule dans un coin, en train de gémir.

– PYRGUS ! cria Bleu, agacée de ne pas obtenir de réponse.

Des larmes coulaient sur les joues de son frère :

– Je... Il est... Nous... C'est trop tard. Papa est mort.

La Princesse s'avança comme une somnambule.

– Ne t'approche pas, lui conseilla Pyrgus. Il est... Il n'est pas...

Il tendit le bras pour retenir sa sœur, qui le repoussa sans ménagement et passa devant lui. Blême, elle posa ses yeux sur la dépouille d'Apatura Iris et n'en crut pas ses yeux. Le corps de son père avait le ventre ouvert, les membres attachés, mais en plus...

– Ils lui ont coupé la tête ! murmura-t-elle.

– Oui, Bleu. Recule, ce n'est pas beau à voir.

– Tais-toi ! cracha-t-elle sans bouger. Tu m'énerves !

Puis, d'une voix brisée par l'horreur de ce qu'elle contemplait, elle constata :

– Il ne pourra plus jamais être ressuscité...

– Excusez-moi, intervint Blafardos. Est-ce que quelqu'un pourrait retirer mes liens et me rendre mes vêtements ?

167

Le commando – ou plutôt ceux qui restaient et ceux qui l'avaient rejoint – se dirigea vers la sortie. Ils éprouvaient un curieux mélange d'épuisement et de tension nerveuse : ils savaient que la partie n'était pas gagnée. Les gardes de Noctifer pouvaient surgir à tout moment.

Bleu et Pyrgus avaient désiré emmener avec eux le corps d'Apatura. Nymphalis les en avait dissuadés : cela immobiliserait deux d'entre eux, plus un troisième pour transporter la tête. Hors de question. Ce qui les attendait n'était pas une partie de plaisir. Ils allaient certainement devoir se battre pour quitter ce domaine.

D'ailleurs, Nymphalis avait pris plus ou moins la direction des opérations. Une bonne initiative, aux yeux de Henry. Elle était compétente, et ils avaient besoin de ses conseils.

Ils n'étaient plus que six. Deux soldats sur trois avaient trouvé la mort.

Comma était un enfant, et s'il avait fait illusion dans le labyrinthe, il avait craqué depuis l'ultime scène d'horreur.

Henry avait récupéré une longue dague sur le cadavre du chaman qui avait tué l'Empereur. Mais il se savait incapable de s'en servir.

Pyrgus et Bleu étaient passés sur mode automatique. Leurs visages cireux n'exprimaient plus aucune émotion.

Même Flipflop était sous le choc.

Pour sortir, Nymphalis ne voulut prendre aucun risque. Elle emprunta d'abord la navette de suspension qu'ils avaient prise à l'aller avec Bleu et Pyrgus. Puis elle la renvoya pour Henry et Comma. Le garçon passa son bras autour des épaules de l'Empereur héritier, puis ils grimpèrent ensemble dans la navette lorsque Nymphe lui fit signe. Comma trembla sans discontinuer.

Ils atteignirent le sol de la grotte. Nymphe les conduisit vers l'escalier, en les avertissant de prendre leurs armes à la main.

Poussé par le ton autoritaire de la soldate, Comma sortit une espèce de dague. Crispées sur la garde, ses mains étaient parcourues de soubresauts.

Mais tandis qu'ils gagnaient le bâtiment principal du manoir, ils ne rencontrèrent aucun garde. Apparemment, l'édifice avait été déserté. Pyrgus et sa suite passèrent une porte ouverte et aperçurent un repas à moitié terminé sur une table. Ils n'avaient pas encore atteint le niveau du rez-de-chaussée quand, au-dehors, des hurlements s'élevèrent.

168

– **D**oux Jésus ! s'exclama M. Fogarty.

Mme Cardui, d'ordinaire flegmatique, lança un ordre sec à ses porteurs, qui s'arrêtèrent. Elle se pencha en avant et souffla :

– Mon cheeer, nous assistons à une scène ex-tra-or-di-naire...

Un énorme portail venait de s'ouvrir devant le nouveau manoir de Lord Black Noctifer. Une armée de démons en émergeait. Ce n'étaient pas des hordes désordonnées, mais un ensemble cohérent de régiments en ordre de marche. Une bataille rangée s'annonçait entre les forces qui émergeaient du portail et celles qui sortaient du manoir.

– Incroyable ! souffla l'ex-Gardien. Les soldats de Noctifer vont se battre contre les démons ! Je croyais qu'ils étaient *alliés* !

Il se laissa glisser à terre. Ce qu'il voyait l'intriguait. Les soldats de son pire ennemi, mais aussi l'ensemble du personnel du manoir étaient sortis pour affronter les monstres.

– Où vas-tu, Alan ? s'inquiéta Mme Cardui.

– Jeter un œil de plus près.

– Promets-moi que tu seras prudent !

M. Fogarty ne lui répondit pas. La prudence était le cadet de ses soucis. La preuve : il s'était déjà glissé entre les rangs immobiles des Fées de la Forêt pour observer cette scène qui n'avait aucun sens pour au moins trois raisons.

D'abord parce que les portails de Hael étaient fermés. Aucun démon n'était donc en mesure d'envahir le Royaume féerique.

Ensuite, parce que ce portail-ci n'existait pas. Ou, du moins, il ne ressemblait à rien de connu. Il n'était pas de la bonne couleur. Il n'y brûlait pas de « flammes froides » (ce feu bleu qui signalait qu'une translation était possible). Et il était hors norme.

Enfin, parce que les Fées de la Nuit étaient des alliées historiques des démons. Des rumeurs concordantes affirmaient que Noctifer avait passé un accord avec le Roi de ces créatures – bon,

« roi » n'était peut-être pas le terme technique, mettons, leur *chef*.

Et pourtant, des démons qui ne pouvaient être là attaquaient par un moyen inconnu la maison de leur ami... C'était à n'y rien comprendre.

M. Fogarty avisa la reine Cléopâtre à la tête de ses troupes. Il s'avança vers elle sans rencontrer de résistance.

– Vous avez une idée de ce qui est en train de se passer ? demanda-t-il.

– Aucune. Mais ces démons sont dans ma Forêt. Et c'est exactement ce que je craignais.

– Ils attaquent les hommes de Lord Noctifer, remarqua M. Fogarty. Nous devrions les laisser se débrouiller entre eux avant d'intervenir.

Cléo observa ses troupes. Dissimulées par les arbres, elles étaient invisibles. Et parfaitement disciplinées : pas un bruit, pas un geste susceptible de révéler leur présence.

Leur chef devina ce que M. Fogarty avait derrière la tête :

– Vous croyez qu'ils vont faire le travail à notre place ?

– Pas impossible.

Les partisans de Noctifer étaient en train de perdre la partie. Leurs cadavres jonchaient les parterres. L'ex-Gardien ignorait toujours les tenants et les aboutissants de cette attaque. Cependant, il se doutait que l'affaire serait entendue en une demi-heure. Une fois Noctifer vaincu, les Fées de la Forêt n'auraient plus qu'à démolir la maison.

– Et pour les démons, Gardien ? reprit Cléopâtre. Que suggérez-vous ?

– Je... je ne suggère rien.

– Je n'aime pas ce portail, poursuivit la Reine. Voir ces démons qui en sortent par rangs entiers... C'est notre pire cauchemar. Et cependant, vous avez raison. *A priori*, nous avons intérêt à leur laisser la chance de régler son compte à Noctifer.

– Mais...

– Mais je ne veux pas les laisser en liberté dans la Forêt. En aucun cas. À aucun prix. En fait, tout est une question de timing. Si les démons anéantissent les forces de la Nuit, puis détruisent cette demeure, puis rentrent dans leur royaume et y restent à jamais, je serai ravie. L'existence des Fées de la Forêt a plus de chances de rester inconnue...

– Ce serait idéal.

– Trop idéal, Gardien. Trop idéal.

– Donc vous n'y croyez pas, Cléo...

– Je crois qu'un tel dénouement est très improbable.

– Vous allez passer à l'attaque ?

– Oui.

– Quand ?

– Maintenant. Tant qu'ils ne sont pas trop nombreux ; tant que nous pouvons contenir la situation...

M. Fogarty comprenait sa décision. Mais il craignait aussi pour Bleu et Pyrgus. Il espérait qu'ils auraient le bon sens de se cacher et de laisser passer l'orage... si, comme il l'avait supposé, ils étaient dans les environs. Une grosse bataille se préparait. Il ne serait pas difficile de s'y faire tuer. Même par erreur.

169

– **D**es démons..., murmura Nymphalis, ébahie.

Pyrgus et ses amis étaient postés devant une fenêtre ouverte sur la façade du manoir de Noctifer, indécis quant à la conduite à tenir. L'attitude la plus simple consistait à attendre que les démons eussent tué les gardes et les serviteurs de Black. Il n'y en avait sans doute pas pour longtemps, au vu des premiers combats.

Mais attendre, c'était aussi augmenter les risques. Car de plus en plus de démons sortaient du portail. Quand ils en auraient fini avec les défenseurs, ils avaient peu de chances de s'arrêter là. Ils allaient prendre possession de la demeure.

Quelque temps plus tôt, Pyrgus avait été capturé par les créatures de ce type après une fuite éperdue dans Hael. Ces monstres l'avaient mené chez Beleth, qui avait essayé de le plonger dans un bain d'acide sulfurique. Le Prince s'en était sorti grâce à Henry et à Holly Bleu. Cependant, il avait retenu la leçon : il ne se laisserait pas capturer. Mais quand s'enfuir ?

La seule certitude était qu'il ne fallait pas être pris à partie dans ce combat.

– Elles... Elles sont là ! s'exclama Nymphalis en tendant le doigt.

– Qui ça, « elles » ?

– Les Fées de la Forêt !

Pyrgus suivit la direction de son index. Les soldats verts émergeaient du couvert. Et soudain, la jeune fille bondit par la fenêtre et se mit à courir.

– Nymphe ! cria le Prince.

– Pyrgus ! cria Bleu, qui se lança à la suite de son frère.

– Bleu ! cria Henry, qui se lança à la suite de la Princesse.

Seul Comma resta où il était, le regard vide.

L'instant d'après, une énorme explosion retentit.

170

M. Fogarty exulta en voyant les Fées de la Forêt partir au combat. Cette armée était formée des tueurs les plus efficaces qu'il eût jamais croisés. Le plus étrange, c'est que personne ne paraissait donner d'ordres à quiconque. Et pourtant, chacun savait exactement ce qu'il avait à faire. Le flot de fées coulant de la forêt se sépara en deux fronts. L'un se chargea des ultimes défenseurs de Noctifer ; l'autre affronta les démons. Cependant, au lieu de pratiquer un affrontement au corps à corps, ils restèrent à distance, se contentant d'arroser leurs adversaires d'une pluie de flèches et d'éclairs elfiques. Après un moment de flottement, les derniers serviteurs de Noctifer ainsi que de nombreux démons commencèrent à tomber.

La bataille prit alors un autre aspect. Les démons, sentant le vent tourner, se regroupèrent et firent face à leurs nouveaux ennemis. Ces créatures ressemblaient à des insectes. Elles donnaient l'impression d'ignorer la peur. Certaines s'effondraient ? D'autres se dressaient, insensibles à l'averse de flèches et d'éclairs. Brusquement, un groupe de Fées de la Forêt tenta une percée vers le portail.

– Bonne idée, estima Mme Cardui, qui avait rejoint l'ex-Gardien. En détruisant le portail, impossible pour les renforts d'arriver.

Les démons étaient parvenus à une conclusion identique. Un contingent important des troupes de Hael se détacha pour anihiler cette tentative. Avec succès : des uniformes verts tombèrent en masse, remplacés par d'autres. Mais de nouveaux démons émergeaient aussi du portail. Plus massifs que les précédents. Mieux armés. Avec des protections plus solides. L'un d'eux brandissait une énorme baguette à feu. Un éclair elfique enflammé l'atteignit à l'œil droit au moment où il s'apprêtait à tirer, coupa son crâne en deux et continua son chemin... jusqu'à le terminer dans un bosquet qu'il incendia sur-le-champ.

– Cléo ne va pas apprécier ! murmura Fogarty.

L'ex-Gardien aurait aimé se jeter dans la mêlée. Ce qui le surprenait. Quand il avait été soldat – presque soixante ans plus tôt ! –, il n'avait jamais cherché à se battre. Étrange nature humaine... à présent qu'il n'était plus vraiment en état de le faire, il en avait le désir. Le grand âge est terrible : il donne des idées courageuses qu'il empêche de mener à bien.

Alan avait eu raison : la Reine n'avait pas apprécié l'incendie. Elle avait décidé de passer à la vitesse supérieure. Le flot de Fées de la Forêt devint un torrent impétueux divisé sur trois rives.

La première était constituée de fantassins qui se ruèrent sur la horde de démons, pendant que des archers, postés en surplomb, arrosaient ces mêmes cibles d'une nuée de flèches.

La deuxième était formée par une équipe spéciale qui avait couru sous les arbres en flammes, craquant des cônes de sortilèges de suffocation pour éteindre l'incendie.

La troisième comprenait l'avant-garde partie à l'assaut du portail et des renforts nombreux. M. Fogarty remarqua que trois importantes équipes de sorciers les accompagnaient, entourées de gardes du corps.

Ce qui se passa ensuite fut très difficile à suivre. Les Fées de la Forêt parvinrent à faire sauter le portail *sans la moindre flamme*. Des fragments de la structure volèrent soudain en éclats et retombèrent dans une pluie de sang et des lambeaux de démons que l'explosion avait soufflés. Privés de renforts, les démons qui restaient sur le champ de bataille furent bientôt hachés menu par la furie des Fées de la Forêt. Quelques minutes plus tard, tous les monstres avaient trépassé.

Des soldats de la Forêt s'avancèrent pour détruire la demeure de Noctifer. Alan et Cynthia s'approchèrent du théâtre des opérations. Des morts et des mourants, il y en avait partout. Mais, déjà, des équipes de fées nettoyaient le terrain pour faire disparaître les traces de ce qui s'était passé.

La Femme peinte s'éclaircit la gorge et lança :

– Hum... mon cheeer, ne serait-ce pas le Prince que j'aperçois là-bas ?

M. Fogarty chercha la silhouette de Pyrgus et se raidit. Le jeune homme était étendu sur l'herbe. Ses habits étaient couverts de sang. Deux silhouettes étaient penchées au-dessus de lui : Bleu et... oui, c'était Henry ! Derrière eux se tenait Nymphalis, l'arc à la main à la manière des gardes. Et, aux pieds de Henry, un endolg était couché.

– PYRGUS ! cria l'ex-Gardien en courant vers son protégé.

Le garçon parvint à ouvrir les yeux et à décocher un petit sourire :

– C'est rien... Juste quelques éraflures...

– Vous savez où on peut trouver un Guérisseur, Gardien ? demanda Bleu.

– Je vais en dénicher un.

– Faites aussi sortir Comma de la maison avant qu'ils ne la détruisent.

– D'accord.

– Et...

La jeune fille hésita, puis réussit à dire :

– Le corps de mon père se trouve là-dedans. J'aimerais qu'on le ramène au palais pour l'enterrer décemment.

171

Bleu se réveilla en sursaut.

Il y avait quelqu'un dans sa chambre. Elle l'entendait respirer. Comment l'intrus avait-il réussi à passer le barrage des gardes ? Elle tendit la main pour saisir une arme, ne trouva qu'un cône lunaire d'urgence et le craqua. Une pâle lueur enveloppa sa chambre.

Comma était debout, au pied de son lit.

— NON MAIS ça va pas ? cria-t-elle. Il faut que t'arrêtes de te glisser partout ! Ça ne se fait pas ! Et puis c'est ma chambre, ici ! Alors, tu vas déguerpir, sinon...

— J'arrivais pas à dormir, marmonna Comma. Et puis je voulais te parler, Bleu.

— Oui ? Ben, plus tard. Demain matin. Tard. Enfin, non, d'ailleurs. Va parler à quelqu'un d'autre. Moi, je veux DORMIR !

Elle tira les couvertures par-dessus sa tête pour mettre fin à la conversation.

Comma feignit de ne pas comprendre et s'assit sur son lit.

— Je veux parler de Maman..., murmura-t-il. Ils l'ont encore enfermée.

— Je sais. Et c'est une bonne nouvelle.

— Parfois, la nuit, je l'entends crier.

— Tu cauchemardes, Comma. Tu peux pas l'entendre.

— Si elle n'était pas à l'isolement, j'aurais pu aller lui parler.

— Et de quoi lui aurais-tu parlé ?

— De Pyrgus.

— De Pyrgus ? répéta Holly Bleu.

Elle se redressa. Son demi-frère regarda avec insistance sa chemise de nuit. Elle se dépêcha de passer une robe de chambre.

— Elle m'aurait dit quoi faire, expliqua-t-il.

— À quel propos ?

— Pyrgus a tué notre père.

– Non. Tu sais qu'il n'y était pour rien. C'est ce démon qui possédait M. Fogarty. Sale menteur ! Si tu crois que...

– La deuxième fois, ce n'était pas un démon. C'était Pyrgus. Il a cru que personne ne regardait, et il a décapité Papa.

La Princesse resta un moment interdite. Puis elle sauta hors de son lit :

– Bon, allez, ça va. J'en ai assez de tes âneries. Sors d'ici.

– D'accord, j'm'en vais...

Sur le seuil, il se retourna et lâcha :

– Si tu me crois pas, demande à l'autre type, là...

– Quel autre type ?

– Celui qui était attaché sur le lit, à côté de Papa. Lui aussi, il a vu Pyrgus tuer Papa.

172

Plus question de dormir, à présent. Bleu sauta du lit, serra les pans de sa robe de chambre contre elle. Des questions bourdonnaient furieusement dans sa tête. Pourquoi Comma avait-il raconté ces horreurs ? Pourquoi avoir décidé d'inventer ces histoires ? Pourquoi ?

Leur père était mort quand ils étaient arrivés dans la salle d'opération. Il ne bougeait plus. Il avait un gros trou dans l'estomac ; et sa tête... Sa tête...

Pour être tout à fait honnête, la Princesse n'avait pas remarqué que la tête de l'Empereur avait été séparée de son corps. Rien de plus normal. L'effroi l'avait saisie quand elle avait vu l'abdomen béant de son père. Lord Noctifer avait dû en profiter pour... pour...

Holly Bleu ne comprenait pas pourquoi Black avait agi ainsi. Cette décapitation ne le servait pas. La rage, sans doute. La haine. Ou la peur qu'ils n'utilisent à leur tour le zombie d'Apatura pour reprendre le pouvoir. Ce qui n'enlevait rien à la méchanceté de Comma.

La Princesse n'en revenait pas. Qu'est-ce qui avait poussé son demi-frère à lui dire ça ? « Demande à l'autre type », avait-il dit. Quel autre type ? Nymphalis avait tué tout le monde dans le bloc opératoire... sauf Noctifer – malin, ça ! –, et Black en avait profité pour fuir. Il n'y avait personne d'autre, sauf Comma, Pyrgus, et...

Blafardos.

Ils l'avaient laissé attaché sur son lit. Ils n'avaient pas le temps de s'encombrer d'un prisonnier. Ils l'avaient donc abandonné là, sourds à ses cris qui les avaient longtemps poursuivis. Des cris qui leur demandaient de revenir. Et qui les menaçaient, maintenant que la Princesse y repensait. Bleu ne se rappelait pas les menaces précises que Blafardos avait proférées. Peut-être n'étaient-elles pas précises, justement. Peut-être ne s'agissait-il que de protestations colériques – le genre de malédiction que profèrent les gens comme Blafardos lorsqu'ils n'ont pas pu obtenir ce qu'ils voulaient.

Mais c'est vrai, au fait : qu'était-il arrivé à cette saleté de Fée de la Nuit, lorsque le manoir de Noctifer avait été démoli ?

173

Si M. Fogarty fut surpris de voir Holly Bleu faire irruption chez lui au milieu de la nuit, il n'en montra rien. Il écouta avec attention la question que la jeune fille lui posa. Avec son bonnet pointu et sa chemise de nuit, il ressemblait plus à un sorcier que les véritables sorciers du Royaume, pensa la Princesse.

– Oui, les Fées de la Nuit l'ont trouvé, confirma-t-il. Elles me l'ont remis et je l'ai renvoyé à Asloght.

– La grande prison ?

– Il a le reste de sa peine à purger. Lord Noctifer l'en avait exfiltré par ruse.

Bleu ignorait ce qu'« exfiltrer » voulait *réellement* dire. Cependant, elle en comprenait le sens général : Black avait tiré Blafardos de prison en toute illégalité.

– Il faut que je le voie, déclara-t-elle.

– Quand ?

– Immédiatement.

La Princesse songea que n'importe quel adulte répondrait : « Tu as vu l'heure qu'il est ? » Mais M. Fogarty n'était pas n'importe quel adulte.

– Le temps de passer des vêtements de ville, et je t'emmène, dit-il.

174

Fouillichic, le vieux Trinian, secoua Blafardos :

– Y a des gens qui veulent vous voir, m'sieur. J'leur ai dit qu'vous aviez d'la compagnie, mais ils veulent rien savoir.

Jasper se frotta les yeux. De retour dans son ancienne cellule, il n'arrivait pas à dormir. À peine s'il avait somnolé entre deux discussions avec Cyril.

– Je n'ai pas de compagnie, rétorqua-t-il.

« MENTEUR ! » cria le vyr dans sa tête.

– Ah bon, m'sieur ? Ben j'croyais pourtant vous avoir entendu avec quelqu'un...

Son regard se posa sur Blafardos, de manière un peu trop insistante au goût de Jasper.

– J'les fais entrer, m'sieur, alors ? demanda-t-il.

– Qui ça ?

– Vos visiteurs, m'sieur : la Princesse Bleu et le Gardien Fogarty.

Aussitôt, Blafardos fut sur le qui-vive. Ils venaient peut-être le relâcher. Ou le tuer. Ou les deux : c'est ce qui avait failli se produire lorsque Harold Dingy l'avait extrait de sa cellule la dernière fois. Il allait devoir jouer serré.

– Oui, bien sûr, introduisez-les.

175

Une bouffée de haine noyée dans un immense dégoût : c'est ce qu'éprouva Holly Bleu à la vue de Jasper Blafardos.

L'homme avait légèrement maigri. Pour le reste, c'était toujours le même personnage, mielleux, gras et dégoûtant.

— Je suis venue vous poser une question, dit-elle en s'épargnant les formules de politesse.

Le prisonnier sourit. Même en prison, il avait toujours son dentifrice magique avec lui, de sorte que ses dents étincelaient chaque fois qu'il les découvrait.

— Je vous écoute, ma chère enfant, susurra-t-il.

— Je ne suis pas votre chère enfant, précisa la Princesse. Renvoyez le Trinian.

— Il est là pour me protéger en cas d'attaque, prétendit Jasper.

— Vous avez peur de moi ?

Les yeux de Blafardos se levèrent vers M. Fogarty.

— Voulez-vous nous laisser, Gardien ? lâcha la jeune fille. Je ne risque rien.

— D'accord. Je reste près de la porte. Si vous avez besoin de moi...

— Dans ce cas, vous pouvez disposer aussi, Fouillichic, dit le prisonnier.

Dès qu'ils furent seuls, Bleu passa à l'offensive :

— Vous êtes là pour un moment, n'est-ce pas, monsieur ?

— C'est une possibilité, reconnut Blafardos.

— Sans doute jusqu'à la fin de vos jours.

— Sans doute. Mais sait-on jamais ? La vie est pleine de surprises.

— Justement, je viens vous en apporter une.

— Agréable, j'espère ?

— J'espère aussi. Pyrgus va reprendre incessamment les rênes du Royaume. Peut-être que si je lui parlais, nous trouverions un moyen d'écourter votre peine – pour bonne conduite, par exemple. Suis-je claire, monsieur ?

– Comme de l'eau de roche, Sérénité. Qu'attendez-vous de moi ?

– Racontez-moi ce qui est arrivé dans la salle d'opération.

– Que voulez-vous savoir exactement ?

– Pourquoi étiez-vous là ? Que vous est-il arrivé ? Et que... qu'est-il arrivé à mon père ?

– Ah...

– Alors ? reprit Bleu.

Blafardos mit quelques secondes avant de répondre :

– Cette, euh, réduction de peine dont vous m'avez parlé...

– Oui ?

– Vous avez dit que vous en parleriez à votre frère Pyrgus ?

– En effet.

– Croyez-vous qu'il saura se montrer... compréhensif ?

– Écoutez, monsieur, je pourrais affirmer que j'en suis sûre et certaine ; vous vous doutez bien que ce serait un mensonge, car c'est Pyrgus qui va devenir l'Empereur pourpre, pas moi. Je ne peux pas vous donner de garanties. Mais je pense que, étant donné les circonstances, il saura se montrer sensible à mes arguments.

– Bien, bien, bien... lâcha Jasper. Et supposons qu'il n'y soit pas sensible ?

– Ce n'est pas ce que je suis venue entendre ! s'exclama-t-elle.

– Ne vous emportez pas, voyons ! Je *sais* ce que vous voulez entendre, ma chère enfant.

– Dans ce cas, dites-le ! Et cessez de m'appeler comme ça. Je-ne-suis-pas-votre-chère-enfant !

– Voyez-vous, ma chère enfant, je suis ravi de pouvoir rendre service à un membre de l'illustre famille impériale...

– Parlez !

– ... qui est si proche d'un dignitaire susceptible d'écourter ma peine.

– Monsieur Blafardos, je...

– Très bien. L'opération, donc. Que s'est-il passé ? Eh bien, Lord Noctifer s'est aperçu qu'il ne contrôlait pas correctement votre père.

– Pourquoi ? s'étonna la Princesse. C'était un zombie, après tout. Juste un zombie...

– Certes. Néanmoins, de son vivant, l'Empereur pourpre était un homme pourvu d'une forte personnalité. Quelqu'un qui savait ce qu'il voulait, et ce qu'il ne voulait pas. Mort, il restait encore trop puissant pour Lord Noctifer. L'opération devait augmenter le degré de contrôle de Black sur Apatura.

– Comment ?

– Il... Il...

Le prisonnier sembla chercher ses mots un moment. Puis il se décida :

– Il voulait redisposer les interconnexions neuronales du cerveau de votre père. Je m'excuse si j'emploie des termes techniques, j'ai moi-même quelques notions de guériss...

– Quel était l'objectif ? l'interrompit la Princesse.

– Rendre Apatura plus disponible aux ordres de Noctifer.

– Dans ce cas, pourquoi lui avoir coupé la tête ?

– C'était une erreur. Une erreur stupide et monstrueuse. Lord Noctifer a embauché un... primitif pour s'occuper de cette opération. Nuée Jaune de la Montagne. Je vous demande un peu ! Vous en connaissez, des noms plus ridicules, vous ?

– On s'en fiche. Parlez-moi de ce... Nuée, c'est ça ?

– Oui. Cet homme était épouvantable, mais, au demeurant, paraît-il, excellent chirurgien psychique. Pour que Noctifer l'ait embauché malgré les échecs que ce type a connus, j'imagine qu'il était chaudement recommandé. Le seul problème, c'est qu'il avait une trop haute opinion de lui-même.

– Expliquez-vous, exigea Holly Bleu.

– D'après lui, les connexions neuronales en jeu se situaient à la base du cerveau, déclara Blafardos. Après avoir hypnotisé le cadavre, il a décidé d'atteindre la partie endommagée *en passant par le cou.*

– Donc il l'a...

– ... décapité. Mais il n'a pas su le, euh, recapiter, pour ainsi dire. La tête ne voulait pas se remettre d'aplomb sur les épaules de l'Empereur. Remarquez, Nuée a eu de la chance d'être tué par vos soldats.

– Pourquoi ?

– Lord Noctifer ne lui aurait jamais pardonné son échec. Et se prendre une flèche est infiniment moins douloureux qu'essuyer la colère de Black.

La Princesse plongea son regard dans celui de Blafardos :

– Si je résume, monsieur, c'est Nuée Jaune de la Montagne qui a décapité mon père.

– Oui, Sérénité. Bien sûr que oui. D'ailleurs, qui d'autre...

– Une dernière question, reprit Bleu. Quel était votre rôle dans l'opération ?

– Mon rôle à moi ?

Le prisonnier lui décocha un sourire étincelant :

– Je donnais mon sang. Il se trouve que j'ai l'honneur d'être du même groupe sanguin que votre illustre père. J'étais là simplement en cas d'urgence. J'aurais bien sûr été enchanté de pouvoir rendre service, à ma mesure, à l'illustre Apatura.

Holly Bleu l'observa un moment, puis déclara :

– Merci, monsieur. Vous avez été très serviable.

Elle ignora la main que l'homme lui tendait et frappa à la porte, qui s'ouvrit aussitôt. Derrière elle, la voix de Blafardos s'éleva :

– Vous n'oublierez pas de parler à votre frère, n'est-ce pas ?

★

Blafardos mentait. Il mentait comme il respirait. La Princesse sentait que le récit qu'elle venait d'entendre était truffé d'incohérences. D'imprécisions. De bizarreries. Elle ignorait la vérité. Mais elle savait que quelqu'un lui avait caché quelque chose. Et elle n'aimait pas ça.

– Satisfaite, Sérénité ? s'enquit le Gardien.

– En un sens.

– Où va-t-on, à présent ?

– Au palais. Et vite. J'ai un mot ou deux à dire à Pyrgus.

176

— **A**rrête de me MENTIR ! cria Bleu. Je n'ai pas dormi de la NUIT, je suis allée voir cette HORREUR de Blafardos, et je n'en peux PLUS de tes MENSONGES !

Pyrgus ne réagit pas tout de suite. Pourtant, il avait l'air mieux que quelques heures plus tôt. Son bras était bandé. Sous sa chemise, son torse aussi était bardé de pansements. Il semblait cependant avoir récupéré. Seuls deux grands cernes noirs laissaient supposer qu'il n'avait pas beaucoup dormi, lui non plus.

— C'était très... très confus, lâcha-t-il. Qui peut prétendre se souvenir de ce qui s'est passé pour de bon, chez Noctifer ?

— Comma, par exemple, répondit sa sœur.

— Que t'a-t-il dit ?

— Que tu avais... que tu avais coupé la...

La Princesse n'acheva pas sa phrase. Elle s'assit. Épuisée par la nuit précédente, elle était à bout de nerfs.

— Tu le crois ? demanda son frère.

— Non. Heureusement. J'espère qu'il m'a menti... Mais Blafardos... Pourquoi m'a-t-il menti, lui ?

— Parce que je lui ai promis de lui rendre sa liberté s'il oubliait ce qu'il savait, déclara Pyrgus.

— Je ne comprends pas.

— Pour qu'il ne me fasse pas chanter, j'aurais dû le tuer. Et j'en avais assez de jouer avec la mort.

— Je... je ne comprends toujours pas.

— Ce n'est pas Noctifer qui a ressuscité Papa. C'est moi.

Bleu fixa son frère. Il plaisantait. Il plaisantait forcément. Entre Comma qui l'accusait de l'avoir tué et lui qui s'accusait de l'avoir ressuscité, il y avait de quoi se perdre !

— Ça non plus, je ne le crois pas, déclara-t-elle d'une voix tremblante.

— J'avais peur de devenir empereur, murmura Pyrgus. Tu sais à quel point je suis nul pour la politique, les négociations, la diplomatie... Je serais incapable de mener l'armée à la bataille. Détruire une usine de colle abandonnée, oui, c'est à mon niveau. Une vraie bataille, non. Le Royaume tomberait en lambeaux si je devenais empereur. Je ne suis pas à la hauteur de Papa. Les Fées de la Nuit en profiteraient pour tenter de s'emparer du pouvoir. Il y aurait des guerres, le chaos partout...

– Donc tu as ressuscité Papa ?

– Je n'avais pas d'autre idée pour sauver le Royaume.

– Arrête avec les grands mots ! C'est illégal ! C'est horrible ! C'est interdit !

Pyrgus baissa la tête.

– Je ne suis pas fier de moi, avoua-t-il.

– On s'en moque, de ta fierté ! rugit sa sœur. Comment as-tu pu ? Comment...

Elle s'arrêta et posa *la* question qui s'imposait :

– Comment as-tu réussi ?

– Je suis allé voir un nécromancier.

– Une Fée de la Nuit ?

– Oui. Il n'y a qu'elles qui...

– Tu es fou, lâcha-t-elle.

– Je sais.

– Non, tu ne sais pas. Que tu veuilles ressusciter Papa, déjà, c'était fou. Mais que tu ailles solliciter une Fée de la Nuit pour le faire, alors qu'un nécromancier est le seul à pouvoir contrôler les zombies qu'il a réveillés... c'est de l'inconscience ! Tu devais te douter que ça ne *pouvait* pas bien finir, non ?

Pyrgus acquiesça, sans piper mot.

– Raconte, exigea Holly Bleu. Raconte *tout*.

177

Pyrgus avait échappé à la surveillance de ses gardes du corps royaux lorsqu'il marchait entre le quartier de Bon-Marché et la porte Nord. Il s'était faufilé dans le labyrinthe d'étroites venelles pleines de monde qui conduisaient à Pushorn*. Il avait la main sur la garde de son nouveau couteau halek. Précaution élémentaire pour se hasarder dans l'un des quartiers les plus dangereux de la ville. Le Prince n'avait jamais eu peur de s'y promener ; mais se faire dérober sa bourse à cet instant aurait été trop bête. Il se doutait qu'il aurait besoin de tout l'or qu'il avait apporté avec lui, jusqu'à la dernière once.

Le crépuscule lugubre s'obscurcissait lentement, sombrant peu à peu dans une nuit d'encre. Çà et là, on allumait des torches. Pas de globes lumineux dans les rues, ici. « Budget insuffisant », affirmait le conseil du quartier. En réalité, les globes lumineux ne mettaient pas longtemps avant d'être détruits, même lorsqu'on avait pris la précaution de les entourer de sortilèges de protection. Inutile d'en installer de nouveaux.

Ici habitaient un étrange mélange de Fées de la Nuit, de rebuts des Fées de la Lumière, de Trinians violets, de glaistigs* à moitié sauvages, d'endolgs presque à l'état naturel ainsi qu'une bande de sorciers haleks drogués jusqu'aux yeux, qui dénichaient dans ces ruelles des doses de musique simbala à moindre coût. Habiter Pushorn, c'était vivre dans un quartier délabré, malfamé, inquiétant ; mais c'était aussi, en contrepartie, avoir une chance de se tapir à l'abri des autorités pour pratiquer sans grand risque des activités clandestines.

Il régnait dans le coin une odeur caractéristique, mélange de sueur et de fumées diverses. Pyrgus n'avait rien d'un snob. Pourtant, il avait grimacé en percevant les senteurs poivrées émanant de la foule qui s'enfonçait dans le noir, en quête de plaisirs interdits.

Soudain, un coup puissant l'avait projeté en arrière.

– Tu m'pousses, là, t'cherch' la cogne ? avait grondé un mala-
bar en blouson de cuir élimé.

– Désolé, avait murmuré Pyrgus en se dépêchant de filer.

Mieux valait garder profil bas pour ne pas être reconnu. Il
n'avait employé qu'un sortilège d'illusion minimal, destiné à
brouiller ses traits et à modifier la couleur de ses cheveux.

Le Prince avait pressé le pas. Il avait appris par cœur son
chemin. Toutefois, se repérer dans le dédale de ruelles peu éclai-
rées tenait du miracle. En outre, il ne voulait demander sa route
à aucun prix. Trop risqué. Résultat, il lui avait fallu presque une
heure pour dénicher l'allée Gruslut. Du moins avait-il supposé
que c'était elle : les autres voies étaient obscures, quand celle-ci
était *noire*. Pas un flambeau. À peine si, çà et là, quelques pâles
lueurs filtraient des volets clos.

Le Prince s'était arrêté, le temps de s'habituer à cette luminosité minimale. Quelques instants plus tard, il avait réussi à
distinguer des formes et repris sa marche.

Ce qu'il avait vu n'était pas engageant. Les bâtisses de trois
à quatre étages, comme ailleurs dans Pushorn, avaient connu
des jours meilleurs. Le plâtre se craquelait par endroits ; la pein-
ture s'était écaillée ; des fissures zébraient les façades ; certains
murs semblaient même de guingois, comme s'ils avaient été sur
le point de s'écrouler sur la rue (« sans doute un problème de
fondations », conclut Pyrgus, qui se souvenait vaguement de ses
cours d'urbanisme).

Le Prince n'était pas sûr à cent pour cent d'être arrivé à destination : une partie de la plaque censée indiquer le nom de
la rue était détruite. Cependant, il avait décidé de tenter sa
chance. L'endroit était assez glaçant pour correspondre à ce qu'il
cherchait.

178

Au moment de frapper à la porte bleue qu'on lui avait indiquée, Pyrgus avait eu un éclair de lucidité. Ce qu'il s'apprêtait à accomplir était illégal, extrêmement dangereux et moralement défendu. Et néanmoins, il *devait* l'accomplir.

Depuis la mort de son père, il s'était attaché à faire bonne figure devant Holly Bleu, bien qu'il sût qu'il ne pouvait pas devenir empereur. Il en était incapable. Il n'était pas taillé pour ces responsabilités. Le conflit qui l'avait opposé à son père était parti de là. Apatura avait toujours voulu qu'il se comportât en Empereur héritier ; et Pyrgus n'en avait jamais éprouvé le désir. Jamais. Lui rêvait d'une vie normale. Celle qu'il était venu chercher ce soir.

Il frappa. Attendit.

Aucune réaction.

Il allait frapper derechef lorsqu'il entendit des bruits dans la maison. Quelqu'un approchait à pas lents, mesurés. Le Prince retira sa main, le cœur battant.

La porte s'entrouvrit. Deux yeux noirs luisants le fixèrent dans les ténèbres.

– Êtes-vous... Pheosia Gnoma ? chuchota-t-il dans un filet de voix.

– Oui, susurra son interlocuteur.

La voix craquait à la manière de feuilles mortes écrasées.

– Entrez, Majesté, continua Gnoma. Nous vous attendions...

179

Derrière la porte bleue, un couloir étroit plongeait presque vers un tout petit escalier en bois.

Pyrgus avait suivi la silhouette voûtée, au crâne rasé, dans un sous-sol à peine éclairé, qui sentait la poussière et le moisi. Pas de globes lumineux. Quelques flambeaux fumaient. Des grimoires d'arcanes étaient alignés sur des étagères au mur. Un placard ouvert laissait entrevoir une collection de crânes. Sur un tabouret, dans un coin, était assemblé un nécessaire d'alchimiste. À côté, on avait posé une flûte taillée dans un os de jambe humaine.

– Vous savez qui je suis ? avait demandé le Prince.

– Bien sûr, Majesté, avait murmuré l'homme. Votre sortilège est inefficace, ici.

Pyrgus observa son interlocuteur. Impossible de deviner l'âge de Pheosia Gnoma. Il avait les yeux en amande et les pupilles de chat qu'ont les Fées de la Nuit. Deux de ses dents de devant se terminaient en pointes, conférant à Pheosia une étrange tête de vampire.

– Qui d'autre est là ? s'était enquis Pyrgus.

– Personne, Majesté.

La voix de Pheosia était à peine perceptible.

– Vous avez dit « *nous* vous attendions »..., avait objecté le Prince.

– Oh, je voulais dire : moi et les esprits qui m'assistent !

Pyrgus avait opiné. Gnoma ne ressemblait pas à ce à quoi il s'était attendu. L'homme avait un regard affamé. Très perturbant. Il ne quittait pas son interlocuteur des yeux, et le Prince se sentait de plus en plus nerveux. Vite, faire ce qu'il y avait à faire ; puis filer.

– Je veux que vous ressuscitiez mon père d'entre les morts, avait donc déclaré Pyrgus.

Gnoma lui avait indiqué un siège, près d'une frêle table en bois. Puis il avait placé un petit gobelet devant lui. Il l'avait rempli d'un liquide bleu tiré d'une bouteille à col de cygne.

Son visiteur l'avait fixé d'un œil incertain. L'homme avait souri, dévoilant les espèces de crochets de serpent qui lui tenaient lieu d'incisives.

— C'est du vin *libatrix*, avait-il affirmé. Une simple décoction d'herbes qui prolonge la vie et éclaircit l'esprit.

Il avait sorti un deuxième verre, s'était servi à la même bouteille et avait avalé le contenu d'une seule gorgée.

— Vous voyez ! s'était-il exclamé, toujours en chuchotant. Aucun danger ! Enfin, Majesté, réfléchissez : je serais bien bête d'empoisonner mes clients.

Pyrgus avait hésité, puis il s'était décidé et avait bu une petite gorgée de son verre. Le liquide était glacé, revigorant et légèrement sucré.

Gnoma avait posé ses deux mains sur la table, paumes à plat :

— Ressusciter votre père risque d'être difficile.

— Je m'en doute.

— *Très* difficile.

Le Prince l'avait rassuré en posant sa bourse sur la table :

— Je paierai le prix qu'il faut.

— Ce n'est pas une question d'argent.

Pyrgus ne l'avait pas cru. Avec les Fées de la Nuit, tout était toujours une question d'argent.

— Alors, vous ne pouvez pas le ressusciter ?

— Si, si...

Une goutte s'était formée sur le bout du nez de Pheosia, qui avait reniflé bruyamment pour la faire disparaître.

— Les méthodes existent, avait-il continué, son opération accomplie. Hélas, la technique la plus efficace n'est pas...

Il s'était tu. Le Prince s'était impatienté :

— N'est pas *quoi* ?

— Eh bien, euh... légale.

— Je suis l'Empereur. La loi, c'est moi !

— Vous n'êtes que l'Empereur héritier, Majesté. Mais j'entends votre argument. Cependant, je dois vous avertir. La méthode que j'envisage d'utiliser n'est pas seulement contraire à la loi *juridique*. Elle est aussi contraire à la loi *spirituelle*. Et celle-ci, même si vous étiez l'Empereur pourpre, resterait hors de votre ressort.

– Je dois parler avec mon père ! avait rugi Pyrgus.

Il s'était levé si rapidement qu'il avait fait tomber son tabouret.

– Je suis l'Empereur héritier, avait-il rappelé, et, à ce titre, je vous ordonne de ressusciter mon père d'entre les morts !

Gnoma était resté assis, un sourire réjoui aux lèvres :

– Dans ce cas, avait dit le nécromancier, apportez-moi le cadavre d'Apatura Iris.

180

Le laboratoire de Gnoma était une chambre stérile et aveugle, située en sous-sol, d'où se dégageait une curieuse odeur de soja. Un four d'alchimiste brûlait dans un coin, près d'une enclume de forgeron. Un placard entrouvert laissait apparaître des alambics de toute taille.

Au centre de la pièce on avait installé un lit métallique à roulettes, d'environ deux mètres, entouré de globes lumineux aux halos très puissants. À côté, sur un chariot, de nombreux instruments médicaux très impressionnants étaient alignés. Par comparaison, les outils du Tatoueur royal n'étaient que des jouets pour nourrissons !

Près du lit, une grande caisse en bois.

– Personne d'autre n'est au courant que le colis est ici ? s'était informé Gnoma.

– Non. Sauf le commissionnaire. Mais il ne sait pas ce qu'il a transporté.

– Quand l'opération aura commencé, il sera trop tard pour arrêter le processus. Je dois donc vous redemander : Prince Pyrgus Malvae, souhaitez-vous toujours que je ressuscite votre père d'entre les morts ?

– Je...

– Dites : « Oui, je le souhaite. »

– Oui, je le souhaite.

– Ouvrez le cercueil, avait ordonné le nécromancier.

Prince en titre, Empereur choisi et Empereur héritier, Pyrgus était habitué aux égards. Mais il était engagé dans une opération interdite et il ne pouvait pas vraiment exiger d'être traité comme il l'eût été en temps normal. Agenouillé devant le cercueil, il avait murmuré une brève prière pour demander pardon. Puis avait appuyé son pouce contre la serrure, qui avait émis un clic sonore. Un mécanisme bien huilé s'était déplacé, et le cercueil avait été prêt à être ouvert.

Pyrgus avait levé les yeux vers Gnoma, dont le regard brillait.

— Ouvrez, avait répété Pheosia.

Le jeune homme avait inspiré un grand coup avant de repousser le couvercle, qui avait coulissé sur ses gonds avec un horrible craquement. À l'intérieur, la dépouille de son père reposait sur un lit de paille propre.

Un sortilège dit d'« imputrescibilité » avait empêché le cadavre de se décomposer. Cependant, le savoir-faire, le talent et l'application réunis de l'Embaumeur royal n'avaient pas permis d'effacer les ravages causés par la décharge de plomb tirée à bout portant dans le visage d'Apatura Iris.

Pyrgus s'était mis à pleurer, et ses larmes abondantes brouillaient sa vision.

— Mettez le corps sur la table d'opération, avait susurré le nécromancier.

Le jeune homme s'y était attendu. Il s'était penché sur le cercueil et, pour la première fois depuis sa tendre enfance, il avait enlacé son père. Un sortilège de flottaison rendait le corps presque aérien – aussi léger que du duvet de chardon. Pyrgus s'était redressé, le cadavre dans les bras et l'avait placé sur la couchette en sanglotant.

— Sur le ventre, avait exigé Gnoma.

— C'est obligatoire ?

— Nous devons pouvoir accéder à sa *luz**...

Pyrgus avait retourné le corps malgré lui.

— Écartez-vous, à présent, avait lâché Pheosia. Votre tâche est terminée.

Le jeune homme avait obéi, bouleversé. Il ne comprenait plus pourquoi il avait bataillé si longtemps et si violemment avec son père. Avec le recul, leurs sujets de discorde lui avaient paru dérisoires. Presque idiots. Sur la table, le corps était inerte. Impassible. Vide. Peut-être allait-il pouvoir s'amender. Arranger la situation. S'expliquer avec Apatura. Mieux valait tard que jamais.

Le nécromancier avait saisi une paire de ciseaux de tailleur et s'en était servi pour entailler le costume funéraire de l'Empereur.

— Qu'allez-vous lui faire ? s'était soudain inquiété le Prince.

— Taisez-vous ! avait soufflé Gnoma. J'exécute votre ordre. Alors, silence !

Les ciseaux avaient coupé le lourd tissu qui recouvrait Apatura comme s'il ne s'était agi que de toile d'araignée. Le derrière impérial était apparu, orné des mêmes tatouages de papillon qui décoraient désormais les fesses de Pyrgus. Pheosia avait saisi un scalpel.

– Qu'allez-vous lui faire ? avait répété le jeune homme.

– Lui ôter sa *luz*, avait répondu Gnoma, agacé.

Et il avait plongé son coutelas dans la colonne vertébrale de l'Empereur.

– Regardez ! avait-il chuchoté peu après, les yeux brillants. Regardez de tous vos yeux !

Il brandissait un bout d'os. Taille : pas plus grand qu'une phalange de pouce. Forme : semblable à une mini-vertèbre, sans les protubérances habituelles. Couleur : blanc étincelant après que le nécromancier l'eut nettoyé.

L'homme avait placé l'os sur l'enclume et ouvert un tiroir du placard dont il avait ressorti un marteau à manche court. Sur la tête métallique de l'outil serpentaient des lignes d'énergie. Gnoma avait jeté un œil à Pyrgus, puis il avait projeté le marteau sur l'enclume avec une violence inouïe. Le bruit avait été assourdissant – un coup de tonnerre. Des éclairs avaient fusé autour de l'enclume...

... qui n'avait pas résisté au choc et s'était brisée en mille morceaux. Le nécromancier avait regardé les débris avec une moue satisfaite. S'était penché dessus. En avait retiré l'os. Intact.

– La *luz* est indestructible, avait-il expliqué.

Pyrgus s'était approché. L'os n'avait pas une éraflure.

– C'est avec la *luz* que Dieu nous ressuscitera au jugement dernier. Et c'est avec celui-là que je vais ressusciter votre père dès à présent...

Le Prince avait clos les paupières pour ne pas en voir davantage.

181

Qu'avait-il fait ?

Pyrgus avait encore deux semaines pour agir. Le temps qui le séparait de la cérémonie du Couronnement. Après, il ne pourrait plus revenir en arrière.

Personne ne savait ce que cela représentait pour lui. Personne n'avait la moindre idée de ce qu'il éprouvait. Ni Henry, ni M. Fogarty, ni même Holly Bleu. Chacun s'attendait à ce qu'il remplît ses devoirs sans broncher. Ils avaient tous décidé pour lui qu'il avait envie d'être empereur. Mais sa peur, pas un ne l'avait devinée.

Même si cette peur n'était rien en regard de la terreur qu'il avait éprouvée depuis qu'il était entré dans cette maison.

Oui, qu'avait-il fait ?

Bien sûr, il ne pouvait pas devenir l'Empereur pourpre. D'ailleurs, ce n'est pas qu'il ne *voulait* pas. Juste qu'il en était *incapable*.

Sans compter qu'il détestait la politique. Il détestait les mensonges et les trahisons. Le double jeu et la corruption. L'hypocrisie et les coups de bluff. Et il savait qu'on ne survivait pas à la tête d'un État sans ces astuces. Son père – cet homme que, en dépit de leurs différends, Pyrgus estimait digne et honorable – s'était parfois compromis dans des actions discutables. Ce qui était une qualité. L'histoire avait montré qu'il avait eu raison de s'y plier. Le Prince se connaissait assez pour être certain que lui n'y serait pas parvenu. Quel qu'eût été le prix à payer. Il se serait arc-bouté sur ses principes sacro-saints... et, ainsi, il aurait coulé le Royaume.

Non, il n'était pas capable de mettre ses pas dans ceux de son père.

Ces pas qui, précisément, arpentaient le couloir et approchaient.

Ç'avait été un moment *très* particulier. Pyrgus n'avait pas douté que Gnoma sût ressusciter les morts. Il était venu pour cette raison. Pour cette raison, il avait subtilisé le cadavre de son père.

Mais, en même temps, il n'y avait pas cru. Les morts sont morts. Point final. Si l'on annule leur sortilège de conservation, les cadavres pourrissent, se transforment en squelettes puis retombent en poussière. Pas moyen d'échapper à ce destin. Pas d'incantation magique pour éviter ce sort.

Mais, en même temps, il y avait cru. Puisqu'il était ici. Et il avait eu raison : *quelque chose* approchait.

Les bruits de pas pouvaient être ceux de Gnoma venu admettre son échec, avec plein d'excuses et d'excellentes raisons pour garder son salaire.

Pyrgus, assis sur une souche, dans la pièce où Gnoma le faisait attendre, s'était crispé.

Enfin, la porte s'était ouverte. Et Apatura Iris était entré.

182

Jadis, Apatura Iris, Chef de la Maison d'Iris, Empereur pourpre du Royaume des Fées, Seigneur Protecteur de l'Église de la Lumière, père de Pyrgus Mavae, avait été un homme stupéfiant. Trop solide pour être vraiment superbe. Et cependant rayonnant. Charismatique. Séduisant. Son port de tête avait été noble ; sa démarche gracieuse.

À présent, c'était un monstre.

Sa colonne vertébrale était tordue depuis qu'on lui avait ôté sa *luz*. Pas étonnant qu'il se déplaçât lentement. Il avait déjà du mal à se tenir debout. Son corps semblait déformé par une douleur perpétuelle.

Le pire étant, sans aucun doute, son visage. La cire utilisée par les techniciens mortuaires était tombée lorsque la vie avait réanimé ce corps. La tête n'était plus qu'une sorte d'énorme plaie béante qui saignait en abondance. Un œil restait intact, luisant sombrement, comme perdu dans la masse de chair déchirée. Le nez avait disparu. La bouche était un simple trou au milieu d'une balafre.

– Père..., avait murmuré Pyrgus.

Il savait pourtant que cette créature n'était plus son père. C'était une coquille vide. Animée par un espoir fou et des pouvoirs démoniaques... mais vide.

La silhouette avait marché dans la direction de Pyrgus, dégageant une puissante odeur de moisi. Elle avait tendu une main vers le Prince et, dans un filet de voix, avait imploré :

– Tue-moi !

183

— Et pourquoi ne l'as-tu pas fait ? demanda Bleu à Pyrgus.
— Tuer Papa ? s'exclama le Prince, sidéré.
— Oui ! S'il était à ce point défiguré... s'il te l'ordonnait... si...
— Je n'ai pas pu.
— Mais...
— Enfin, Bleu ! D'accord, il était dans un état épouvantable... N'empêche, c'était Papa ! J'étais incapable de le tuer. Je venais de solliciter Gnoma pour qu'il le ressuscite d'entre les morts. Et je n'avais aucune idée de ce qui se tramait.
— Tu ne t'étais pas douté que ton nécromancier courrait voir Noctifer ?
— Non. Ni que les choses tourneraient mal à ce point.
Holly Bleu soupira :
— Qu'est-ce que tu t'imaginais ?
— Que j'allais le ramener à la maison, murmura son frère. Que je trouverais un guérisseur pour s'occuper de lui. De son visage. De ce qui n'allait pas. Qu'il redeviendrait empereur, et que tout serait comme avant.
— Et pourtant, tu ne l'as pas ramené à la maison...
— Gnoma m'en a empêché. Il a affirmé que le processus de résurrection n'était pas achevé. Il préférait le garder un moment en observation, le temps que... que son état se stabilise.
— Tu as refusé d'obéir à Papa, mais une Fée de la Nuit, tu l'as crue au point de lui abandonner notre père ?
— Oui.
— Et cette ordure en a profité pour amener Papa à Noctifer !
Pyrgus acquiesça, l'air pitoyable.
— Je me demande comment ils ont réussi à lui donner un aspect présentable, s'étonna Bleu après un silence.
— Un peu d'art de guérisseur pour le gros œuvre, et des sortilèges d'illusion à haute dose. Impeccable, les premiers temps. Sauf que ça ne tient pas. Voilà pourquoi Noctifer avait pro-

grammé l'opération qu'on a interrompue. Ils s'apprêtaient à transplanter un wangaramas dans le ventre de Papa.

La Princesse sursauta. C'était donc ça ! Le vyr aurait permis au corps d'Apatura de mieux fonctionner. Il aurait donné l'illusion de la santé et de la vie dans ce cadavre ambulant. Il aurait permis à Noctifer de laisser croire à la fiction d'un Empereur pourpre qui se remettait juste d'un long coma (et non d'une simple *mort*).

– Blafardos était porteur d'un vyr ? s'enquit-il.

– Oui.

– C'est lui qui t'a dit ce que mijotait Lord Noctifer, lorsqu'on l'a revu, l'autre jour, dans la salle d'opération ?

– Oui.

– Et toi, tu as coupé la tête de Papa !

– Oui. Oui, oui, OUIII !

De nouveau, le silence.

– Que va-t-on faire, maintenant ? s'inquiéta Bleu.

– Rien, répondit Pyrgus sans hésiter. Ce qui est fait est fait. Je n'aurais jamais dû ressusciter Papa. C'était terrible pour lui, et affreux pour le Royaume. Mais j'y ai mis bon ordre. Papa est mort. Mort pour toujours. Noctifer ne pourra pas le ramener à la vie. Personne ne le pourra.

Le Prince prit les mains de sa sœur dans les siennes :

– J'ai beaucoup réfléchi, et j'ai trouvé un plan ! Nous allons nous servir de l'histoire de Noctifer contre lui. Il a affirmé que Papa n'était jamais mort, qu'il était juste tombé dans le coma et que lui, Black, l'avait ramené à la vie. À nous d'expliquer que Papa n'a pas survécu. Il s'est accroché un moment, puis il est mort de ses premières blessures. Noctifer n'osera pas nous contredire. Cela l'obligerait à admettre son implication réelle. La cérémonie du Couronnement aura lieu. Une fois Empereur pourpre, je déchirerai ce pacte imbécile que Noctifer a obligé Papa à signer.

– Impossible, objecta Holly Bleu. Ce traité engage ses héritiers au même titre que le signataire, à savoir Papa. Ton nom est cité sur le papier.

– Je trouverai une astuce, promit Pyrgus. Les choses reviendront dans l'ordre. L'important, c'est que, à part toi et moi, personne ne sache qu'un événement illégal a eu lieu.

– Trop tard, rétorqua la Princesse. Car Comma *est* au courant.

184

Pyrgus ne tenait pas à cette conférence au sommet, mais il finit par céder : Bleu le voulait ab-so-lu-ment. M. Fogarty était présent, ainsi que Mme Cardui et Henry. Le Prince aurait aimé convier Nymphalis.

« Pas question ! avait tranché sa sœur. Nous ne la connaissons pas assez. En plus, elle est d'abord Fée de la Forêt, pas membre de la Maison d'Iris. Elle a beau être plutôt pas trop moche, je ne veux pas prendre le moindre risque. »

Lorsqu'ils furent tous installés dans la salle des Orchidées, porte fermée et sortilèges de discrétion installés, Bleu résuma la situation sans rien cacher. Les nouveaux venus accueillirent les révélations en silence.

– Qu'en pensez-vous ? finit par demander la Princesse.

D'abord, personne ne parla. Puis Henry osa s'exprimer :

– Noctifer est au courant que c'est toi qui as décidé la résurrection, Pyrgus ?

– Oui. Gnoma le lui a dit. Forcément. Mais Black ne peut pas s'en servir contre nous. Sinon, chacun saurait que Papa était mort... et que tout n'était qu'un coup monté par les Fées de la Nuit.

– Moi, je suis d'avis de lever le secret et d'impliquer Noctifer, déclara M. Fogarty.

Holly Bleu se récria :

– Ça va pas !

– Pourquoi ?

– La résurrection est in-ter-dite ! martela-t-elle.

– Et alors ? Qu'est-ce qu'on va faire à Pyrgus ?

– Le *pendre* !

– Vraiment ? reprit M. Fogarty.

– C'est la sanction.

– Même pour l'Empereur héritier ?

– Seul l'Empereur pourpre est au-dessus de la loi. Du moins quand il a été couronné dans les règles. Souvenez-vous : déjà, quand Pyrgus avait dérobé le phénix, Noctifer avait obtenu de le traîner en justice. Qu'il soit Empereur héritier ne change rien.

Alan soupira :

– T'aurais pas pu attendre un peu, Pyrgus ?

Il revint vers la Princesse :

– Supposons que l'affaire tombe sur la place publique.

– Il ne faut pas que...

– Supposons. Que se passerait-il ? Il y aurait un procès ? Qui mènerait l'accusation ?

– Les prêtres. La résurrection d'un mort est une affaire spirituelle.

– Et sa, euh... décapitation ? s'informa Henry.

– Un corps ressuscité est une abomination, déclara Bleu. On ne peut pas punir celui qui renvoie l'âme d'où elle n'aurait jamais dû revenir.

– Mais... mais le corps de ton père n'est pas censé avoir ressuscité, rappela le garçon. D'après Noctifer, l'Empereur n'est jamais mort. Si tu soutiens cette version toi aussi, Pyrgus, tu ne risques rien : on ne peut pas ressusciter quelqu'un qui n'est pas mort !

– Mon cheeer, dit Mme Cardui, si nous nous en tenons à l'histoire de Noctifer et que Comma raconte ce qu'il a vu, nous avons un nouveau problème.

– Pourquoi ?

M. Fogarty se chargea de traduire la pensée de la Femme peinte :

– Réfléchis, Henry. Première possibilité : l'Empereur n'était pas mort, personne ne l'a ressuscité, et Pyrgus lui a coupé la tête – ça s'appelle un meurtre. Deuxième possibilité : l'Empereur était mort, puis on l'a ressuscité ; dans ce cas, la décapitation n'a aucune importance ; en revanche, la résurrection vaudra aussi à Pyrgus une pendaison. Moi, je ne vois qu'une solution : boucler Comma jusqu'à la cérémonie du Couronnement.

– Tu es dur avec ce garçon, Alan ! protesta Cynthia.

– C'est l'affaire d'une semaine ! Quelques jours de confinement dans un palais, il y a pire, non ? Après, le problème n'existera plus. Les Fées ne tueront pas leur Empereur !

Bleu se racla la gorge :

– Si. L'Empereur est au-dessus de la loi à une exception près.

– Le meurtre ? devina le Gardien.

– Le meurtre de son prédécesseur, précisa Pyrgus.

– Selon la loi en vigueur au Royaume des Fées, l'Empereur pourpre possède ses sujets, expliqua la Princesse. Il a donc droit de vie et de mort sur eux. Il peut les exécuter si ça lui chante. Il peut décider de leur assassinat. Il peut pardonner à des meurtriers. Le seul sujet qui ne lui appartienne pas... c'est l'Empereur précédent.

– Et cela, pour une raison évidente : éviter les assassinats au sein de la famille royale, renchérit Mme Cardui.

M. Fogarty grimaça :

– Bref, si Comma parle, Pyrgus est perdu ?

– Il court un grand danger, reconnut Cynthia.

– En menaçant ce gamin, on réussira à le faire se tenir tranquille un moment, supposa Alan. N'empêche, si nous ne choisissons pas une solution plus radicale, nous *savons* qu'il parlera. Tôt ou tard.

– Je vous interdis de le tuer ! s'exclama Bleu. Il est pénible, lourd, insupportable et dangereux, c'est vrai ; il mérite des paires de claques et des coups de pied au derrière ; mais c'est quand même notre demi-frère !

Le Gardien la considéra avec étonnement :

– Le tuer ? Non, je pensais à une stratégie moins... drastique. L'acheter, par exemple. Lui offrir un joujou – un titre, un siège au gouvernement, n'importe quoi qui l'amuse sans lui donner le moindre pouvoir. Quelque chose qu'il soit sûr de perdre s'il venait à jaser.

– Bonne idée ! s'extasia Mme Cardui. Ainsi, Pyrgus pourrait être empereur, et...

– Pyrgus *ne* veut *pas* être empereur, signala Bleu.

– Ça peut s'arranger, la rassura Henry.

Tous les regards se posèrent sur lui.

— Impossible, Henry, affirma Pyrgus, après que son ami eut exposé son plan.

Le garçon énuméra :

— Un, tu ne veux pas devenir empereur ; deux, il n'est pas question que Comma prenne ta place ; et trois, si tu abdiques, le Royaume court droit à sa perte. Je ne vois pas d'autre solution que de transmettre ton titre à la seule personne qui soit en mesure d'assurer ces fonctions...

Le Prince grimaça :

— Écoute, je ne suis pas contre, mais...

— ... ce n'est pas légal, compléta Bleu sans laisser finir son frère.

— Si, si, s'empressa de rectifier Mme Cardui. La disposition existe depuis très longtemps, même si je n'ai pas souvenance qu'elle ait été souvent appliquée.

Elle sourit avant de continuer :

— Le vrai problème, c'est que ça ne peut pas marcher.

— Dans mon monde, ça ne pose aucune difficulté, rétorqua Henry. Et ça marche très bien.

— C'est vrai, Alan ? demanda Cynthia.

— Ça marche, ouais. « Très bien », par contre, me paraît excessif. Y a quand même une différence ! On ne peut pas comparer le travail d'un homme et celui d'une femme...

Henry posa sur lui un regard teinté de mépris.

Cynthia et Holly Bleu aussi.

L'énorme barge impériale s'éloigna de l'Île pourpre en faisant scintiller autour d'elle les petites touches d'or et de rose que l'aube avait déposées sur l'eau. Conformément à la tradition, son départ fut salué par cent un coups de canons annonçant à la population le jour du Couronnement. Mais les gens n'avaient pas l'air d'avoir besoin de cette information. Depuis minuit, ils se pressaient en procession le long de la route qu'emprunterait la barge.

Celle-ci avait tourné au nord-ouest pour se diriger vers la rive nord, à Wirmark, près de la Porte Est. Les sorciers embarqués avaient combiné leurs efforts pour lancer dans l'air deux illusions gigantesques : l'une représentait la Couronne pourpre ; l'autre le papillon, emblème de la Maison d'Iris. Aussitôt, les applaudissements redoublèrent ; et les illusions s'épanouirent. Car ces sortilèges très perfectionnés étaient interactifs : selon le volume sonore et les cris des spectateurs, la couleur et l'ampleur des artifices changeaient.

L'embarcation vira vers Merkinstal, un faubourg du sud encore très agricole. Sur le pas de leurs maisonnettes, les habitants acclamaient la suite impériale. « Pauvres mais loyaux », pensa Pyrgus, touché, derrière une paroi teintée.

Dans les coins reculés, les gens s'habillaient de méchants vêtements cousus main, dans des couleurs sable et ocre ; plus on avançait vers la ville, plus on voyait de tenues satinées et soyeuses, pourvues de motifs où l'originalité le disputait à l'élégance.

L'embarcation continua vers le sud-ouest. Direction le cours principal du fleuve, d'où elle gagnerait le pont de Lohman...

187

Le problème de Henry avait un drôle de nom : il s'appelait
« hauts-de-chausse ».

Le garçon ne serait pas Compagnon lors de la Cérémonie.
L'idée qu'il avait eue l'en empêchait. Il restait toutefois Lame
Illustre, Chevalier de la Dague grise, si bien qu'il devait quand
même s'habiller. « Se costumer », pensa-t-il avec une pointe
d'ironie. Déjà, la chemise et la veste, magnifiques, d'une couleur
variant selon la lumière ambiante, avaient été difficiles à passer.
Mais les hauts-de-chausse, c'était encore une autre paire de
manches. Henry n'en pouvait plus !

En fait, son habit d'apparat avait été taillé trop petit. Et il
constatait avec horreur qu'il avait les fesses compressées, la taille
serrée, et les jambes trop longues de vingt bons centimètres.

Lentement, trrrès lentement, en retenant sa respiration, il se
boutonna. Pesta contre ces fées qui n'avaient toujours pas adopté
le principe merveilleux de la fermeture Éclair ou du Velcro. Eut
l'impression que ses habits lui coupaient le souffle à mesure
qu'il progressait.

Et M. Fogarty s'impatientait :

– Bon, tu te dépêches, Henry ? La barge impériale est partie
depuis des lustres.

– Mon habit est trop serré...

– Oui, ça se voit. T'as vraiment l'air idiot...

Le garçon leva les yeux et foudroya le Gardien du regard.
M. Fogarty, lui, avait choisi le magnifique uniforme – velours
bleu brodé de blanc, grandes chaussettes et mocassins à boucle –
correspondant à l'un de ses moindres titres honorifiques : Grand
Wufnik de Dieu et du Royaume. Henry aurait préféré se faire
amputer des deux chevilles plutôt que de l'admettre, mais le fait
est que son costume étrange allait comme un gant au grand
Wufnik. Avec le tricorne qu'arborait Alan, le garçon se croyait

413

presque devant un amiral à la Lord Nelson[1], comme on en voyait sur les vieilles peintures, debout sur un fier vaisseau de guerre.

– J'ai peur que mon pantalon n'explose si je m'assois, grommela le garçon.

– Tu vas devoir t'asseoir ? s'enquit M. Fogarty.

– Je sais pas. On m'a pas dit ce qui allait se passer pendant la cérémonie. Vous êtes au courant, vous ?

– Ben, non, sinon, je ne t'aurais pas posé la question. Comment tu me trouves, moi ?

– Pas trop mal, grogna Henry.

---

1. Le vicomte Horatio Nelson (1758-1805) est célèbre pour avoir vaincu la flotte française à la bataille de Trafalgar... où il perdit lui-même la vie. *(N.d.T.)*

188

Les Maîtresses de la Soie avaient conçu un nouveau costume pour Bleu. C'était une création incroyable, très élaborée, dont le lustre reflétait les rayons ultraviolets. Résultat, quand on la portait, on donnait l'illusion de déployer des ailes irisées.

La Princesse préférait le précédent. Elle s'apprêtait à ôter le deuxième pour réessayer l'ancien lorsque Comma entra en coup de vent.

— Tu ne peux pas frapper ? cria-t-elle.

— Pourquoi ? marmonna son demi-frère.

— J'aurais pu être toute nue !

— Ben, tu l'étais pas...

Soudain, un rictus gourmand éclaira son visage blême.

— Je peux aller faire coucou aux gens, sur le pont ? demanda-t-il.

— Oui.

— Tu crois que Pyrgus veut bien, lui aussi ?

— Demande-lui.

— Nan.

Le garçon s'aperçut dans le miroir, et ses yeux s'écarquillèrent. Il se jugeait sexy. Très. Son costume immaculé lui seyait à merveille.

Comma était habillé en blanc de pied en cap – chaussures blanches, chaussettes blanches, hauts-de-chausse blancs, chemise blanche, gilet blanc, chapeau blanc. Il se dévora des yeux, souriant de se voir si beau en ce miroir, puis déclara :

— Je vais porter ça tout le temps !

Il pivota sur la droite, puis sur la gauche.

— Pas juste pour la cérémonie, insista-t-il. Tout le temps, tout le temps... Ça me va trop bien.

— Tu vas le salir, tu sais...

— J'utiliserai des sortilèges. Tu me donneras des sous pour payer les sorciers.

La Princesse secoua la tête :

– On verra. Pour le moment, va sur le pont faire ton crâneur, et laisse-moi me préparer. On va accoster bientôt.

– Bientôt ? Tu rêves ! Pas avant des *heures* ! Ils n'ont pas encore ouvert le pont devant nous !

189

La barge impériale approchait. Le Conservateur et ses hommes, vêtus de l'uniforme ancestral attaché à leur fonction, marchaient sur le pont de Lohman, en formation rangée. Une escorte de gardes en livrées pourpres leur ouvrait le passage. Les mesures de sécurité étaient strictes : personne ne devait se trouver sur le pont avant que l'embarcation impériale ne fût passée. Ce qui n'avait pas empêché le public de s'y masser avec un enthousiasme impressionnant.

Le Conservateur s'arrêta devant le mécanisme massif. À son signal, un de ses hommes produisit un grand drapeau cyan. Quelques mètres en dessous, la barge officielle cessa d'avancer d'un coup. Elle gîtait légèrement, pareille à un énorme monstre magnifique qui piafferait d'impatience avant de partir à l'assaut.

— En place ! cria le Conservateur.

Marchant au pas, ses hommes prirent position. Trois d'entre eux se rendirent à la Grande Roue. Les autres saisirent la forêt de cordes et de câbles qui l'entourait.

— Action ! lança le Conservateur.

Une partie de ses hommes tira sur les cordes, tandis que les autres poussaient la Grande Roue. Certains voyaient dans cet exercice une forme d'auspices : si le pont refusait de s'ouvrir, cela augurait mal du prochain règne. On se souvenait du Bon Roi Glaucopsyche, devant qui le pont était resté bloqué deux semaines !

Soudain, un premier craquement retentit, la Grande Roue oscilla, et le pont trembla de plus en plus fort avant de s'ouvrir. Un hurlement de bonheur sortit des poitrines des spectateurs. Sur la barge, une petite silhouette blanche émergea sur le pont. Les applaudissements redoublèrent. Et les deux parties du pont s'écartèrent.

Un mouvement de panique s'ensuivit, le temps que les spectateurs choisissent de quel côté s'enfuir. C'était aussi pour éprouver ce petit frisson que l'on aimait à se placer sur la passerelle... et le plus possible au milieu, où le danger était le plus grand ! Bientôt, chacun ayant regagné la rive, l'embarcation impériale reprit sa progression sous les vivats.

190

Holly Bleu vit sa porte s'ouvrir d'un coup.

– T'as vu ? s'exclama Comma en entrant, tout excité. Ils m'adoooorent ! J'ai juste fait coucou, et ç'a été la folie ! J'ai eu une idée de génie !

– Mais arrête de rentrer comme ça quand je m'habille ! glapit la Princesse.

– Pfff... T'es pas toute nue !

– Ça n'empêche ! Tu dois respecter mon intimité !

Comma considéra sa demi-sœur qui fulminait :

– T'es bien, avec ce truc que tu portes, là...

Aussitôt, Bleu sentit sa fureur la quitter.

– Tu trouves ?

– J't'assure !

– J'ai pas l'air trop vieille, au moins ?

*

– Tu vas faire quoi de ce *truc* pendant la cérémonie ? demanda M. Fogarty.

– C'est de moi qu'on parle ? gronda Flipflop, les mâchoires serrées.

– C'est de Flipflop que vous parlez ? gronda Henry, les mâchoires serrées. Il n'est pas un *truc*.

Le Gardien haussa les épaules et corrigea sa question :

– Qu'est-ce que tu vas faire de ton endolg, pendant la cérémonie ?

– Il vient avec nous, déclara le garçon.

– Je viens avec vous, confirma la créature.

– Je n'ai rien contre, rétorqua M. Fogarty, sinon qu'il est un peu... odorant.

– Il a raison, je pue ! s'exclama Flipflop.

Et il se mit à onduler sur le sol.

– Où vas-tu ? s'inquiéta Henry.

– Ben, prendre un bain !

191

La barge impériale s'écarta de la rive aux abords du quartier de Bon-Marché. Dans le coin, les antiroyalistes restaient menaçants. Un missile était vite arrivé. Cependant, Pyrgus devait constater, étonné, que jusque-là tout allait bien.

Les quais étaient noirs de monde. La foule était si nombreuse et si enthousiaste que ses cris se réverbéraient en écho sur les entrepôts de la rive opposée.

Peut-être Henry avait-il eu raison. Oui, aujourd'hui semblait être un beau jour... Peut-être que l'idée du meilleur ami de Pyrgus allait fonctionner !

*

— Vous croyez que mon idée va marcher ? demanda Henry. Tout allait si vite, à présent. Il avait besoin d'être rassuré.

— Il n'y avait pas d'autre solution, lui répondit M. Fogarty. Et il faut avouer que ça va être intéressant. Surtout quand Noctifer comprendra ce qui se passe.

— Vous pensez qu'il est toujours en vie ?

— J'en suis sûr. Cynthia m'a annoncé que ses informateurs l'avaient vu entrer dans la Cathédrale juste avant les premières lueurs de l'aube. Faut plus qu'une attaque de horde de démons pour régler son compte à cette ordure.

— Il va tenter quelque chose, d'après vous ?

— Laisse-moi me charger de lui.

Une bouffée de parfum saisit Alan et le garçon aux narines.

— Notre ouklo est avancé, annonça Flipflop, pimpant, en entrant dans la pièce.

— Alors, on y va, décida le Gardien. Il vaut mieux ne pas arriver là-bas après la barge impériale.

Ils se dirigèrent vers le véhicule. Au moment de grimper dedans, M. Fogarty se tourna vers Henry, observa son pantalon ultra-moulant, une grimace aux lèvres, puis murmura :
– T'as peut-être intérêt à voyager debout...

192

– **P**ourquoi les démons ont-ils attaqué la demeure d'Oncle Noctifer ? demanda Comma.

Bleu se tourna vers lui et essaya de comprendre le sens de sa question. Car l'ennui, avec Comma, c'est qu'on ne pouvait jamais savoir ce qu'il avait derrière la tête.

Depuis qu'il était venu lui parler la nuit de la décapitation de son père, il n'avait plus mentionné l'initiative de Pyrgus à quiconque. Même quand ils l'avaient informé du plan de Henry, il n'avait pas protesté. La Princesse avait pensé qu'il serait plus pénible. Qu'il formulerait mille et une exigences – et au moins autant de menaces. Mais non. On aurait dit que ces histoires ne le concernaient pas. Il n'avait pas paru très intéressé lorsque M. Fogarty lui avait promis un nouveau titre et beaucoup d'argent qu'il serait libre de dépenser à sa guise.

Holly Bleu en avait déduit qu'il se sentait peut-être coupable d'avoir profité de ce que leur père avait été transformé en monstre par Noctifer. Elle n'en était pas sûre. Ce n'était qu'une hypothèse parmi d'autres. Toujours est-il que, depuis, il avait tenu sa langue aussi bien que s'il avait oublié ce qui s'était passé dans la salle d'opération de Noctifer.

Et voilà qu'il revenait sur cette journée dramatique. Avait-il choisi de les faire chanter au moment où il n'était plus possible de reculer ? La Princesse décida de jouer cartes sur table :

– Je pense que Black a dû fâcher le Prince des démons, et...

– On approche de la Cathédrale, l'interrompit Comma en regardant au-dehors.

L'ennui, avec Comma, c'est qu'on ne pouvait décidément *jamais* savoir ce qu'il avait derrière la tête.

193

Pyrgus aperçut la grande tour qui surplombait la rivière. Dans une vingtaine de minutes – une demi-heure maximum –, ils auraient atteint le ponton de la Cathédrale.

Le Prince inspira et expira à fond. Il avait la sensation que jamais de sa vie il n'avait été aussi nerveux. Pourtant, il savait qu'il avait raison d'agir comme il s'apprêtait à le faire. Plus il tournait et retournait dans sa tête l'idée de Henry, plus il la jugeait maligne. Si seulement il y avait pensé quelques semaines plus tôt au lieu de... au lieu de...

Il se leva. Inutile de ressasser le passé. Mieux valait se concentrer sur ce qui l'attendait. Donc finir de se préparer.

Le manteau d'hermine qu'il devait porter pour la cérémonie du Couronnement était suspendu dans la penderie de sa cabine. Il le prit, le plaça autour de ses épaules et regarda son reflet dans la porte vitrée.

Pyrgus pensa à son père, qui avait porté le même manteau pour son Couronnement.

Il pensa à sa mère, qui n'avait été Reine des Fées qu'un très bref laps de temps.

Puis il sortit sur le pont doré de la barge impériale, laissant ses sujets l'acclamer, tandis que l'embarcation s'approchait du ponton de la Cathédrale sans se presser.

194

L'ouklo cessa de léviter. Il se posa en douceur, encadré par des soldats de la Garde impériale, et, de chaque côté, par une foule compacte qui criait, sifflait et applaudissait à tout rompre.

Henry en émergea, surpris d'être accueilli par un garde-à-vous impeccable des hommes en uniforme pourpre. Il pivota et comprit que le salut s'adressait en fait à M. Fogarty. Depuis que le vieil homme avait été officiellement restauré dans ses fonctions de Gardien, on l'avait chargé de coordonner l'ensemble du dispositif de sécurité ; chaque garde lui devait donc obéissance et respect.

Alan sortit à son tour du véhicule, rendit leur salut à ses hommes puis interpella son capitaine.

– Tout le monde est là ?

– Oui, monsieur.

– Lord Noctifer est repéré ?

– Oui, monsieur.

– Le dispositif est en place ?

– Oui, monsieur.

– Vous avez positionné ma plaque comme prévu ?

– Oui, monsieur.

Perdu par ce dialogue, Henry se détourna pour admirer la Cathédrale.

L'édifice était gigantesque. Les plus grands édifices religieux qu'il connaissait paraissaient ridiculement petits en comparaison. Et cependant, la taille était moins impressionnante que l'architecture elle-même. Malgré ses dimensions imposantes, le bâtiment semblait effilé, léger, délicat, prêt à s'envoler au premier coup de vent. Impression trompeuse : la Cathédrale avait sept siècles d'âge, pendant lesquelles elle avait survécu sans dommage... y compris quand une météorite l'avait frappée de plein fouet !

– Le Prince Pyrgus ? demanda M. Fogarty.

– La barge impériale accostera dans cinq minutes, annonça le capitaine. Regardez, on la voit par là.

– Parfait.

Le Gardien posa une main sur l'épaule de Henry.

– Venez, jeune Lame Illustre. Nous allons prendre nos sièges.

C'était le moment que le garçon redoutait le plus. Il allait devoir s'asseoir, et ses hauts-de-chausse étaient toujours aussi serrés.

195

À peine entré dans la Cathédrale, Henry se figea, ébahi par les rangées de chaises – peut-être des milliers – qu'il apercevait, toutes occupées par les plus grands nobles du Royaume des Fées. Chacun d'entre eux rivalisait avec son voisin en magnificence et en élégance. Les costumes étaient d'une beauté et d'une richesse à couper le souffle.

Le garçon repéra le coin des Trinians – avec leurs tenues aux couleurs vives et bigarrées –, celui des sorciers haleks – qui avaient choisi des costumes splendides et solennels à la fois... et celui qu'occupaient les représentants officiels de races dont il n'avait jamais entendu parler. Le bourdonnement puissant de leurs conversations était étourdissant.

– Salut, Henry ! lança une voix douce sur sa gauche.

Le garçon tourna la tête vers la jeune fille qui l'appelait... puis la reconnut. Nymphalis ! Elle avait abandonné son uniforme vert pour passer un costume en fourrure qui évoquait au garçon Conan le Barbare... en plus distingué !

– Salut, Nymphe ! répondit-il. Sympa, ta tenue !

La Fée se pencha vers lui et lui souffla à l'oreille :

– Je voulais assister au couronnement de Pyrgus, mais pas question qu'on sache que je viens de la forêt !

– Ça ne risque pas ! affirma le garçon, avant que M. Fogarty ne le tirât par le bras pour qu'ils gagnent leurs places.

En avançant dans l'allée centrale, Henry s'aperçut que, contrairement aux églises qu'il connaissait dans le Monde analogue, l'autel de la Cathédrale était situé au cœur de l'édifice. C'était un gros cube doré. Au-dessus flottait une petite sphère de lumière qui attirait irrésistiblement le regard.

– Qu'est-ce que c'est ? s'enquit-il.

– Un truc pour manifester la présence de Dieu, expliqua M. Fogarty. Même si ça m'étonnerait qu'Il se déplace souvent...

Le Grand Wufnik et Lame Illustre se dirigèrent vers l'autel. Alan s'inclina devant le trône vide. Henry l'imita, en évitant de trop se baisser : il sentait son pantalon au bord du craquement.

– Maintenant, suis-moi, souffla le Gardien. On est placés côte à côte.

Il entraîna son jeune ami vers deux sièges vides qui surplombaient directement l'autel. Deux plaques de cuivre étaient frappées à leur nom.

– Salut, Blackie ! lança M. Fogarty, tout sourires. Content que tu sois venu !

Son interlocuteur grimaça mais ne répondit pas. Henry s'assit avec mille précautions (au moins). Constata avec soulagement que son pantalon s'étirait sans se déchirer. S'il n'était pas à l'aise, il restait décent. C'était déjà ça.

Une fois assis, il se rendit compte que la personne à laquelle M. Fogarty s'était adressé n'était autre que... Lord Black Noctifer.

196

Bleu rejoignit Pyrgus sur le pont de la barge impériale. Les applaudissements continuaient de crépiter sur les quais.

— Ça va ? chuchota-t-elle.

Le Prince inspira un bon coup avant d'acquiescer. Sa sœur reprit :

— Tu peux encore changer d'avis, si tu...

— C'est trop tard. Mais, de toute manière, je n'en ai pas envie.

— Qu'est-ce que tu comptes faire, euh... après ?

— On verra. Demain sera un autre jour, et aujourd'hui me semble assez chargé...

Un léger grattement s'éleva au moment où l'embarcation accostait. Un tapis doré se déroula devant les jeunes gens. Ils s'entreregardèrent une dernière fois.

— Allez, souffla Pyrgus. Au travail !

Ils s'avancèrent sur la route éclatante qui s'ouvrait devant eux.

— Longue vie au roi Pyrgus ! cria soudain quelqu'un, couvrant le brouhaha et les bravos. Longue vie à notre Empereur pourpre !

Aussitôt, des milliers de voix reprirent en chœur le slogan :

— LONGUE VIE AU ROI PYRGUS ! LONGUE VIE À NOTRE EMPEREUR POURPRE !

Pyrgus rajusta son manteau d'hermine puis, à pas comptés, il suivit sa sœur vers la Cathédrale.

197

Une fanfare éclata. Henry sursauta et se détourna de Lord Noctifer. Il se pencha en avant et se contorsionna pour voir Bleu et Pyrgus arriver. Raté : ce n'était qu'une procession de prêtres et de sorciers vêtus de magnifiques habits de soie.

— Le clown avec la barbe et les cheveux s'appelle Podalirius, annonça M. Fogarty à Henry. C'est l'archimandrake ; et c'est lui qui va officialiser le Couronnement.

Le dignitaire dont parlait le Gardien était grand, bâti comme un garde du corps personnel de l'Empereur, et doté d'une chevelure noire si abondante qu'elle cachait presque entièrement son visage. Il se positionna derrière le trône vide. Les prêtres se placèrent en demi-cercle autour de lui. Des servantes d'autel apportèrent les jarres et les minuscules aiguières d'argent contenant onctions, chrêmes et diverses huiles consacrées.

Les trompettes jouèrent derechef, et Pyrgus entra dans la Cathédrale. Holly Bleu le suivait, un pas derrière lui. Le Prince avançait tête nue. Il avait ôté sa perruque spéciale, si bien que sa tonsure apparaissait au grand jour. En temps normal, Henry n'aurait eu d'yeux que pour Bleu. Mais cette fois-ci, il regarda avec grande attention Pyrgus s'approcher du trône.

198

– **A**lors ? lâcha M. Fogarty à son voisin de derrière, sans se retourner.

– Alors quoi ? demanda Noctifer.

– Vous avez quelque chose en vue ?

– Quel genre ?

– Pour tuer l'Empereur, Black. Vous avez des sortilèges d'illusion en réserve ? Des vyrs surnuméraires, peut-être ?

– Ha-ha. Je constate que vous avez ouï cette folle rumeur comme tout le monde, Gardien...

– Oui, mais moi, je l'ai entendue de source sûre.

– Dans ce cas, dommage que vous ne puissiez rien prouver, n'est-ce pas ?

– Je ne peux rien prouver *dans l'immédiat*, reconnut Alan. Mais si vous veniez à retenter votre chance...

– Retenter ma chance ? Pour quoi faire ? J'ai ceci !

Le chef des Fées de la Nuit tira un rouleau de parchemin de sous sa veste tandis que les prêtres entamaient une incantation puissante, leurs voix résonnant sous la haute voûte de la Cathédrale.

– Qu'est-ce que c'est ? demanda M. Fogarty.

– Une copie de l'acte signé par feu le regretté Apatura Iris, lorsqu'il s'est réveillé de son coma. L'acte demeure valable, même si l'Empereur n'est plus... et ne sera plus.

– Je ne doute pas de sa validité.

– Vous ne doutez pas non plus qu'il soit valable y compris pour son fils, je suppose. Souvenez-vous ! La clause cinq est formelle. Le Prince Pyrgus y est mentionné en toutes lettres. Dès qu'il sera couronné, il sera lié à son tour par ce traité.

– Voyons, vous vous emballez ! Laissez-le au moins jouir de son jour de gloire.

Noctifer rangea son parchemin et reprit, un sourire aux lèvres :

– Les temps vont changer, Gardien. Hélas, je crains que vous

430

ne soyez pas assez longtemps des nôtres pour l'apprécier comme de juste...

Les psalmodies cessèrent soudain. Pyrgus s'assit sur le trône. Bleu prit place à sa droite. Podalirius versa un peu d'huile sacrée sur son pouce. Deux prêtres s'avancèrent. Ils portaient la couronne impériale, sertie d'améthystes et auréolée d'une lumière pourpre.

L'archimandrake traça un signe sacré sur la partie tonsurée du crâne de Pyrgus.

– J'oins la tête que Dieu a choisie pour porter la couronne ! proclama-t-il.

Le visage de Pyrgus resta impassible.

Du chœur de l'église, un chœur de femmes entonna une mélodie. Leurs voix claires, aiguës, parfaitement accordées, montaient et plongeaient comme des oiseaux goûtant leur liberté dans un matin de printemps. Un chœur d'endolgs, aux organes plus graves, se joignit bientôt à elles. Une procession de moines partit du fond de la Cathédrale et se dirigea vers l'autel en chantant avec la solennité requise. Les trois chœurs formaient un ensemble admirable. Henry n'avait jamais rien entendu de plus beau.

Podalirius prit la couronne impériale, la brandit devant l'assemblée puis la posa sur la tête de Pyrgus. Des éclairs bleus et pourpres apparurent. Aussitôt, un silence total se fit. L'archimandrake se tut quelques instants, puis il s'écria :

– Peuple, acclamez votre Empereur !

199

Du coin de l'œil, Henry voyait un sourire satisfait relever les commissures des lèvres de Lord Black Noctifer. M. Fogarty paraissait indifférent à ce qui se passait. Il se laissa juste aller à commenter :

— Et maintenant, la première proclamation de l'Empereur !

En effet, Pyrgus s'était levé. Si la couronne devait peser lourd sur sa tête, il n'en laissait rien paraître.

Il parla d'une voix douce, que le sortilège d'amplification enveloppant le trône apporta jusqu'aux moindres recoins de la Cathédrale.

— Il est de tradition, commença le jeune homme, que l'Empereur fasse sa première proclamation ici même, dans cet édifice, juste après avoir été couronné. Je n'y manquerai pas en ce jour. J'annonce donc, et cela prend effet immédiatement, mon abdication sans condition en faveur de ma sœur, Sa Sérénité la Princesse Holly Bleu, qui, par la présente proclamation, devient Reine des Fées et Impératrice souveraine du Royaume, Championne de...

À cet instant, le sortilège d'amplification ne suffit plus. Le choc avait d'abord saisi l'assistance ; elle laissait à présent éclater sa stupéfaction. Noctifer était debout, son parchemin à la main.

— Il ne peut pas abdiquer ! rugissait-il.

— Et pourtant, c'est ce qu'il vient de faire ! répondit M. Fogarty avec flegme.

— Il n'a pas le droit !

— Ah bon ? Relisez-moi donc cette clause cinq, je vous prie... Je n'ai pas souvenance qu'elle concerne Holly Bleu. Me trompé-je ?

La Fée de la Nuit le fixa, le regard en feu :

— Ce n'est pas fini, Gardien !

– Je suis bien d'accord... Ça commence, ça commence à peine !

– Vous et moi, nous savons le crime que Pyrgus a perpétré. Croyez-moi, je vais traîner ce traître en justice !

– Je crains pour vous que l'Impératrice ne pardonne à son frère, Blackie. Et vous savez quoi ? Je pense qu'elle pourrait même en faire sa première déclaration.

Épilogue

Henry se demanda pourquoi il se sentait si triste.

Il n'y avait pas de quoi. Il avait eu une excellente idée. Son plan avait fonctionné à merveille. Grâce à lui, Holly Bleu, sa chère Holly Bleu, était devenue la Reine des Fées. Étant donné sa position, ses titres, ses obligations, bref, vu son nouveau statut, son amie n'aurait plus le temps de le voir. Évidemment. Quelle importance ? L'essentiel, c'était :

- qu'elle avait été sacrée impératrice ;
- qu'elle serait sans aucun doute une excellente guide pour les Fées ;
- qu'elle avait pardonné à Pyrgus dès sa première proclamation, de sorte que Noctifer ne pouvait pas la faire chanter en menaçant de révéler le crime du Prince ;
- que tout était pour le mieux dans le meilleur des mondes, et que tout le monde était content.

C'était ça, l'essentiel. Pas autre chose.

Personne n'en avait rien – mais alors là, rien de rien – à fiche que Bleu n'eût plus une seconde à consacrer à Henry. C'était normal. Objectivement, qui était Henry ? Un simple humain. Pas un héros. Pas un sorcier. Pas même une simple fée. Il n'avait pas le moindre intérêt. Il avait joué son rôle, point à la ligne.

Et c'était très bien comme ça. Vraiment. Henry n'avait aucun reproche à adresser à Bleu. Il n'y pensait même pas, d'ailleurs. Ils ne sortaient pas ensemble, avant. Ils s'étaient embrassés ? Oui, et alors ? Bleu restait juste une amie. Donc il devait se féliciter de son succès.

Pourtant, il n'était pas enchanté.

Il était le contraire de réjoui. Triste, voilà : il était *triste*. Sans doute l'approche du départ. Il allait rentrer chez lui avec des mains multicolores, même si cela se voyait un peu moins, maintenant. Il allait devoir s'occuper de la maison de M. Fogarty. Et affronter de nouveau Alicia. Ça, c'était déprimant. N'importe qui s'apprêtant à affronter Alicia aurait été fatigué à l'avance. Et triste.

Voilà pourquoi il se sentait mal. À cause d'Alicia. Rien à voir avec Holly Bleu. Rien de rien.

Puisque tout le monde était content...

Henry ferma la porte de ses appartements. Essuya une larme qui était venue couler sur sa joue. Ôta aussitôt ses saletés de hauts-de-chausse dorés. Se sentit tout de suite soulagé – à un point incroyable. Se dirigea vers sa garde-robe pour y choisir le pantalon le plus confortable qu'il pourrait trouver.

C'est alors qu'il la vit.

Elle était sur sa table de chevet. Une rose, avec d'étranges gouttes sur ses pétales (alors qu'il faisait chaud, dans sa chambre). À côté de la fleur, un petit flacon abritait un liquide couleur ambre.

Henry le déboucha et le porta à son nez. Peut-être un parfum. Mais discret, alors, car l'odeur, certes agréable, n'était pas très prononcée. Avec précaution, il fit tomber une goutte sur le bout de sa langue.

Et il eut aussitôt l'impression que son corps vibrait, secoué par une explosion silencieuse. Sa tristesse s'évapora comme rosée au soleil. Il était extatique. Sa chambre, le palais, le monde s'étaient dissous, remplacés par les palpitations exaltantes d'une pure lumière blanche. Il était l'absolu et l'infini, le zénith et l'éternité...

Son bonheur intense dura l'éternité, et cessa une seconde plus tard.

Ses mains tremblaient toujours quand il reboucha le flacon.

En observant la petite bouteille, il s'aperçut qu'il y avait une inscription discrète, gravée sur le verre :

Essence d'amour

Il se demanda qui pouvait bien lui avoir envoyé l'élixir.

GLOSSAIRE DES MOTS ET LIEUX FÉERIQUES
établi par l'auteur

ABRÉVIATIONS UTILISÉES

FDF : *Fée de la Forêt*
FDL : *Fée de la Lumière*
FDN : *Fée de la Nuit*
HMN : *humain (homme ou femme)*

Aciel : petite arme facile à dissimuler, très répandue chez les soldats des Fées. Entraîne une éruption volcanique localisée sur le point d'impact. Usage déconseillé dans des espaces clos, car son utilisateur serait alors en danger.

Analogue, monde : terme employé au Royaume des Fées pour désigner le monde ordinaire – celui du collège, des boutons d'acné et des parents qui finissent souvent par divorcer.

Archimandrake : haut dignitaire de l'Église de la Lumière.

Asloght : plus importante prison du Royaume.

Athame : dague de sorcier.

Bouillonnante, voie : emplacement de l'usine de colle miraculeuse de Jasper Blafardos et Silas Sulfurique, avant la destruction du bâtiment.

Chiendent piquant : plante herbacée dotée d'une certaine conscience. Se trouve notamment dans les faubourgs de la Lande. Est capable de repérer tout véhicule non pourvu de sortilège de lévitation, et de se précipiter sur son passage pour le bloquer en quelques minutes. Peut aussi punir tout être vivant coupable de l'avoir foulée : après avoir paralysé sa victime, elle la déchire en lambeaux afin de se repaître des nutriments qui la composent.

Démon : forme souvent adoptée par les créatures du Royaume de Hael lorsqu'elles entrent en contact avec les fées ou les humains. Peuvent se révéler redoutables, surtout quand ils connaissent le nom de leur victime.

Endolg : contrairement aux apparences, n'est pas une couverture de laine mais une créature intelligente, douée de parole.

Incapable de proférer des mensonges, bien qu'il sache les repérer infailliblement – ce qui en fait un compagnon très apprécié dans le Royaume des Fées.

Fée de la Forêt : membre d'un peuple sauvage et nomade, chassant, se développant et vivant dans les profondeurs de l'une des vastes forêts qui s'étend sur une grande partie du Royaume. Chose rare, les Fées de la Forêt n'ont fait allégeance ni aux Fées de la Lumière ni aux Fées de la Nuit. Certains les appellent les « Fées Sauvages », mais il vaut mieux éviter de le faire en leur présence.

Fée de la Lumière : membre de l'une des deux grandes espèces de fées. Culturellement opposée à l'usage de démons, quelles que soient les circonstances. Souvent membre de l'Église de la Lumière.

Fée de la Nuit : membre de l'une des deux grandes espèces de fées. Se distingue physiquement des Fées de la Lumière par ses yeux ultrasensibles, qui rappellent ceux d'un chat. Recourt volontiers à l'usage des démons.

Gardien : titre honorifique qui désigne le plus haut conseiller d'une Maison noble, chez les Fées de la Nuit comme chez les Fées de la Lumière. Alan Fogarty est le Gardien de la Maison d'Iris ; Cossus Cossus, celui de la Maison Noctifer.

Glaistig : bipède en général à moitié sauvage. Se nourrit de sang. Un peu plus petit qu'un représentant mâle moyen des fées. Il existe une espèce de glaistigs entièrement sauvage, réputée pour agresser les voyageurs et les vider entièrement de leur sang.

Golem : créature en terre pétrie amenée à la vie par magie. Leur fabrication est interdite depuis plus de cinq siècles, car les golems sont sujets à des crises de démence, pouvant les amener à commettre assassinats, actes de torture, écartèlements de masse et décapitations avec les dents.

Hael : dimension alternative de la réalité peuplée par les démons. On le surnomme l'« Enfer », mais certains affirment que, en fait, c'est Hael qui est le surnom de l'Enfer...

Halek, couteau (ou lame) : arme en cristal de roche susceptible de libérer des énergies magiques le rendant capable de détruire tout objet ou tout être dans lequel il s'enfonce. Inconvénient : quand les couteaux haleks explosent, ils tuent ceux qui étaient en train de les utiliser.

Halek, sorcier : ni humain ni fée. Les sorciers haleks sont réputés pour être les praticiens magiques les plus doués du Royaume des Fées. Leur spécialité : la technologie de guerre, et notamment les armes blanches.

Haleklind : endroit où vivent les sorciers haleks.

Haniel : lion ailé, qui allie la vitesse du rapace à la férocité du fauve. Habite dans les contrées sylvestres du Royaume des Fées.

Iris, Maison d' : lignée des nobles à la tête de l'Empire des Fées.

Lande, grand-rue de la et faubourgs de la : vaste quartier entre ronces et herbes folles, situé au nord de la capitale du Royaume des Fées. C'est un endroit apprécié des fées fortunées, car il est très difficile d'y circuler, ce qui garantit une certaine tranquillité. Seul moyen de transport efficace : véhicule à lévitation. Les routes terrestres sont envahies par le chiendent* piquant, qui empêche également de traverser cette zone à pied.

Luz : os avec lequel les nécromanciers affirment que Dieu nous ressuscitera... et qui leur sert à transformer les parents de leurs clients en zombies.

Ouklo : véhicule à lévitation, conduit par un système de pilotage automatique Éviter de s'en servir hors des grandes agglomérations.

Pipe à bulles : baguette magique permettant d'émettre des volutes de bulles colorées. Très utilisée dans les mariages et autres occasions festives.

Portail : seuil énergétique transdimensionnel. Permet de passer d'une réalité parallèle à l'autre. Peut être naturel, modifié ou artificiel. Peut aussi être unidirectionnel (s'il ne relie le Royaume des Fées qu'à un seul endroit du Monde analogue) ou multidirectionnel.

Pourpre : couleur réservée à l'Empereur et à sa Maison. On appelle curieusement Empereur pourpre le dignitaire chargé de gouverner le Royaume des Fées.

Psychotronique : discipline scientifique mal connue, importée du Monde analogue. Étudie l'interaction entre la pensée humaine et la réalité physique. Nombre de manifestations magiques constatables dans le Royaume des Fées semblent procéder de l'application concrète des grands principes psychotroniques.

Pushorn : quartier le plus malfamé de la capitale. Les nécromanciers les plus réputés, donc les plus redoutés, ont leurs habitudes dans l'une de ses venelles, appelée allée Gruslut.

Royaume féerique, aussi appelé « Royaume des Fées » : aspect parallèle de la réalité, habité par des espèces telles que les Fées de la Lumière, les Fées de la Forêt et les Fées de la Nuit.

Simbala, musique : forme musicale présentant des risques de dépendance. On en vend légalement des morceaux dans des établissements spécialisés, notamment près de la porte Nord. On peut néanmoins en consommer illégalement partout ailleurs. S'écoute ou se boit, de préférence cul sec.

Sinderack : pâtisserie extrêmement savoureuse, offrant un délicieux arrière-goût fumé. Mets très apprécié des citadins.

Slith : redoutable reptile de couleur grise. On en trouve dans les zones forestières du Royaume des Fées. Les sliths sécrètent un poison hautement toxique, comparable à l'acide le plus corrosif. Ils sont capables de cracher leur venin à des distances considérables.

Sortilège, cône de : tient dans une poche (mesure rarement plus de dix centimètres de haut). Imbibé d'énergies magiques. Bien le diriger pour obtenir le résultat souhaité. Les anciens modèles exigeaient d'être brûlés. Les modèles plus récents sont équipés d'un système d'auto-ignition, dit « à allumage intégré » : il suffit de les craquer avec un ongle. Les deux versions produisent des émanations qu'on peut comparer, toute proportion gardée, à un feu d'artifice.

Trinian : espèce ni humaine ni féerique, de taille naine, vivant dans le Royaume des Fées. On peut distinguer trois sous-familles : sauf exception, les Trinians orange sont domestiques, les violets guerriers, et les verts spécialisés dans les nanotechnologies appliquées à la biologie (ils sont notamment capables de créer des êtres vivants).

Vimana : d'après un terme sanskrit. Dans le Royaume des Fées et de Hael, désigne un processus de réincarnation express et/ou une soucoupe volante.

Yammeth Cretch : repaire des Fées de la Nuit. Tout notable de cette confrérie se doit d'y posséder un domaine à la mesure de ses moyens.

Cet ouvrage a été imprimé par

FIRMIN DIDOT

GROUPE CPI

Mesnil-sur-l'Estrée

pour le compte des Éditions Pocket Jeunesse
en mai 2005

POCKET ‑ 12, avenue d'Italie ‑ 75627 Paris Cedex 13 – Tél. : 01-44-16-05-00
N° d'impression : 73799 – Dépôt légal : juin 2005.

Imprimé en France